W9-BMI-900

HISTOIRE DE L'AMOUR
ET DE LA HAINE

DU MÊME AUTEUR

formes de romans

Dans un avion pour Caracas, Grasset et Le Livre de Poche
Je m'appelle François, Grasset et Le Livre de Poche
Un film d'amour, Grasset et Le Livre de Poche
Nos vies hâtives, Grasset et Le Livre de Poche
Confitures de crimes, Les Belles Lettres

formes de poèmes

Les nageurs, Grasset
La diva aux longs cils (poèmes 1991-2010), Grasset
Bestiaire, Les Belles Lettres
En souvenir des long-courriers, Les Belles Lettres
À quoi servent les avions ?, Les Belles Lettres
Ce qui se passe vraiment dans les toiles de Jouy, Les Belles Lettres
Que le siècle commence, Les Belles Lettres
Le chauffeur est toujours seul, La Différence

formes d'essais

New York, noir, Blaizot
À propos des chefs-d'œuvre, Grasset et Le Livre de Poche
Pourquoi lire ?, Grasset et Le Livre de Poche
Encyclopédie capricieuse du tout et du rien, Grasset et Le Livre de Poche
Dictionnaire égoïste de la littérature française, Grasset et Le Livre de Poche
La Guerre du cliché, Les Belles Lettres
Il n'y a pas d'Indochine, Grasset
Remy de Gourmont, Cher Vieux Daim !, Grasset et Le Livre de Poche

formes de traductions

Francis Scott Fitzgerald, *Un légume*, « Les Cahiers rouges », Grasset
James Joyce, *Les Chats de Copenhague*, Grasset
Oscar Wilde, *Aristote à l'heure du thé*, « Les Cahiers rouges », Grasset
Oscar Wilde, *L'Importance d'être Constant*, « Les Cahiers rouges », Grasset

CHARLES DANTZIG

HISTOIRE DE L'AMOUR ET DE LA HAINE

roman

BERNARD GRASSET
PARIS

IL A ÉTÉ TIRÉ DE CET OUVRAGE
QUINZE EXEMPLAIRES RÉSERVÉS AU COMMERCE NUMÉROTÉS DE 1 À 15
ET CINQ EXEMPLAIRES HORS COMMERCE DE A À E,
SUR VERGÉ RIVES IVOIRE CLAIR DES PAPETERIES ARJO WIGGINS,
LE TOUT CONSTITUANT L'ÉDITION ORIGINALE.

ISBN 978-2-246-85813-3
ISBN-grands papiers : 301-0-0000-5495-5

Oui.

James Joyce, *Ulysse*

sexe

étude de la masturbation

Amour ! Amour ! Amour ! C'est une main de garçon. Large, veloutée de poils clairs, elle se dirige vers un tissu écossais. La paume malaxe une bosse formée sous le tissu, se faufile, forme levier, le repousse. Apparaît un sexe où la main s'enroule. Mouvement répétitif, on entend un gémissement, l'image chavire, deux genoux sont levés au-dessus d'une tête enfouie dans un oreiller, un liquide épais tombe en mousson sur un visage de profil ; les jambes redescendent, le buste fait une rotation, un visage apparaît en gros plan où une joue est relevée et un œil fermé, couvert d'une flaque ambrée. Une langue sort lentement et récupère une goutte sur le bord de la lèvre supérieure, la bouche sourit. On a à peine le temps d'apercevoir une explosion de cheveux blonds : Ferdinand arrête l'enregistrement sur son téléphone. Cela interrompt aussi celui de la marée de cris qui montait de la manifestation dans la rue. Ferdinand se recouche en se retournant d'un bond sur le côté et en écrasant un oreiller contre son oreille.

La première forme d'imagination, c'est la masturbation. Pour se masturber, on convoque des images qu'on trie très vite. C'est rudimentaire, et le maximum où atteindront bien des humains.

La masturbation n'est pas nécessairement du sexe. Au concert des Stooges au Zénith de Paris en 2006, Iggy Pop s'est masturbé et a joui sur « I Wanna Be Your Dog », du moins le dit-on. Diogène se masturbait en public, faisant lui aussi de cet acte amusant quelque chose d'agressif. Je parle bien du fastidieux Diogène le Cynique, qui commentait : « Si je pouvais aussi tromper mon estomac en le frottant ! » (Diogène Laërce, *Vies des philosophes illustres*). On voit qu'il était un philosophe à ce qu'il ne pouvait s'empêcher de pontifier, même en se branlant. « La philosophie est une masturbation qui ne jouit jamais », avait écrit celui qui est l'écrivain de ce roman. Cela se trouve dans son dernier livre, *Tout en haut du toit*, qui date de sept ans déjà quand cette histoire commence. Ce personnage, nous l'appellerons Pierre.

Quelqu'un avait posté à la notice wikipédia du romancier Julien Green (1900-1998) une citation de Pierre Hesse extraite de ce même *Tout en haut du toit*, avec plusieurs modifications intempestives d'internautes persuadés de savoir mieux que lui, qui rectifia et fut interdit de sa page pour « vandalisme ». Il fallut une brève dans un journal pour que le texte exact fût rétabli comme suit :

> Chaque fois qu'il s'était masturbé, ce protestant converti au catholicisme dessinait une croix au-dessus de son lit. Ceux qui ne quittent pas leur religion sont plus tranquilles. Les murs de la prison restent invisibles.

Que la monotonie puisse procurer une jouissance, la masturbation le montre. Le geste est monotone de même que, généralement, les images que notre cerveau se projette. Plus ou moins toujours les mêmes personnes, dans les mêmes situations. Et nous adorons ça, en changeant aussi peu que d'une veste qu'on aime depuis longtemps. Existe-t-il des infidélités dans la masturbation ?

Se masturber avec des copains est une forte occupation quand on a douze, treize, quatorze, quinze ans. Ferdinand l'avait longtemps fait en compagnie de son plus ancien camarade de classe, pour qui cela avait été une sorte d'ombre mécanique destinée à aider son propre geste. Pour Ferdinand, une façon de lui dire je t'aime. Maintenant, ils étaient amis. Ferdinand trouvait ça un peu triste. Et, dans leur café d'étudiants (café des Grands Hommes, rue Descartes, V^e^ arrondissement de Paris), il regarda Jules au bras de cette fille, cambré, rieur, insolent, et se dit : elle ne me le prendra pas !

Tout en déjeunant d'une salade qu'elle tenait sur ses genoux relevés vers ses épaules resserrées, Anne regardait une série télévisée sur son ordinateur de bureau, au dernier étage d'un petit immeuble, côté impair de la rue des Filles du Calvaire, dans le IIIe arrondissement, en se penchant on voit un côté de l'octogone du Cirque d'hiver. « La télévision, c'est des gens, et le cinéma, c'est du sexe. Un acteur dans le même rôle au cinéma aurait été beaucoup plus beau… Au cinéma, un garagiste est beau… Le cinéma n'aurait-il pas une fonction… masturbatoire (puisqu'on appelle souvent beau ce qui nous fait jouir) ?… La télévision a une fonction, quoi ?… rassurante ?… Un baiseur y a un petit ventre. “J'ai un petit ventre, se dit l'homme qui le regarde. Je pourrais être un baiseur.” » Le mobilier était toujours marron, dans les séries américaines ; Anne se demanda si c'était une conséquence de leur moralisme.

« Un des grands mystères de la vie est que certaines “civilisations” aient inventé de soumettre la sexualité à la morale. » (Pierre Hesse dans son premier livre, *Il me faudrait un petit palais*.)

étude des baisers

Bondissant d'un tabouret de la boîte de nuit, une des filles se jeta sur Ferdinand et tenta de l'embrasser. Il recula, dans une confusion de surprise et de dégoût, puis aussitôt se pencha sur elle et l'embrassa avec férocité, sa langue tournant comme un rotor. La boîte se trouvait sur ce quai d'Austerlitz aux modes laborieuses. Il y avait eu une péniche à concerts archicourue pendant un an, près de laquelle s'était trouvée une boîte fréquentée par des filles de banlieue très maquillées faisant la queue devant un videur patibulaire, et maintenant c'était ce Wanderlust avec la terrasse où l'ami d'enfance de Ferdinand, expert en ping-pong, faisait semblant d'y jouer mal puis prenait des paris avec des matamores ivres, gagnant le prix des boissons de la bande. C'est à l'intérieur et pendant que Jules en était à 20-1 que se produisit le baiser furieux.

Dioclès, Athénien, accourt d'Éleusis à Mégare pour combattre au côté de son aimé en danger. Il meurt en le sauvant. En hommage à son courage et à son amour, il est institué à Mégare un concours de baisers. Ah, les charmants Grecs.

Une des plus jolies choses jamais écrites sur les baisers l'a été par Christopher Marlowe dans une parenthèse de *Héro et Léandre* (posth., 1598) :

> (Doux sont les baisers, douces les embrassades
> Lorsque le désir et l'affection s'égalent.)

Pierre avait tardé à sauter à la bouche des femmes. La timidité fait le gentleman mais pas le bonheur de la queue, disait-il. Ah, ces courtisaneries interminables pour leur faire croire qu'elles sont reines inatteignables. Il a écrit :

> Un gentleman est un homme qui se console des plaisirs dont sa timidité le prive en se disant qu'il roule impeccablement son parapluie. Ainsi réussissons-nous à nous rendre admiratifs de codes qui nous oppriment.
>
> *La Grande Fenêtre du premier*

Une parole n'est pas aussi abstraite qu'on le croit, elle est du vent, et le vent existe. Elle engage du physique, des mouvements des cordes vocales, la bouche, du corps. Un mot, passant par la bouche, est une forme de baiser. Quand on prend un mot ou une expression à quelqu'un, c'est parce qu'on trouve ça joli, sans doute, mais c'est l'explication des pies voleuses, et il en existe une autre plus authentique qui est l'amour. En faisant passer le mot que j'ai pris à quelqu'un par ma bouche, je l'embrasse. Le mot passe par la bouche et c'est un baiser aussi, je te parle, je t'enserre, je prononce ton nom, ma langue rencontre la tienne. Je te fais l'amour par mon langage sexe.

Un baiser sur la joue ferme un volet. Un baiser dans la bouche est une clef qui ouvre un corps. Il peut être un gouffre. Une vie passée s'y engloutit comme un tourbillon. Xu avait répondu au premier baiser de Pierre avec tant de passion qu'il avait agité ses relations pour la faire naturaliser, lui trouver un métier intéressant, et divorcé pour épouser cette désormais ex-Chinoise de trente ans plus jeune que lui (on prononçait « Sou »). Elle avait tout gagné dans sa vie grâce à un baiser.

Le baiser boit.

étude de la révolte sensuelle et de la révolution sanglante

Faisait-il beau ? Faisait-il laid ? Une capitale, c'est une ville où il n'y a pas de climat. Sur le côté d'un kiosque à journaux de la rue Étienne Marcel (Ie et IIe arrondissements) était affichée la couverture d'un magazine où un émeutier, dans un mouvement dansant, lançait un cocktail Molotov. « Les révolutions, ça marche parce que ça fait de jolies images… Ou bien nous avons appris à trouver jolies les images des révolutions ?… se demandait Anne à l'intérieur d'un bus bloqué dans un encombrement. Que la révolte est sensuelle… C'est peut-être ce qu'a voulu montrer Delacroix par sa Liberté aux seins nus sur les barricades de 1830… Ce réac faisant un tableau pro-Révolution !… », pensa-t-elle en pliant les genoux pour laisser s'asseoir une ombre. Continuant à s'entretenir avec elle-même de politique, d'amour, de goût et de philosophie, elle repartit à la suite de son idée sage ou folle : « Ces malentendus se produisent tout le temps… Le grand public ne retient que le flamboiement partiel de l'image... La France a dansé tout un été sur "Marcia Baila", la chanson des Rita Mitsouko sur une chanteuse morte d'un cancer. Les Français ne sont d'ailleurs pas moins réacs que Delacroix, et... » Elle venait de voir une affichette antimariage gay collée sur une boîte d'alimentation électrique : « Nous sommes tous nés d'un homme et d'une femme. » Descendant du bus (elle était trop en retard, elle continuerait en taxi, tant pis pour les économies qu'elle avait été si contente de faire), elle se dit : « Je crois que voici un des plus grands complots esthétiques de la France... Delacroix a fait semblant de croire à la Révolution, et les Français de croire à son tableau... Les Français n'aiment pas la liberté, ils aiment les seins nus. »

Manifestations en Turquie contre le gouvernement populiste de Recep Erdogan, deuxième décennie du XXIe siècle :

La révolte est sensuelle, puis la révolution est sanglante. Le premier tué sera ce beau garçon.

Pendant la campagne pour l'élection présidentielle de l'année précédente, Paris s'était couverte d'affichettes d'un candidat populiste de gauche. Le dessin l'amincissait, l'embellissait dans le sens de la gravité, et le plus frappant était qu'il n'y avait pas de nom. On était en plein désir de fascisme. Le chef n'a pas à être nommé, il est connu de tous. Le fascisme coréen à la Kim Jong-un (le candidat semblait d'ailleurs en imiter l'habillement) dépersonnalise et montre un homme commun. Ce n'est qu'une épaisse hypocrisie, si épaisse qu'elle est peu vue. Le fascisme de droite, fondé sur l'idéologie du surhomme, le nomme et l'archinomme ; et « Mussolini » partout. Pile et face de la même bonté.

Les affiches électorales légales avaient disparu depuis une loi sur le financement de la vie politique, dans les années 1990. De plus, Paris était une ville sans graffitis. Où passait la rage ?

En appuyant un peu plus l'oreiller sur son oreille pour empêcher que s'y déversassent les hurlements, les cris, les sifflements, les bruits de verre cassé, les chants martiaux de la manifestation sous ses fenêtres, Ferdinand ne trouvait pas la révolte sensuelle.

étude du sensuel

« Nous n'avons pas connu cette époque où le sensuel consistait à porter un short moulant et de longues chaussettes de sport blanches, disait Aaron, cliquant sur des photos de New-Yorkais des années 70 en week-end à Fire Island. C'est bien dommage, ça m'irait bien », ajouta ce petit brun en rajustant le capuchon de son blouson d'intérieur. Assis à la table du séjour, il portait un caleçon et avait un pied nu alangui sur l'autre comme un chiot sur son frère. Armand enfila la veste de son costume gris, aplatit d'une main ses cheveux blonds qui commençaient à grisonner, prit une brioche, en mangea la tête et la reposa dans l'assiette. « Barbare, dit Aaron sans lever les yeux. À ce soir. »

Choses sensuelles pour divers personnages de ce livre :
Les entrebâillements.
Les trousseaux de clefs.
Les très longues jambes.
Les shorts bleu marine.

La lourdeur, parfois. Pareil à un cheval de tournoi du Moyen Âge, le policier penché sur une voiture qu'Armand croisa au coin de chez Aaron et lui, rue de Turenne (IIIe arrondissement), portait arme et matraque et clefs et micro à la ceinture, pour ouvrir quelles portes de quelles arrière-chambres, appeler quels amis à quels plaisirs ?

Aucun endroit de Paris, ville trop concertée pour avoir de l'abandon et trop inquiète de beauté pour tenter la séduction.

Regardant rue Rambuteau (Marais), à la vitrine d'un « fabricant de chaussures de flamenco et accessoires drag queen », une bottine à boutons, austère, en fin cuir noir, boutonnée sur le côté, Aaron crut en comprendre le sensuel, ce qui, en 1900, faisait délirer les hommes. « Le sensuel passe, comme le rêve, et tant mieux, se dit-il. On change les images de la tête comme les draps d'un lit. »

Ferdinand trouvait que, jeune, Allen Ginsberg qui n'était pas beau était sensuel. Il y avait à l'intérieur de ce corps l'imagination de ses poèmes. Armand en photo avait l'air buté ; mouvant, son visage était animé par son esprit intelligent et bon, et il avait alors un charme lent. Aaron l'avait contacté sur un site, en pleine nuit, affamé de sexe et prêt à n'importe qui ; et il avait vu cet homme apaisant, et ils vivaient ensemble depuis sept ans.

Êtres sensuels dans la ville de Paris, France, cet hiver-là :

Un garçon de vingt-cinq ou vingt-six ans, brun, mince, ni beau, ni laid, mais rendu sublime par son handicap et la façon dont il le combattait. Désarticulé, il avançait à l'aide de cannes avec des mouvements saccadés, et regarda Armand avec dans les yeux la panique, l'effort et la fierté. Il devenait sensuel. Armand se dit qu'il pourrait l'aimer pour cette douleur et le mépris qu'il avait d'elle ; ou plutôt : pour son courage. *(Rue François Ier, VIIIe arrondissement.)*

Devant une boutique de vêtements, une longue fille mince en pantalon à rayures et chemise à rayures ; elle n'était qu'une rayure. Elle fumait, et la fumée s'élevant au-dessus de sa tête formait une rayure supplémentaire. Pierre la but d'un trait. *(Rue de Marseille, Xe.)*

Un cousin d'Aaron en visite, vingt ans ou comme ça. Il porte des lunettes et zozote, et le fait de la façon la plus sensuelle du monde. Les lunettes, il les a sur le bout du nez et sa langue saillit entre des dents très blanches près de lèvres charnues. Il est poli, souriant, rieur, gentil, un peu voûté, étant grand ; moins frêle qu'il n'y paraît, pas frêle du tout, même, il a avec le corps et les mains des mouvements sinueux de feuilles d'arbre frémissant sous le vent. *(Croisement rues Debelleyme et des Filles du Calvaire, IIIe.)*

Sensuel pour Anne : le Dr Pozzi par Sargent (Armand Hammer Museum of Art, Los Angeles) :

Sensuel pour Armand : Diana Rigg, l'interprète d'Emma Peel dans *Chapeau melon et bottes de cuir* :

Sensuel pour Aaron : un blond dans un costume gris.

Sensuel pour les trois, qui feuilletaient un catalogue d'exposition appartenant à Anne : tout homme peint par Bronzino.

George Harrison, des Beatles, m'a toujours fait l'effet d'un brave garçon pas sensuel du tout, mais il fait délirer un de mes amis, qui raffole aussi du chanteur des Drums, même genre. Pas sensuel pour l'un est sensuel pour l'autre, c'est ainsi que l'humanité trouve son plaisir, et parfois sa souffrance.

étude de l'amour physique

Le désir, cette excitation de l'irréalisé, faisait Ferdinand se masturber interminablement sur une situation très simple qu'il n'avait pas osé mener à bout à l'âge de quatorze ans. Fantôme importun, que tu es délicieux ! Et, dans la chambre du grand appartement où il vivait avec son père (rue Fabert, VIIe arrondissement), il s'imaginait entrant dans une chambre peu distante de là, rue du Cardinal Lemoine, où dormait son ami Jules devenu étudiant en droit. Le désir lui faisait inventer la suite du roman, qui ne se produirait jamais, parce qu'elle ne se produirait jamais. La copine de Jules était collante. Après les sessions de masturbation communes, dans leur adolescence, il s'était bien fait sucer par Ferdinand, mais en fermant les yeux. Quand, des mois plus tard et après plusieurs séances, Ferdinand, ivre de malheur et de vodka-Red Bull, lui avait avoué son amour, il avait répondu : « Mais je n'aurais jamais imaginé, garçon ! »

Il était flatté, mais décidément non, lui c'était les filles. Ferdinand avait fermé la porte sur cette scène et continué à adorer son ami.

Le poète portugais Antonio Botto (1897-1959) a énoncé et sans doute éprouvé que « l'homme est mû par le désir/comme les nuages par le vent » (*Canções*). Le poète grec Méléagre (v. 140-v. 60) disait déjà : « Le vent du désir s'est levé et fait rage » (*Anthologie palatine*). Ce vent tente de m'arracher à mes habitudes en s'accrochant à mon plexus. Il me montre des images : va voir ce corps ! que te cache-t-il ? l'idéal ne serait-il pas là ?

Le désir n'a pas besoin d'être assouvi ; souvent même il préfère le contraire. Pierre relisait en somnolant ce passage d'un livre : « Je reculais l'heure de me mettre à ce double plaisir, comme celle du travail, mais la certitude de l'avoir quand je voudrais me dispensait presque de le prendre, comme ces cachets soporifiques qu'il suffit d'avoir à la portée de la main pour n'avoir pas besoin d'eux et s'endormir. » Quel gluant ennui, le désir, se dit-il.

A, B et C dans un restaurant, à Paris. A a couché avec B, C l'ignore, qui a essayé de coucher avec B, A le sait. A, prétextant de se laver les mains, envoie un texto à B des toilettes : « Je dirai non pour un verre en suivant. Tu me rejoins ? » A revient à table, B lit le texto. Pas un signe. Il avait pourtant fait du pied à B sous la table au début du dîner. À la fin, A hésite à ne pas aller prendre ce verre. Si C, seul avec B, réussissait à le convaincre ? Il rentre quand même chez lui. Dix minutes plus tard, où A a été inquiet et irrité, on sonne. C'est B. « Salope », lui dit A, sans point d'exclamation, en souriant. Merveilleuse nuit d'amour. Ceci sera l'unique passage universel et éternel de ce livre. De ce que cette scène pourrait avoir lieu dans tout lieu et à toute époque, je n'y suis pour rien, le désir des hommes y est pour tout.

Dans la loge du concierge de l'immeuble où habite Ferdinand, un prêtre catholique au sourire douloureux parle de sexualité à la télévision. Au premier étage, sur un écran plat, un documentaire montre un mollah iranien en train d'expliquer que les femmes excitent les hommes. Au deuxième étage, sur Internet, un rabbin parle des aberrations sexuelles. Au troisième étage, sur un écran d'ordinateur, une marionnette de comédie musicale chante « The Internet is for Porn », l'image saute, devient un prêcheur musulman qui parle de morale sexuelle, puis un homme nu est à genoux devant un autre, debout, puis un moteur de recherche affiche les mots « célébrités gay ». Au même étage, sur un autre écran, une femme à quatre pattes tient un fouet noir entre les dents, puis une autre les mains ligotées derrière le dos a un bâillon-boule dans la bouche, puis une femme la tête et les poignets dans un pilori est giflée par un homme en cagoule, puis un prêtre catholique au sourire douloureux parle de la sexualité qui doit servir à la reproduction, puis la page d'accueil d'un parti politique.

Vers dix heures du soir, au coin de deux rues, se tient un homme d'une trentaine d'années en jean et blouson à col de fausse fourrure, un téléphone à la main. Il attend plus qu'on n'attend généralement sur un trottoir quand on ne porte pas de cartable. Son regard fouille la rue. Un jeune passant approche, il l'observe attentivement. Le passant poursuit son chemin. L'homme traverse la rue, fait quelques pas, tend le menton, observe au loin, jette un coup d'œil sur son téléphone, observe à nouveau. Revient à son emplacement initial. Regarde autour de lui, consulte son téléphone. Alors qu'il est en train d'écrire sur l'écran, un jeune homme l'aborde. Ils se saluent, se disent quelques mots, partent ensemble.

Les gens qui se vantent de leurs vices n'en ont généralement pas de bien grands. Ils rêvent. Ceux qui pratiquent beaucoup se taisent. Ils ne veulent pas être pris. Rappelez-moi le nom de cet élégiaque qui a torturé des enfants en montrant au monde une mine pieuse, celui du Tartarin d'immoralité tremblant qu'on ne découvre le bon garçon qu'il était. (J'emploie « vice » pour aller plus vite.)

Feuilletant un catalogue de vente aux enchères, Pierre trouva une photo de Michel Simon suçant un travesti. Cette folie le lui rendit sympathique. Aucune précaution.

(Un acteur célèbre, etc.) « Et son manque d'habileté est une habileté involontaire : la postérité est une frivole qui s'ennuie vite, il la distrait, j'en parle. Je ferai la même chose avec des livres posthumes qui scandaliseront le monde », se dit Pierre qui n'avait pas écrit une ligne depuis plus de sept ans.

âges

relativement à l'enfance qui dure toute la vie

Ferdinand entra en cours (première année de Lettres modernes, université Paris La Sorbonne-Censier, rue Santeuil, Ve arrondissement), tout occupé d'un roman qu'il lisait dans le bus. Le monde pratique de l'amphithéâtre écrasa le monde idéal du livre. Il se vit, enfant, la tête dans ses livres, se sentant coupable au regard de son père qui l'accusait de passer son temps à lire et à ne pas s'intéresser à ses activités de député. Ce souvenir, il le rassembla dans son écharpe. Elle lui avait été offerte à Noël par ce même père. Imitant l'insolent personnage du roman, il dit : « Et merde ! » à voix haute, jeta emphatiquement l'écharpe sur son pupitre et quitta le cours. « Tu as accompli un acte symbolique, lui dit son ami Jules au café des Grands Hommes. Tu t'es séparé de ton enfance. » À quelle catégorie d'âge appartenait Ferdinand ? L'âge adulte sûrement pas, son père ne cessait de lui répéter : « Tu seras adulte quand tu gagneras ta vie ! » Il arrêta de mordiller le coin de sa bouche et écouta Jules de tout son corps. Ce vieillard de Jules, ce génial Jules, ce Jules qui faisait de meilleures études que lui (à l'école de droit de la Sorbonne, rue Saint-Hippolyte, dans le XIIIe arrondissement). Son intelligence paraissait plus éclatante encore grâce à ses cheveux roux clair enroulés sur la tête, ils brillaient comme des fils de cuivre. « Se séparer est un acte d'adulte en ce que c'est le contraire de l'enfance qui garde tout, poursuivit-il. L'enfance s'attache, l'adulte se détache. (Sentence !) Dans l'enfance tout est sentimentalisé. Écharpes, livres, DVD, cookies au chocolat, on garde tout autour de soi comme une boule de réconfort. C'est une forme de peur, garçon. En se séparant, on quitte la peur. On abandonne une chose pour se compléter d'une autre. Tel un serpent, Ferdinand a laissé une peau sur un pupitre de la Sorbonne ! » Ferdinand bouche en O. La pensée de Jules s'enroule autour de moi comme une écharpe.

« Je veux marcher ! Je veux marcher ! », criait le petit garçon dans la rue. En le portant, son père lui niait sa qualité d'homme. Armand fut violemment avec lui. Rentré chez eux, il dit à Aaron : « Je me rappelle avoir, à l'âge de sept ou huit ans, dessiné à la craie deux voies de circuit automobile où je poussais des autos miniatures en m'ennuyant pour ma mère en haut et lui faire croire que j'étais un petit garçon comme les autres. »

Les petits garçons s'ennuient sur les plages. On n'a pas pensé à leur donner des livres.

Passant dans des étroites rues en piste de golf miniature de Barbès, Pierre eut un coup au cœur. Une sensation oubliée ! Depuis tant d'années ! Et la voici dans son cœur, un peu usée (elle a dû remonter si vite de si loin). Cette sensation, c'est : le bonheur de se toucher les uns les autres quand on est enfant. Derrière une fenêtre, deux petits garçons d'à peu près quatre et six ans jouaient, le plus jeune assis, l'autre debout ; le plus grand avait touché le sein du plus jeune, lequel avait continué en souriant à manipuler son jeu électronique. Pierre s'abandonna à son émotion par une habitude d'entretien de sa sensibilité pour pouvoir continuer à écrire des livres, qu'au reste il n'écrivait plus. Comme c'était bon, de se toucher, de se caresser, de s'embrasser, quand on était enfant, se disait-il, et peut-être que ceci est vrai : l'enfance, c'est un seul corps. Il élaborait inutilement des commentaires sur cette idée qu'il avait trouvée sans la déduire, quand son être administratif lui dit qu'il devrait rappeler Ginevra.

Les poupées sont les romans des petites filles.

— Les petites filles ont trois mille ans, disait Anne serrée contre la paillasse en métal et versant l'huile sans décoller le coude du torse. Comme on peut mal nous élever… Dans ma famille, nous l'étions dans la double idée que nous étions à la fois des princesses et des supplétifs de l'autorité… Je n'avais pas douze ans que ma mère m'ordonnait de surveiller mon frère, car *les garçons sont intenables*… Nous étions gouvernées par des lieux communs… Quand ma sœur minaudait pour justifier une bêtise, ma mère trouvait ça très bien… Je crois que ce qu'on nous apprend, avant de marcher et de parler, c'est le mensonge et la tyrannie…

— Ça ne serait pas bien d'ajouter de la moutarde ?, répondit Armand en continuant à tourner la cuillère en bois dans l'œuf. Tu trouves trop que les hommes ont toujours raison.

— T'es bête !…

Chose magnifique : un enfant athée.

Aaron se rappelait combien il était gêné, enfant, de voir des hommes et des femmes s'embrasser à la télévision (plus qu'au cinéma ; le cinéma n'était pas supposé être la vie). Ce qui le gênait est que c'étaient un homme et une femme ; plus exactement un idéal qu'on lui imposait et que son corps, avant même que son esprit l'eût formulé, savait opposé au sien. Il en avait conclu que les idéaux imposés sont malsains. À quatorze ans, il avait dit à ses parents ce qu'il avait à dire. Sa mère avait apaisé son mari, dont les parents avaient dû fuir l'Autriche, en lui rappelant une de ses phrases : « Tout ce qui pousse à la clandestinité est ignoble. » Le père, tapotant le crâne aux si beaux cheveux noirs qu'Aaron ne voulait pas couper (les mêmes que lui, enfant), avait affirmé : « Tu seras heureux, mon fils. » Armand qui avait eu à subir tout le contraire disait : « Les méchants ne viendront pas, nous promet-on toute notre enfance. Ils viennent. »

Ils sortaient du musée Carnavalet, ancienne maison de Mme de Sévigné, fameuse Parisienne. Une vitrine de cotillons avait étiré un sourire sur le visage d'Armand. Chapeaux de gendarme en papier crépon à soufflets, boules en papier rouge, costumes de Pierrot. L'enfance du temps de ses si durs parents. La France. « Les Français ont tendance à croire que la France est morte alors que c'est leur enfance, dit-il. Cette évolution est consécutive au vieillissement. On croit que la nouveauté est là pour nous faire mourir. L'idée vient de la rime. France/enfance. La France est un pays qui pense par rimes, ayant été éduquée par des chansons. »

Revoyant une photo de lui petit garçon, une épée en plastique à la main, avec des moustaches que son père lui avait dessinées au moyen d'un bouchon brûlé, Armand se souvint comme il se forçait pour donner à sa famille de silence et d'ordre l'illusion qu'il s'amusait selon les règles. Le sourire qu'il prend pour la photo est effacé par la tristesse du regard. Il eut pitié de ce petit garçon. Et il se dit : les mêmes choses le blessent, les mêmes blessures l'angoissent, les mêmes angoisses l'abattent. Les mêmes choses aussi l'enchantent : les répliques brillantes, la délicatesse, les beaux habits, la rigueur des sentiments, le secours porté aux faibles, les résistants héroïques. Il avait les mêmes exaltations, les mêmes élans, bondissant vers ce qui pouvait l'élever et tant pis si on arrivait sur un mur. « Tout est comme quand j'avais sept ans. J'ai sept ans. Mon enfance durera jusqu'à ma mort. »

Il avait une rengaine, quand il avait trop bu (et cela arrivait peu, le travail, les déplacements, se lever très tôt, les puces le dimanche à l'aube avec Aaron) : « Enfant, j'ai refusé de capituler. » Et il n'expliquait pas. Les yeux plongés dans son passé qui n'était pas profond, oh non, tout proche, sous la surface, il répétait : « Enfant, j'ai refusé de capituler. » Aaron l'amenait se coucher.

Ferdinand avait gardé de son enfance une pratique souple et aisée du mensonge. Il l'avait utilisé pour la protéger de tout ce qui entoure l'enfance et qui est despotisme, tandis qu'elle ne doit être qu'obéissance. On lui disait « ce n'est pas bien de mentir », il approuvait, le répétait, et continuait à mentir. Ce monde absolu du mensonge qu'est l'enfance, et qui empêche par un brouillard très opaque les adultes de la dominer totalement, s'était fissuré à l'adolescence, âge où l'on se met à avoir des rapports individuels, ça l'avait troublé. Assis près de Jules sur le dossier d'un banc, chacun fumant une cigarette, la main en conque, le dos en conque, il marmonnait, la parole en conque, en quelque sorte : « J'ai cru parce qu'on me l'avait dit que le monde adulte cesserait de mentir. Il continue. D'une manière encore plus injuste, car les premiers adultes à mentir sont les forts. Mon père, par exemple, il n'arrête pas de dire "on doit la vérité aux Français", et il ment du réveil au coucher ; je suis sûr qu'il se ment en rêve. La force des forts vient de ce que personne n'ose leur dire : "Vous mentez." Eux le reprochent sans arrêt aux autres, mettant en place un système de contrôle comme la police ou l'inspection des impôts, auquel en gros eux-mêmes échappent. Le mensonge est une catégorie morale inventée par les puissants pour mieux contrôler les faibles. C'est aux seuls faibles que le mensonge devrait être permis, et même recommandé. Tu ne pourrais pas suggérer que la Sorbonne crée un droit du mensonge comme il y a un droit du travail ? Il serait pénalement réprimé en cas d'usage par les forts. Les forts utilisant les moyens de protection des faibles, pire que de l'usurpation, c'est de l'insolence. »

Tout enfant est seul.

Les dieux haineux nous font parfois traverser des événements déprimants et durs, car ils veulent abattre le bonheur et désespérer l'enthousiasme. Plus les êtres sont de qualité, plus ils le font avant un âge décent. Ce sont des bourrasques, il faut les traverser. On en sort blessé, parfois à jamais, la gaieté servira à combattre la tristesse. C'est le vent contre la glu. C'est notre courage. Vous l'aurez. Allez, enfants, je vous embrasse.

relativement à l'éducation

Ferdinand accoudé à la grille en fer forgé du balcon de sa chambre regarde le dôme des Invalides, dont la proportion lui semble disharmonieuse. Il a été redoré en 1989, juste avant la guerre du Golfe ; il a fallu douze kilos d'or. Ferdinand tenait ces informations inintéressantes de collègues députés de son père. Toute information lui paraissait inintéressante ; il préférait la littérature. « Ce qui est compliqué à un certain moment de la vie, se dit-il en plissant un œil pour éviter la fumée de sa cigarette, c'est le temps. J'ai un océan de temps devant moi, et je suis sur une barque, seul, et seul à décider comment naviguer. Quelques-uns de mon âge ont déjà pris de courageuses décisions de capitaine. Ils voient les territoires qu'ils viennent d'abandonner ; de la brume flotte sur l'horizon, mais ils savent qu'ils veulent arriver sur l'île aux Grandes Têtes. Les autres se laissent mener sur de grands transbordeurs conduits par des puissances invisibles. L'invisibilité vient de ce qu'elles sont la concrétion des renoncements de chacun des passagers. Il n'y a pas de chef, il n'y a que des abandons. À part ça, que faire ? » Ferdinand décolla son coude de la rambarde et son visage de sa main. Apparut une joue de faune, avec une patte frisée de jeune officier de la Révolution. Il jeta sa cigarette dans la rue. Ce mégot rouge et fumant lui parut libre, il alla le rejoindre. Ce qu'une ville n'a pas la caractérise aussi fortement que ce qu'elle a, et il n'y a pas de malls à Paris, se dit-il en fuyant l'appartement qui résonnait encore d'aigres remarques de son père, vers les bouquinistes de la Seine. Il avait besoin d'un grand livre. Les seuls qu'on trouvait rue Fabert (son père ne lisait rien, à l'exception des pensées sur la France du chef de son parti que celui-ci lui avait envoyées ou des pensées sur l'Europe de tel ministre qu'il avait achetées et à qui il écrivait une lettre admirative) composaient les remparts érigés par Ferdinand autour de son lit, la femme de ménage avait interdiction de les déplacer. La malveillance du député Furnesse ne pourrait jamais traverser Paul Verlaine, Thomas Bernhard, Pierre Hesse.

Les adultes s'entendent pour faire contrainte de tout, disait Armand. Avec eux, la plus jolie chose devient du plomb. Un bain de mer, par exemple. Il faut y aller à tel moment, et de telle façon, et en sortir quand on vous l'ordonne, c'est-à-dire quand ça fait le plus plaisir.

Il avait eu horreur des jouets, ces collabos des parents. « D'ailleurs : "Va jouer !" Va jouer. Un devoir comme le reste. » Il y avait un moment pour ça, et un lieu, et une façon. Et les jeux de société, avec leurs règles pour arriver à un résultat sans surprise ! L'ennui peint aux couleurs de la fantaisie. Aaron et lui s'étaient découvert un point commun d'adolescence. Tous deux avaient refusé de jouer au Monopoly, Aaron par principe politique, Armand parce que ce jeu entraînait systématiquement la haine. « Et pour des objectifs intelligents, avait dit Aaron : acheter des immeubles ! » Armand : « En grandissant, la plupart des hommes ne font que changer de jouets. »

Les enfants sont un peuple opprimé comme les Bantous par les Somaliens. Exactement de la même façon : on ne les hait pas, on les tient pour inférieurs, ils doivent demander l'autorisation de tout ; presque de vivre. La plupart des adultes oublient que les enfants sont aussi intelligents qu'eux. Et pas d'une intelligence rusée, animale, enfin ces qualificatifs qui diminuent l'intelligence, non, non, d'une grande intelligence. Il leur manque juste le vocabulaire pour l'exprimer ; non que la plupart des adultes aient un vocabulaire si riche.

L'enfance est silencieuse quand elle est seule, bruyante quand elle est avec les adultes. C'est pour s'en venger. Elle n'a le droit de rien, le cri rayera la tranquillité des maîtres.

Une des séductions de Jules pour Ferdinand étaient ses parents. Ils étaient tellement de gauche que si, enfant, il faisait pipi sur une libellule, ils le prenaient à part et le sermonnaient sur la vie, la mort et le mode de vie des insectes. En visite dans une ferme de sa circonscription, le député Furnesse avait fait montrer à Ferdinand comment on coupe le cou d'un poulet vivant.

L'enfance n'est-elle pas toujours bafouée ? On nous ordonne de la quitter.

L'enfance est un pays. Sa géographie est indistincte. Dans l'enfance, la boussole n'est pas magnétique, mais sentimentale. On frémit en direction de ce qui nous émeut, et on y va. Sortant de ce pays, on met du temps à comprendre la géographie des adultes. Ferdinand, tout barbouillé d'enfance malgré ses vingt ans, ne savait pas si telle ou telle rue se trouvait rive droite ou rive gauche. Ce n'était pas de l'ignorance. Il savait très bien comment aller chez Jules (pas loin des boîtes des bouquinistes vers lesquelles il se dirigeait en ce moment) et où ses amis habitaient sur sa carte personnelle, dessinée par ses seuls sentiments ; il n'avait pas encore décidé d'obéir à toutes les lois des adultes. Tu sais, Ferdinand, il suffit de faire semblant.

Dans une rue bruissant de langues touristiques, à l'abri d'un horodateur que contournait un fleuve d'humains, une petite fille répondit « Pire que oui ! » à un petit garçon qui lui avait demandé si elle l'aimait. Ils avaient la fierté de ce langage séparé qui leur faisait croire qu'ils étaient indépendants.

Passant sous la plaque commémorative d'un homme célèbre dont une biographie venait de révéler la saloperie, Pierre pensa : « Je hais les gens qui ont proposé à notre admiration des gens qui n'étaient pas admirables. » Et il fit mentalement chuter les menteurs qui lui avaient, et au monde, raconté une légende sur cet homme, dont au demeurant il se désintéressait. « Après sa mort, dit-il le soir au téléphone, il vaut mieux avoir des relations pour colporter une légende qui flatte *les autres*, des enfants pour perpétuer la garde de votre cadavre et *leur* réputation ou un journal intime pour *vous* venger des méchants. Je n'ai que vous, Ginevra. » La communication ayant été coupée, il répéta ce qu'il avait dit, sans la dernière phrase.

L'enfance reste, mais il faut la cacher beaucoup. Les autres y enfonceraient le glaive.

Vasari raconte que, à la fin de sa vie, Luca Signorelli peignit pour la compagnie de San Girolamo un tableau porté en procession de Cortone à Arezzo, Signorelli le suivant malgré son grand âge.

> Comme il logea dans la maison des Vasari, où j'étais petit enfant de huit ans, je me souviens que ce bon vieux, courtois

> et de bonne mine, ayant entendu du maître qui m'apprenait les premières lettres que je ne m'occupais à l'école qu'à faire des figures, je me souviens, dis-je, qu'il se retourna vers Antonio, mon père, et lui dit : « Antonio, puisque Giorgino ne dégénère pas, faires-lui apprendre à dessiner de toute façon [...] » Puis, se tournant vers moi, qui étais debout devant lui, il dit : « Travaille, petit cousin. »

Ce « Travaille, petit cousin » est une des plus affectueuses phrases jamais dites par un adulte à un enfant.

Franklin Delano Roosevelt passe les examens du barreau à New York, mais jamais son droit à Columbia. Des années plus tard, gouverneur de New York, il préside le dîner des juristes de l'université. Le président : « Vous ne pourrez jamais vous considérer comme un intellectuel tant que vous ne serez pas revenu à Columbia pour passer vos examens. » Roosevelt : « Cela ne fait que montrer combien le droit a peu d'importance. » « L'éducation : 1) triompher dans ses études ; 2) triompher de ses études », se disait Ferdinand en train de fouiller dans une boîte de livres au bord de la Seine, près de Jussieu. Il avait souligné dans Pierre Hesse :

> Ceux qui ne contestent pas leur éducation réussissent plus vite.
> Ceux qui contestent leur éducation réussissent plus longtemps.
>
> *Il me faudrait un petit palais*

L'homme est un cheval. Bébé, on le met dans une écurie qui s'appelle garderie. Enfant, dans l'écurie qui s'appelle école primaire. Adolescent, dans l'écurie qui s'appelle collège. Jeune homme, dans l'écurie lycée, puis l'écurie université. Adulte, dans l'écurie nommée entreprise. Éventuellement, dans l'écurie nommée armée. Et chaque jour, il va plus ou moins morne vers son parc, sa salle de classe, sa salle de travaux dirigés, son bureau. La dernière écurie est celle du cimetière. Il va calmement vers le dernier box, le cercueil.

relativement à l'adolescence

Traversant l'esplanade des Invalides pour revenir chez lui (comme, à onze ans, dans un livre illustré, il a lu le passage des *Choses vues* où Victor Hugo relate le retour des cendres de Napoléon, pendant longtemps, quand il ouvrait la fenêtre de sa chambre, il voyait le cortège avec les chevaux blancs, les canons, le char pyramidal orné d'aigles), Ferdinand croisa deux adolescents marchant côte à côte : une fille très petite à l'abdomen d'abeille et aux hanches de lyre comprimés dans un jean-chaussette, un garçon très grand à très gros yeux et très grandes dents dans une toute petite tête chauve, portant une veste serrée à la taille comme un sablier. Il n'avait pas trois ou quatre ans de plus qu'eux, mais il se trouva d'un autre peuple. Il n'avait jamais aimé se dire adolescent. Ce mot s'apparentait pour lui à « purgatoire ». Il avait le sentiment d'être entré dans l'âge des obstacles. Oui, il se trouvait sur une plage, et obligé, comme tout le monde à l'exception de très rares favorisés, de traverser une large bande d'eau remplie de piquets, de gravats, de merde. Les médiocres l'y avaient mise, voulant que les autres y pataugent avec eux. Il faudrait passer ce petit bain d'indécision avant d'accéder à l'Océan. Tout autour, des tireurs lançaient des rafales de malveillances.

Si l'enfance est un monde, l'adolescence est un village. Dans l'enfance le monde de l'imagination est prééminent, à peine borné par les murailles nommées parents. La fin de l'enfance est la perte de l'imagination, l'âge adolescent essaie de colmater la fuite. On se serre dans un petit groupe, parlant et parlant et parlant pour conjurer l'angoisse d'avoir perdu la connaissance instinctive du monde, et ne pas devenir un provincial de l'humanité, un adulte.

L'adolescence commence quand on rêve de mourir pour punir ceux qui ne pensent pas assez admirativement à nous. « Que de beaux enterrements j'ai eus entre quatorze et dix-huit ans !, disait Pierre. Suivis par des amis en sanglots, regrettant de ne pas avoir assez applaudi chaque fois que j'éternuais, et préparant ma gloire posthume ! »

Au collège, Ferdinand avait pris des baffes. C'était en cinquième, à Victor-Duruy, dans le VIIe arrondissement, tout près de chez lui, il n'avait qu'à traverser l'esplanade des Invalides. Il avait fait un exposé sur Napoléon et les artistes, en grande partie recopié d'un livre offert par son père. Sa sixième avait été terne, on l'y avait aimé, on le détesta ; trop élogieux, les compliments du prof d'histoire. Un obèse de sa classe le retrouva fumant dans la rue Monsieur toujours vide. Il le poussa d'un coup de son ventre proéminent. Autre coup. Un autre. Ferdinand étourdi s'était retrouvé à l'ombre d'un arbre qui sentait la pisse, et là, gifle, gifle, les oreilles lui en sonnaient, pas assez pour qu'il ne s'entende pas traiter de fayot, petit merdeux, connard. Ah, papillon, à l'entrée du café des Grands Hommes, qui sait si tu as oublié ces malheurs ? Que dis-tu, t'accompagnant d'un geste élégant de la main et faisant rire des étudiantes ?

Dans l'adolescence, et cela dure pendant les études supérieures si on en fait, on est à l'état de chiot. Les uns sur les autres, positivement les uns sur les autres. Ferdinand passait des nuits à discuter avec des amis, tous entassés sur des canapés ou collés par terre, se téléphonant avant de se coucher et dès qu'ils s'étaient réveillés se retrouvant pour des week-ends où ils partageaient un rasoir électrique, une brosse à dents, choses dégoûtantes pour des adultes mais pas pour eux. Cela participait de l'indistinct. L'indistinct, c'est l'enfance, âge qu'on tente de préserver le plus longtemps possible. C'est atroce, l'enfance, mais le seul état que l'on a connu, on le quitte avec ce sentiment affreux de ne plus rien comprendre à rien. L'enfance est un énorme chewing-gum où on est tous ensemble les mêmes, sans vraiment d'individualité. Puis ça s'étire, ça s'étire, on voit les filaments s'allonger, ils vont se briser, se séparer, quelle horreur, je ne serai plus que cette particule détachée !

L'adolescence, âge où l'on converse interminablement sur les trottoirs, comme on pouvait le voir rue Descartes… plus haut… encore… voilà, dans la personne de ce beau garçon, mince, pas très grand, avec un orage de cheveux blonds et un nez de lionceau qui discute en remuant les mains avec un grand roux frisé qui tient une fille par la taille. Ferdinand qui vient d'arriver des Invalides (à pied, front en avant, pensant à des choses, il n'a rien vu de la ville) cherche moins à se faire admirer de Jules qu'à forcer par des commentaires la porte du monde des adultes, celui qui agit ou prétend agir. Il rapporte des ragots de deuxième main sur des politiciens tenus de son père, que dans ce cas il a décidé de croire. Le député Furnesse donne à ses électeurs plus qu'à son fils l'illusion qu'il décide des choses, en modifie d'autres, alors que la plupart du temps il compose avec ce que les autres ont décidé.

L'adolescence est souvent l'âge de la gêne, physique et morale. C'est souvent un âge sans humour. Qualité, aussi bien.

Toute ma jeunesse, se disait quelqu'un dans Paris et au moment où j'écris ceci, j'ai tenté d'empêcher l'adolescence de fuir en créant des bandes. Avec toute ma diplomatie et ma brusquerie, ma patience et mon impatience, mes séductions et mes ruses, j'ai maintenu ensemble des groupes de quelques amis, mais ils lâchaient bientôt, partant pour la vie sans idéal. Je me suis créé une île déserte, d'une autre façon. Ne disons pas où elle se trouve, les haineux viendraient la dévaster.

Passant non loin de chez lui devant un collège, Pierre eut l'impression d'un territoire inconnu où les mâles avaient le dos rond, les femelles, des jambes sans chevilles, et tous, de gros nez. Il émanait d'eux quelque chose de mou. Ils semblaient vaguement dégoûtés. « Il faut préciser que je ne suis pas excessivement en forme, se dit-il. Qui exprime un jugement devrait toujours dire dans quel état il se trouve. Un Français est quelqu'un qui croit tellement ce que les écrivains lui disent qu'il ne pense jamais qu'un moraliste est un monsieur qui a pu avoir une mauvaise digestion. Les femmes ne sont jamais moralistes, c'est une qualité à leur reconnaître. Si Ginevra m'avait dit : "Pierre, vous allez m'enlever, nous passerons huit jours à Milan et je refuserai de vous épouser le neuvième pour continuer notre vie légère", je trouverais ces adolescents charmants. Et je dirais, avec la bienveillante impartialité du bonheur : "Ils émergent de l'adolescence comme une sculpture du moule. Dans leurs corps brouillé, un adulte essaie de surgir, bourrelant les dos, les jambes, les visages. Ce passage de laideur entre l'enfance et l'âge adulte est très émouvant, comme tout moment. Le momentané est gracieux, l'éternel, odieux. Une gangue est laide, mais on sait qu'y brille une émeraude." » Il se retourna vers les collégiens et se dit : « Parfois, l'adolescence est ce qu'un homme aura eu de mieux. »

Il y a un moment frémissant où quelques garçons et quelques filles d'entre seize et vingt ans semblent en passe de gouverner le monde. Âge timide et fougueux, aimant et insolent, sortant du servage et désirant la dictature, où l'on peut croire que sa vie entière on dansera. Certains parents sont prêts à tout croire, à tout soutenir, sentant que c'est le moment de prendre le parti du ballon qui s'envole. Hélas, tout le monde n'a pas entre seize et vingt ans au même moment et, entourés de plus d'adultes méfiants que de parents parieurs, la plupart des adolescents entrent dans la comédie de l'imiter, du vieillir, de l'éteindre, du dissoudre. Ils marchent au pas de la chanson de l'orgue de Barbarie sociale, et… Nous traçons notre destin dès l'adolescence par des rêves, des paroles, des actes qui paraissent anodins. Il nous arrive ce que nous avons été. Nous le savons trop tard. Tant mieux peut-être. Nous ne serions que tactique.

L'adolescence est un âge inventé par les sociétés tendres. Dans les sociétés brutales, on passe de l'enfance à l'âge adulte.

« On cesse d'être adolescent quand on ne croit plus à l'éternité. Ça m'est arrivé à quarante-six ans », dit Pierre en ouvrant la porte à son chien qui frétillait.

relativement aux abordages que l'on subit à vingt ans

Ferdinand regarde des joueurs de boules dans une allée de sable de l'esplanade des Invalides. Il les regarde, mais il ne les voit pas. Il a été extirpé de sa lecture (livre ouvert en ailes de mouette sur son lit) par une pensée désagréable. Vingt ans, ah, esclavage. Piaule, bouffe, fric, en tout je dépends de mon père. Je suis un esclave. Je suis un esclave et d'un homme qui ne m'aime pas. Je suis un esclave et d'un homme qui ne m'aime pas et qui me piège en étant sympa avec moi en présence de tiers, lesquels ne me croiraient pas si je racontais nos tête-à-tête, ses remarques méprisantes, son vocabulaire ordurier, ses hurlements. Si au moins le mur de la vie était dur, mais non, il est mou, indifférent, aveugle. Les choses sont en place et se serrent les unes contre les autres, se fermant au nouvel arrivant. Les garçons comme moi, elles les retardent par des études, des stages, des diplômes. L'impétuosité de la jeunesse casserait tout, dirait mon père, qui ne connaît d'ailleurs pas le mot impétuosité. Il dit : « Tu as vingt ans, tu n'es qu'un petit con ! » Achevé, le raisonnement de Ferdinand s'écarte de ses yeux comme un rideau. Il voit les joueurs de boules. Je suis aussi vieillard que ces vieillards. J'ai sauté quatre cours cette semaine et je ne fous rien. L'âge est une fonction de l'occupation du temps. À vingt ans, j'ai l'impression d'en avoir quatre-vingts. Il s'apprêtait à téléphoner à Jules, mais un SMS de son père aboya. Ferdinand se dirigea vers la salle à manger, faisant de ses talons des traces de rage molle sur le parquet.

Le prince héritier d'Arabie saoudite est mort. Il avait soixante-dix-neuf ans. Un temps où les mots « prince héritier » peuvent aller avec « soixante-dix-neuf ans » n'est pas favorable à la jeunesse[1].

Le surveillant arpentant la salle où Ferdinand avait passé le dernier écrit de son bac avait regardé son pied qui dépassait et pensé : « Vingt ans est l'âge des chaussures non cirées. » (Ferdinand en avait dix-neuf, ayant redoublé une classe.)

1. Cela tient bien sûr au système de succession adelphique, c'est-à-dire collatérale, du plus vieux au plus jeune, jusqu'à épuisement de la génération.

Le député Furnesse avait décidé qu'une chose nommée « la jeunesse » existait et était menaçante. Il était contre. Avant la guerre qu'il venait de déclarer au projet de loi sur le mariage entre personnes du même sexe qui le faisait inviter dans tous les médias, il s'était spécialisé dans les interventions contre « les jeunes de banlieue », « les jeunes délinquants », « les jeunes ». Il aurait pu observer, ayant un fils de vingt ans, que ses « jeunes » ne correspondaient pas à ce que Ferdinand lui montrait, mais sa famille (réduite à eux deux depuis le départ de sa femme bien des années auparavant) était le domaine dont il était le suzerain, et ne pas le maintenir hors de tout examen lui était inconcevable. Il était acquis que Ferdinand « ne l'écoutait pas », mais il n'était pas question d'ouvrir son intelligence à l'allusion que son fils venait de faire. Ayant croisé, presque heurté le député dans la cuisine où il buvait un café en écoutant la radio, Ferdinand avait dit très vite, d'une manière saccadée, presque agacé : « Eh bien, il se pourrait que je préfère les garçons ! » Le député avait grommelé et monté le son de la radio. Il concentrait tout son intérêt sur un de ses neveux et cousin de Ferdinand, nul en études mais pas en gravité et qui disait : « Les jeunes… » d'un air condescendant.

Au café des Grands Hommes, il était devenu à la mode de parodier Furnesse s'indignant à la télévision, cou tendu pour le dégager de son col très serré et poussant des « Hun… Hun… ». Cela se faisait en l'absence de Ferdinand, qui pensait bien pire de lui. (À Jules : « Je n'ai avec mon père que des liens de sperme. ») Dans le café où jaillissaient des geysers de calomnies, certains se taisaient, pas nécessairement les gentils. Les ivres de pouvoir à vingt ans avaient appris cette règle de leurs aînés : celui dont on pense du mal, pour commencer on cesse d'en parler, puis on le tue.

Tout le monde veut chasser tout le monde. Les manifestants contre le mariage qui finissaient leurs marches sur l'esplanade des Invalides, la nuit, hurlant et cassant des voitures sous les fenêtres de Ferdinand, voulaient chasser les gays de Paris. Platon voulait chasser les poètes de sa République. L'empereur Domitien chassa les philosophes d'Italie. Et la jeunesse riche de Rome, riant de son ordre, alla passer ses vacances à Nicopolis d'Épire pour y écouter Épictète exilé. Le combat de la jeunesse rieuse contre la vieillesse amère est l'éternel combat.

Pierre Hesse avait écrit, très jeune, dans son premier livre : « Ce qu'il faut faire, avec la jeunesse, c'est : l'encourager ; lui faire gagner du temps. On y arrive en lui indiquant les sottises sans lui déconseiller de les faire, on l'encourage en lui disant : “C'est impossible, vous y arriverez” » (*Il me faudrait un petit palais*). Depuis, il suivait la règle de saint Picasso, comme il disait. Plus Picasso vieillissait, plus il devenait bienveillant envers la jeunesse, ne cédant en rien à la comédie du sérieux. La différence était que Pierre avait abandonné la création. C'était si dur, et ne cessant pas de l'être. Quand il avait débuté, il pensait qu'avec l'âge ça irait mieux. C'était aussi pénible à chaque fois, différemment. Il n'avait rien appris. Depuis sept ans il avait peur d'escalader la chaîne de montagnes qu'est l'écriture d'un livre. « Le mois prochain je m'y mets. » Il ne se le disait plus.

Caligula, empereur à vingt-quatre ans, n'aimait pas qu'on lui rappelle sa jeunesse. Ainsi était Ferdinand, même plus jeune et sans pouvoir. Le rappel de la jeunesse semble à la jeunesse une accusation d'usurpation.

Le musée Cocteau de Menton possède une photo de François Truffaut regardant Jean Cocteau. Son regard pétille d'affection, d'amusement et de tendresse, d'amour enfin. C'est en 1959. Cocteau, approchant de la fin de sa vie, n'avait pas d'argent pour achever *Le Testament d'Orphée* ; Truffaut qui venait de triompher avec *Les 400 coups* lui en avait apporté pour l'aider à finir ce film, à parapher ce testament. Comme tant, Truffaut avait commencé à se ménager une place en mordant ses aînés en tant que critique, puis il était monté sur le Manège enchanté de la création. Cela se fait en créant, mais pas seulement. Il y faut une main tendue. Les grands aînés sont parfois distraits, et c'est au jeune artiste de leur faire signe. Cette distraction n'avait jamais été exercée par Cocteau, généreux dès sa jeunesse, aidant les jeunes quand il était jeune, c'est héroïque, aidant les jeunes quand il était vieux, c'est prodigieux. Et la jeunesse ira longtemps, dédaignant les méchants vieux et les pincés qui jugent, en pensant à Jean Cocteau, à François Truffaut, à Pierre Hesse s'il remonte du gouffre.

relativement à l'invisibilité

Depuis qu'il avait commis la grande erreur, à son sens, de laisser deviner son goût sexuel en le suggérant vaguement à son père, en ne niant rien auprès des autres, Ferdinand était assailli de mufles. La sœur de Jules, mijaurée qui couchait avec son maître de stage, lui envoya un mail : « On me dit que tu es gay », comme ça, sans bonjour ni prétexte. Ferdinand ne lui répondit pas : « On me dit que tu suces. » Les vulgaires gagnent souvent, car on n'est pas aussi vulgaire envers eux, pensa-t-il. Au café des Grands Hommes, un élève de l'École normale supérieure qui étudiait la philosophie lui démontra que l'homosexualité est une décadence bourgeoise (individualisme, égoïsme, jouissance stérile) dont il faudrait se passer dans la future humanité meilleure…

— … Mais attention ! J'ai un cousin homo, et je l'aime beaucoup !

— Tout antisémite a un *bon ami israélite*, répondit Ferdinand.

— Tu es homo ?

Ferdinand prit soin de répondre « non » d'un ton qui ne fût pas indigné. Il voyageait sur Internet à chercher qui dans le passé avait été gay, pour se trouver des grands hommes, qui dans le présent pouvait l'être, pour se sentir moins isolé. « C'est inouï de découvrir qu'on est gay, se disait-il en consultant son écran. Les autres arrivent à l'âge adulte avec une éducation adaptée, les moyens de se servir de la société, nous devons tout apprendre. Nous sommes un peuple sans histoire. Aucune transmission, de maigres indices, et nous n'avons pour nous désaltérer que le filet d'eau d'un tout petit nombre de célébrités gay et généralement malheureuses, quand les autres ont des citernes et des citernes de grands hommes hétéros pimpants. Personne ne m'a rien appris sur moi-même. On m'a appris tout le contraire, toute la tradition des autres, enseignée comme héroïque et unique, ce qui m'a conduit à avoir honte et à me cacher. À chaque génération, chaque gay repart de zéro. Chacun d'entre nous est-il cet enfant sauvage terrorisé ? Même si nous avons des parents, nous n'avons pas d'éducateurs. Incroyable !... Le général de Lattre était gay ?... » Il découvrit que l'écrivain Ralph Ellison (1913-1994) avait appelé le Noir américain « l'homme invisible ». « Or, se dit-il, un enfant noir a des parents qui le voient noir, et qui l'aiment. Un gay n'a pas de parents gay. Cela passera grâce au mariage gay, si le couple a la chance d'avoir un enfant gay. Ce mariage-là servira à chasser le malheur. Enfin, dans quelques familles évoluées des grandes villes. L'enfant gay restera invisible à tous, y compris aux autres, qu'il ne verra donc pas. L'homosexualité est un pays étranger dont les plus jeunes citoyens ignorent tout, jusqu'à l'existence de semblables. Et racle, racle, Ferdinuche, les fonds d'armoire de l'Histoire où on a camouflé nos exploits pour ne nous laisser que la honte. García Lorca, je savais, j'ai un peu lu, quand même ! Tom Cruise Will Smith George Clooney ? Quand tous les autres sont nés dans un milieu pareil à eux, créant une proximité qui les protège, moi je n'ai qu'à me taire. Cette obligation de silence me signale que je suis le réprouvé des réprouvés. Les Noirs ont des parents noirs. Les Roms ont des parents roms. Les Juifs ont des parents juifs. Les gays ont des parents hétéros. » Et Ferdinand se répétait ce raisonnement, et quand il était achevé se le répétait encore.

Chaque membre d'une minorité a besoin de héros qui soient comme lui : avec des défauts. Ils ont réussi malgré eux, avec eux. Ils ont fait de défauts bienfait. Nous n'avons pas besoin de connaître en détail leur carrière et leurs exploits, il suffit de savoir qu'ils ont réussi en étant ce qu'ils étaient. Leur nom suffit. Une plaque de rue « Talleyrand » est la consolation du boiteux.

Le nom est en nous, disponible à tout moment, comme une lumière qu'on allume. « Mon adolescence a été sauvée par la présence de noms d'écrivains, a écrit Pierre Hesse. Mérimée, né dans le XIIe arrondissement de son temps, Taine qui avait une rue non loin de chez mes parents, Paul Valéry parce que j'y allais au lycée si je puis dire. Je ne les avais pas lus, mais ils étaient écrivains ; et quand je n'entendais parler que de cuites et de football ils me disaient : "Survis, je suis là" » (*Il me faudrait un petit palais*).

Quand je pense que j'ai passé des années de ma scolarité à côté de Christophe X..., un ami, on se voyait en dehors des cours, etc., et il a fallu que j'aie deux ou trois ans de fac et que nous nous soyons perdus de vue pour que j'apprenne qu'il était gay. Une lectrice qui avait été en droit avec moi m'a raconté en riant qu'un de nos condisciples qu'elle continuait à voir lui a avoué l'avoir haïe (elle était amoureuse de moi) pour m'avoir accaparé alors qu'il rêvait de moi. Je ne l'ai jamais su. Ce qu'on peut rater dans la vie. Les saletés, on les apprend tout de suite. Telle était la condition qui nous était faite que, à force de nous dissimuler, nous nous rendions invisibles les uns aux autres. « Roméo et Jules, impossible, se disait Ferdinand en feuilletant la pièce. Il ne pourrait pas, comme le Roméo dès qu'il a rencontré Juliette, déclarer son amour au monde. »

Les parents des jeunes gays sont les vieux gays. Ils leur apprennent qu'ils ne sont plus seuls, leur révèlent les noms des grands ancêtres qui ont fait tant de grandes choses que les manuels et d'histoire et de littérature et d'économie et de tout leur avaient cachés, des grands actuels, secrets mais vivants. On peut donc vivre. Ferdinand rêvait d'avoir un oncle gay comme celui dont parlait Jules, léger et sans drame, vivant depuis vingt-cinq ans avec un mec cool. Quelle parentèle en sucre ! Toutes les familles sont à refaire ! Le député Furnesse ouvrit la porte de sa chambre sans frapper. Devant le regard furieux de Ferdinand, il répondit : « Hun ? Jusqu'à preuve du contraire, je suis encore chez moi ! Je te donne de l'argent tous les mois. Tu pourras te permettre de dire ce que tu penses quand tu gagneras ta vie. Hun ? » Ferdinand fit un signe du menton. Son père se pencha sur son ventre. Il était en chemise ouverte, les jambes nues, sans slip, un cigare entre les doigts. « Et alors ? » Il s'approcha de Ferdinand et, ayant mis le cigare entre les dents, lui prit la tête dans le bras et lui frotta le crâne de son poing libre. Ferdinand se fit inerte. Le député haussa les épaules et s'éloigna. Ferdinand claqua la porte. Son père la rouvrit en rugissant : « Petit con ! On ne me claque pas la porte au nez ! Sale... ! » Et c'est lui qui claqua la porte.

L'apprentissage de tout à vingt ans a un grand avantage : on est jeune plus longtemps. On a vingt ans de moins que les autres.

relativement à quelques grâces de la vieillesse

Cessant de regarder le ciel par la lucarne de son petit bureau dans le toit d'ardoise, Anne desserra ses longs bras de son buste et ouvrit l'enveloppe. Un bureau de style ayant des succursales dans toute l'Europe envoyait pour sa promotion une plaquette intitulée *Senior*. Vingt-huit photos de vieillards. Et même, de vieillards abîmés. Yeux chassieux, peaux fripées et jambes variqueuses. Sur une des photos se trouvait un téléphone *en bakélite*. Et voilà le destin décoratif que nous promettent ces méchantes fées, se dit Anne. « Ah, la fatuité de ces… bobos tristes qui, dans les agences, se croient supérieurs parce qu'ils diminuent les autres…, dit-elle à la stagiaire qui apportait un dossier. Je me demande si ces gens… n'ont pas inventé une forme de cynisme… le cynisme hypocrite. Je serais les vieux, moi, je me révolterais… »

Quand on parle indéfiniment d'une chose, c'est pour la tuer. On continue à en parler quand elle a cessé d'exister. « Jeunisme, jeunisme ! », pestait le député Furnesse à la télévision, à la radio, dans son blog. Jeunisme beuh ! jeunisme pouah ! Il avait cinquante-huit ans et était député depuis vingt ans.

« Le monde de *Hair*, la comédie musicale où des garçons et des filles sautaient en dansant sur la table d'un banquet de vieux (1967), est devenu impossible, se disait Pierre allongé dans un grand fauteuil qui avait l'air d'un paquebot amarré au milieu de son séjour, regardant vaguement le ciel par la fenêtre. Nous vivons le monde où le film *Amour* (2012), sans doute talentueux, là n'est pas la question, reçoit la Palme d'or au festival de Cannes, l'Oscar du meilleur film étranger à Hollywood, le prix du meilleur film et du meilleur réalisateur européen aux European Film Awards à Malte, le Golden Globe du meilleur film étranger à Los Angeles, le prix Lumière du meilleur film, le BAFTA du meilleur film étranger à Londres, le César du meilleur film, du meilleur réalisateur et du meilleur scénario à Paris. C'est un film où pendant deux heures on propose à notre émotion des vieux qui souffrent. Je n'aime pas tellement qu'on me rappelle que, dans quinze ans, je ferai partie de cette population qui enfle, enfle, et réclame son esthétique. Je n'aime pas les majorités, je dois dire. Eh ! un écrivain. » Du côté du fauteuil on voyait dépasser de courts cheveux blancs en haut d'un crâne, de longues jambes et un verre de champagne au bout de longs doigts. Un chien roux apparut et se coucha près de la main de Pierre, qui lui dit : « Pour la plupart des hommes, la vie est une lente apostasie de tout. Non seulement je ne renonce à rien, mais je cherche à me compléter. De nouvelles connaissances, de nouveaux arts, de nouvelles sensations. Tu m'entends ? Je ne renonce à rien ! Je me complète ! À rien ! Enfin si, je renonce. À ce qui me froisse, me peine, me blesse, me nuit. »

L'âge mûr croit qu'il sait parce qu'il a vécu. On sait en naissant, mais on dirait qu'on a la déférence d'aller se heurter à la méchanceté pour lui donner sa chance. Dans les coups qu'on y prend, on oublie qu'on savait. Tout ce qu'on apprend, en général, c'est la multiplicité et la prestesse du mal. L'âge mûr devrait être appelé l'âge pourri. « L'expérience ? J'en savais plus sur bien des choses à seize ans, intuitivement, que quarante-sept ans plus tard avec tout ce que le social s'est employé à me cacher, disait Pierre à Ginevra dans un salon de thé d'hôtel où il l'avait rejointe. Évidemment, je ne savais rien. Je ne sais toujours rien, mais différemment. Le passé m'échappe, l'avenir n'existe plus. »

L'expérience n'en a aucune.

Armand, qui avait souvent à juger des hommes dans son entreprise, disait : « À partir d'un certain âge, on devrait estimer les hommes d'après leurs rêves anciens. »

Un lointain membre de sa famille était en train de se détruire parce que, à vingt et un ans, flatté par les siens, il avait préparé l'ENA et se voyait Premier ministre. Il n'avait pas passé le concours et était devenu cet alcoolique qui battait sa femme. « À vingt et un ans, dit Armand, je croyais que je serais prix Nobel d'économie, j'ai compris que je ne le serais pas, et je fais avec. » Aaron le serra dans ses bras. « C'est un aveu courageux et beau. On ne rend jamais grâce aux gens comme toi qui n'embêtent personne, alors que les incapables accaparent notre temps. »

La vieillesse croit que sa manière de prendre le temps est juste. De durer lui a fait croire que le temps existe. Élans, passions, amours et haines ne sont plus là pour chasser la fausse importance du temps à années, et on se met à croire à l'éternité et à l'Histoire avec un développement. Les romans qui racontent des histoires avec une succession de faits et de pensées rationnellement enclenchés sont des aberrations logiques[1].

Armand à Aaron qui lui disait qu'il travaillait trop : « Les gens pensent que le temps, ce sont des choses qu'on enlève. Que si on fait ceci, c'est autant de temps qu'on aura en moins pour cela. Je pense que le temps est extensible. On ajoute une chose, une chose, et une autre

1. Dans sa jeunesse insolente, Pierre Hesse : « L'écrivain passe de la vieillesse au gâtisme sans avoir connu la jeunesse » (*Il me faudrait un petit palais*).

et, avec son élasticité, le temps nous permet de le faire. Le temps n'existe pas. » Aaron tapota une ride qu'il s'était trouvée au coin de l'œil. « Ça, c'est de l'évolution physique, pourquoi l'appeler "temps" ? Le temps social avec son rythme universellement imposé s'impose à nous, mais nos sensations ne sont pas assez domestiquées pour ne pas sentir que l'important est ailleurs. Le temps du bureau, de la famille, des enfants, tout est fait pour créer des contraintes portant le nom d'heures et de dates. Nos élans, nos passions, nos amours, nos haines créent des attachements qui occupent nos vies hors de ces rythmes-là, ces rythmes de troupeau, et la pensée et l'imagination sont du temps vécu que nous passons hors du temps contraint. Quand on dit "je t'aime", il n'est jamais neuf heures et quart. »

L'idée que le temps n'existe pas, Pierre l'avait énoncée à Ginevra. « Ma boucherie vient de fermer. "Merci de votre fidélité depuis tant d'années", m'a dit la bouchère. D'entendre une chose pareille m'a stupéfié. Je n'aurais jamais cru atteindre l'âge que j'ai, et il me désole de l'avoir atteint. Ça me blesse, mais ça ne compte pas. Le temps n'existe pas. J'ai tué le temps. Il me tuera. » Et il s'était resservi de champagne. Pierre avait beaucoup d'admirateurs (mot qu'il abhorrait) attendant son prochain livre. Ils rêvaient de l'accompagner jusqu'à la fin de sa vie, pensant de lui ce que Straton de Sardes (IIe s.) dit d'un amoureux vieillissant qu'il continue d'aimer :

Le soleil couchant est toujours le soleil.

La vieillesse, c'est comme Samuel Beckett. Un monde rétréci, arthritique, rabâcheur. Et, par moments, s'envolant comme un oiseau.

amitié

faire planète

« Paris est une ville où amitié est le nom donné à des habitudes de déjeuners », gnagnatait un moraliste au fond d'un café proche de la station de métro Ledru-Rollin. Sa misanthropie le faisait se prendre pour un penseur. « Que c'est crado », dit l'employé qui balayait du vin renversé sur lequel il avait fait pleuvoir de la sciure. « J'ai des pensées à la pelle », marmonna le moraliste qui partit, content de son jeu de mots et mécontent du prix du café (lequel avait engagé son amère réflexion). Un garçon toisait des clients étrangers qui ne comprenaient pas la carte. Au bord du trottoir, un jeune policier se plantait d'un air rogue devant un sexagénaire en manteau de cachemire qui arrivait à Vélib des écouteurs aux oreilles. Un passant qui traversait la rue faisait exprès de ralentir à l'approche des voitures en se donnant un air de torero. Une vieille femme obstinée fonçait sur une jeune fille pour la bousculer à l'entrée d'un magasin.

L'image sur l'écran du téléphone d'Armand qui attendait son rendez-vous avec un cousin éloigné dans ce café où il n'avait pas particulièrement d'habitudes le fit sourire, il décrocha. Revenant s'asseoir après sa brève conversation à l'extérieur, il dit à son cousin arrivé : « Un ami est quelqu'un qui vous téléphone alors qu'il est occupé et heureux. »

LE COUSIN : — Un copain croit m'avoir vu et parlé hier dans une soirée où je n'étais pas. Il devait être saoul.

ARMAND : — Qui dit que ça n'est pas vrai ? Nous vivons peut-être dans plusieurs endroits à la fois. Nous le faisons, du reste, lorsqu'on pense à nous ou que nous pensons aux autres. Hier soir, tu étais chez ta sœur, mais tu te trouvais aussi chez ta fiancée aléatoire du XIVe, et chez ton collègue qui t'admire dans le XIIIe, et avec moi dans le XIIe. Ils pensaient à toi. Tu pensais à nous. Ta sœur t'a d'ailleurs trouvé un peu pâle. Tu avais détaché des moi de toi. Cela se produit pareillement quand on pense à nous. Tout à l'heure, quand je t'ai envoyé mon SMS, tu étais ici, très fortement ici. Ton copain n'était pas saoul, il t'aime.

Nos amours peuvent être différentes de nous, mais nos amis sont nous. Quand, à force de proximité, on a perdu toute notion de ce que sont les êtres, il suffit de regarder leurs amis. Anne, qui était tendre, courtoise, réservée et parfois moqueuse, n'avait pour amies que des tendres, courtoises, réservées et parfois moqueuses. Les amitiés sont des systèmes stellaires.

« Chose impossible à Paris, disait Armand : une rue comme la calle Amor dei Amici à Venise. Qui a inventé cette dénomination délicieuse ? Dans la capitale de la France, elle ferait jaillir des rires méprisants. »

L'amitié n'est pas démocratique. Elle est égalitaire, c'est bien différent, et bien mieux. Elle peut être une tyrannie. « Je n'arrive pas, malgré mon désir, à faire de toi mon ami : tu ne demandes jamais rien », dit un poème anonyme de l'*Anthologie palatine*.

Un ami est quelqu'un qui voit le bien et le mal pour nous quand nous en sommes incapables.

Nous ne définissons jamais nos amis, parce qu'ils se comportent bien avec nous ; et nous sentons bien avec eux. Ils sont délicats, ne nous disent jamais une saleté, en font encore moins. S'ils commettent une négligence, nous ne la regardons pas ; ils ne regardent pas les nôtres. Un ami est un infini que l'on ne définit pas.

Tous les amis d'une des femmes du monde qu'avait fréquentée Truman Capote avant qu'elle ne l'évince de son groupe ont cette phrase à son propos : « Je n'ai jamais cessé de la voir. » « Ah, je n'aime pas que l'amitié soit cette habitude de chien qu'on sort, dit Ginevra qui le racontait à Pierre. Il peut y avoir des ruptures d'amitié, aussi violentes que des ruptures d'amour. L'amitié est une forme d'amour. On dit "amitié" par une nuance déplorable. »

« Je crois que la sexualité est à la base de toute amitié », a dit Cocteau (entretien à la *Paris Review*, 1964). Des personnages de ce livre le pensaient aussi. Anne, Armand, Aaron, Pierre peut-être, Ferdinand sans équivoque.

> Agapè, éros, ah ah ah. Les effrayants (les effrayés) séparent l'amour spirituel et l'amour physique avec pédagogie et un couteau bien effilé. Ils nous (s')amputent pour ne pas (pour nous faire) souffrir. Ils veulent nous faire peur (ils ont peur). L'amitié n'existe pas sans l'attirance sexuelle. Ils ne veulent pas (se) le dire. Pourquoi, ah, pourquoi ? Que le grec est commode pour refouler les amours que l'on dit grecques, que le fard de la pédantise est utile pour maquiller la franchise de l'amour pédé !

trouve-t-on dans le livre d'un philosophe de la fin des années 1970. Il ne s'écrivait plus rien de tel au moment où ce livre se passe. La manifestation en faveur du mariage gay, organisée à la hâte pour contrer des injures et des calomnies proférées depuis des mois (et elle fut dix fois moins peuplée que la première manifestation homophobe qui l'avait immédiatement suivie), avait tenté de montrer qu'elle « n'était pas la Gay Pride » : aucune pancarte n'avait été provocatrice, si tant est que ce qui précède l'était tellement.

Sur le duc de Choiseul, ministre de Louis XV, Besenval dit dans ses mémoires :

> Il lui est souvent arrivé de renouveler à la même personne une confidence, sans se rappeler qu'il l'avait déjà faite.

Ce qui est la plus frappante phrase sur l'indifférence à l'amitié qu'on puisse lire.

Boursoufloux n'a pas d'amis, mais il aime l'idée d'en avoir. Il aime l'amitié. Il écrit des livres là-dessus, raisonne sur l'amitié ah comme est belle, s'attendrit sur cette possibilité et reste sec comme du bois. Aimer l'amitié lui permet de ne pas être amical. Toute idée entretenue longtemps devient une idéologie qui permet de ne pas faire ce que l'on pense. Puisqu'on le pense ! J'ai l'idéal de la chose, ce qui prouve que je suis cette chose, dit l'adhérent à une association humanitaire en passant dédaigneusement devant un clochard.

Pierre qui avait écrit de beaux livres et, selon plus d'un, de grands, était par cela même devenu une planète. Invisible d'abord, le génie est si étranger à la plus grande partie des hommes qu'ils ne savent pas le reconnaître quand ils l'ont sous les yeux, puis son énormité se signale avec l'éloignement créé par les années qui passent ; et de plus petites planètes étaient venues dans son orbite, lectrices amoureuses, très jeunes écrivains. Il avait accueilli les premiers avec affection (« Un arbre s'ajoute à un arbre », avait-il dit à un confrère lui ayant demandé s'il n'avait pas peur de la concurrence future), les autres avec patience (« Quel gazouillis charmant », pensait-il allongé dans son lit, regardant le plafond, telle ou telle bavardant à son côté), puis s'était dit : « Ça pue la mort. Ils ne me figeront pas dans leur admiration, même désintéressée. Je suis vivant, je continue à écrire. » Or, il avait cessé, et d'écrire et de voir des gens, et il souffrait, cherchant maintenant une planète-sœur. « Je suis fou, je me noie, je dois suivre les conseils d'un ami et ne pas m'en croire moi-même », se disait-il, lui qui ne voyait plus ses amis.

amour

du début des amours

De même qu'un tremblement de terre à Sparte durant l'hiver 413-412, précipitant Alcibiade hors du lit de Timaia, femme du tyran Agis alors absent, révéla leur liaison à deux domestiques et, aussi rapidement que si twitter avait existé, à la Grèce entière, de même, c'est un début d'incendie qui, cet hiver-là, apprit aux habitants de son immeuble que Pierre Hesse voyait une nouvelle femme. Personne ne connaissait son prénom, ni, à part la concierge qui l'avait vue entrer trois fois, son existence. Ils étaient là, rêveurs, lui portant un pantalon de flanelle un peu fripé et un cardigan boutonné de travers, elle (une bonne quarantaine, jugèrent les voisins, avec des avis partagés sur son nez en voile de bateau), dans un beau manteau oversized en laine froide qui avait l'air d'un abat-jour, et pieds nus.

Dans les prémices de l'amour, la sérénité de l'autre est un supplice. Il n'est pas encore où nous en sommes, où nous voudrions qu'il fût. Dans cet être rapproché par notre désir et éloigné par son indifférence, l'indifférence, excitant le désir, redouble notre souffrance.

« Armand ! Il n'était pas mon genre », dit Aaron à Anne. Il mentait au moment où il le disait, c'est-à-dire à présent qu'il vivait avec lui, mais avant cela il avait cru que les hommes ayant ce physique étaient étrangers à son goût. On croit qu'on a un genre, et arrive quelqu'un d'un autre genre dont on devient ivre. La notion de genre est un mur qu'on élève entre soi et l'aventure. Et si on l'invente, c'est pour créer de l'aventure, un obstacle physique dont notre pur amour triomphera. Aaron n'était pas homme à laisser des idées qu'il avait conçues s'élever longtemps entre lui et son bonheur.

Au moment où l'incendie s'était déclaré, Pierre était en train d'expliquer à Ginevra qu'il était un bien mauvais compagnon, de l'espèce qui a besoin de solitude ; sur le trottoir, alors qu'officiaient les pompiers (de coquets pompiers de Paris, en parka noire et casque d'argent), Ginevra répondit : « Mon palace de cœur est ainsi fait que vous y trouverez une grande place. » Pierre fit une moue que Ginevra ne vit pas.

Il est difficile de dire « Je t'aime » seul. Au début, Aaron le dit, mais enrobé de mots. « C'est parce que je t'aime que... » Ça s'approchait. Il fallut une troisième fois. « Je t'aime. »

Armand mangeait Aaron à l'aide de photographies. Il le photographiait ici, là, partout, sans cesse et l'agaçant souvent. « Arrête ! » Armand agissait par pensée du désastre (« Si je le perdais ! ») jointe à une conception qu'il disait lui-même barbare de la photographie : posséder l'image était posséder la chose. Bien souvent d'ailleurs, de photographier l'avait empêché de consommer. Il avait photographié, photographié, photographié tel ou tel, et son hésitation avait été satisfaite.

Une histoire d'amour à ses débuts est une épopée. On se la raconte ensuite, par allusions, comme d'anciens combattants. « Et tu te rappelles ?... » « Et quand ?... » « Et quand !... » Armand et Aaron suçaient ce bonbon avec délices, la nuit, l'un assis par terre contre le mollet de l'autre assis dans le canapé de leur appartement de la rue Debelleyme, regardant la lune qui toisait Paris de sa gigantesque indifférence à l'amour. « Tu es si français !, dit Aaron. Le lendemain, je suis venu te chercher à l'hôtel où tu logeais parce que les travaux de l'appartement étaient en retard et tu m'as dit : "Échappons-nous, j'ai annulé un dîner de travail en disant que je suis malade et que je resterai dans ma chambre avec un bouillon." Pour moi, il n'y a pas plus français que cette expression, "avec un bouillon". » Étirant ses longues jambes, Armand répondit avec un sourire : « La cour de Versailles parlait par ma bouche. » Il plaça les pieds en midi, puis en dix heures dix, puis en midi, puis se décida : « Les précautions en matière amoureuse sont de la mesquinerie. Contrairement à ce qu'on nous apprend, il faut se jeter au cou des gens. On n'a jamais assez de chances à donner à l'amour. » Aaron leva discrètement les yeux au ciel. Il ne put bien sûr pas voir sur son crâne sa propre grosse mèche brune. Ils revenaient sur les débuts de cet amour, régulièrement, se racontant leur rencontre comme on arrose une fleur. Dix fois, vingt fois, trente fois, retour sur les détails, rappel de ceci, rappel de cela, oui, leur épopée. Ça devait être ça, les épopées antiques, l'*Iliade*, les sagas ; du ressassement d'événements heureux. Tout ce qui est beau et rare est épique ; par le récit, on tente d'en recréer l'enchantement et d'en perpétuer la vivacité. « Comme c'était bon », se disaient et se redisaient ces guerriers du bonheur. Dans leur dernier étage, seul appartement éclairé de la rue, Armand poursuivit (et qui peut dire si sa voix chaude n'a pas contribué à faire de Paris ce qu'était Paris, ce soir-là ?) en se remémorant un garçon pour qui il avait été possédé d'amour dans son adolescence. « Un hétérosexuel tendre, tu comprends. Ils ont l'air proches de l'homosexualité, ambigus. Ils ne le sont pas. La gentillesse est si rare chez les hétéros que la sienne engendrait cette confusion chez moi. » Ce Jean-Marc le convoquait dès que sa petite amie le laissait, car il ne pouvait supporter d'être seul un instant, Armand accourait, l'œil brillant, le cœur dilaté, comme mon chien Bouboule dévalant du fond du jardin quand j'arrivais, enfant, chez mes grands-parents. « Il me faisait faire n'importe quoi. Scier des planches, annuler des week-ends, l'accompagner à des matches de rugby. J'abandonnais tout sur l'instant, et gare à ma mauvaise humeur si quelque chose tentait de me retarder. Même ma mère ne me faisait plus peur. Il y avait de l'espoir, n'est-ce pas, un espoir dont je savais très bien qu'il ne pourrait pas se réaliser, mais qui, à cause de cette impossibilité même, pourrait durer éternellement. La position de force de ce garçon aurait dû lui faire dire : "J'arrête d'exploiter ton amour transi, Armand", mais les hétéros sont avec nous comme avec les femmes, ils abusent comme si c'était *naturel* de la stupéfaction où nous mettent leurs corps tranquilles. Grand atout sur les femmes et sur les gays, intranquilles corporels, cette épaisseur qu'ils ne mettent jamais en question. Ils sont dans le monde comme de merveilleux objets. Subjugués, nous ne nous révoltons pas. Nous espérons gagner cette tranquillité par l'obtention de leur corps. Grande erreur. Ils ne sont pas tranquilles, ils sont bœufs. Dieu de la bêtise, le temps que j'ai pu perdre ! Ma jeunesse… » Aaron fit discrètement tomber du lit le gros recueil de citations qu'il était en train de lire. Le bruit fit tourner la tête d'Armand. Un instant plus tard, il riait.

Anne avait rencontré le premier homme avec qui elle avait vécu dans un café du canal Saint-Martin dont elle oubliait toujours le nom. Pour elle, c'était « le café d'Éric ». Les endroits de nos rencontres portent le nom de nos amours.

Il faut ne plus être amoureux pour pouvoir en écrire. L'amour nous occupe trop pour que la lucidité ait sa place. Il y en a une, mais fausse, guidée par l'amour qui nous fait croire que ce qui se passe est ce qu'il nous raconte, alors qu'il a élaboré un leurre pour justifier sa soif. Il est la seule activité humaine dans ce cas ; nul besoin de cesser d'être gourmand pour écrire sur la gourmandise, au contraire même.

C'est le début des amours qui donne aux hommes de si enthousiasmants regards brillants.

d'aimer

Après plusieurs années de colocation avec Armand et Aaron, Anne avait été très frappée d'apprendre qu'Armand adorait la chanteuse Barbara et de ne pas l'avoir su. « Comme on ignore des choses essentielles des gens qu'on croit connaître !... C'est peut-être parce qu'on les aime... L'amour fige dans un état de connaissance qu'on estime satisfaisant, puisqu'il est une plénitude... » Quelques semaines plus tard, buste entre ses bras croisés à la fenêtre de sa chambre, au dernier étage du haut immeuble de la rue Debelleyme, pensant la même chose et de la même façon, elle compléta sa conclusion : « Plénitude égoïste !... » La rue qu'elle surplombait semblait une quintessence de Paris à cette native du Midi ; rue étroite et calme du Marais qui faisait penser à des empoisonnements en 1640, sous un ciel bleu pâle à petits nuages secs, assourdie par un pigeon pompeux qui roucoulait et dont la couleur était celle des toits qui cavalcadaient sur la ville devant elle. Se demandant ce qu'elle pouvait encore ignorer d'Armand, elle maudit le danger d'aimer, qui fait qu'on ne cherche plus l'inconnu dans l'autre, quand c'est peut-être son meilleur.

Pierre évitait de trop s'abandonner à son attirance pour Ginevra au cas où elle mourrait. La mort l'avait habitué à surgir dans sa vie pour décapiter ses bonheurs. Il errait dans les rues noires de son XIIe arrondissement, se passant la main sur le visage, comme pour en effacer des pensées désagréables. « Égarons le souci », se disait-il, et, plutôt qu'à Xu qui avait agonisé pendant des mois, il se forçait à se remémorer la brandade de morue qu'il venait de manger et qui l'avait fait s'exclamer, en fermant les yeux pour retenir le goût : « Ah que c'est bon ! » En France, la nourriture tient souvent lieu d'amour, pensa-t-il. Et c'est immonde. Nous en avons fait une religion sous le nom de cuisine. « "Mange, mon fils, mange !" Et des mères gavent leurs enfants au lieu de les aimer, espérant les rendre esclaves. » Sans plus regarder l'hôpital Saint-Antoine avec son air de prison la nuit, il se dit, tiens, je pourrais écrire l'histoire d'un adolescent qui vomit en famille ; après cela, fringant, il vole de l'argent dans le sac de sa mère et va à la Maison du caviar.

L'occupation du Tibet par la Chine. L'occupation du nord de Chypre par la Turquie. L'occupation de la Chine par le communisme. L'occupation de l'Italie par le catholicisme. L'occupation d'un malade par sa maladie. L'occupation des enfants par leurs parents. L'occupation de Ferdinand par Jules.

Proust, dans *À la recherche du temps perdu*, cite la pensée de La Bruyère : « Les hommes souvent veulent aimer et ne sauraient y réussir, ils cherchent leur défaite sans pouvoir la rencontrer, et, si j'ose ainsi parler, ils sont contraints de demeurer libres », puis commente : « Que ce soit ce sens ou non qu'ait eu cette pensée pour celui qui l'écrivit (pour qu'elle l'eût, et ce serait plus beau, il faudrait "être aimés" au lieu d'"aimer") [...] » Stendhal aurait écrit le contraire.

Résumé des réflexions consécutives d'Anne Angeli à sa fenêtre, en haut d'un immeuble de Paris :

> Les hommes amoureux et qui l'admettent sont charmants. Ils abdiquent ce qui semble une supériorité, leur insensibilité proclamée, pour reconnaître une faiblesse. Ils deviennent humains.
>
> Les hommes (êtres humains mâles hétérosexuels) ne savent pas dire des tendresses aux femmes. Je chéris le petit, enfin, l'infime nombre d'hommes qui pensent à nous téléphoner quand ils n'ont besoin de rien, qui nous prennent dans leurs bras quand il n'y a aucun malheur, qui nous font un présent quand il n'y a pas d'anniversaire, qui... Ils sont la rosée du monde.

La couleur de Paris, c'est le gris. C'est ce Paris qui a rendu muet le e que, dans les Landes natales d'Armand comme dans tout le Sud, on prononce. Un dicton railleur de Tarbes tient que « touteus les lettreus sont faiteus pour être prononcé-eues ». Ce e muet si gracieux, c'est le gris de notre langue.

Avec Ginevra, depuis l'incendie, Pierre parlait au lieu de la caresser. La conversation est une manière de faire l'amour. « Combien trompeuse !, se dit-il en tapant le code d'entrée à son immeuble. Les phrases éloignent l'amour en pensant le rapprocher. »

En ayant avoué à Jules qu'il l'aimait puis en y étant revenu de manière moins dramatique, dans une incidente, « moi qui suis amoureux de toi », la conversation continuant sur autre chose, Ferdinand avait désamorcé cette bombe entre eux. Son amour exalté d'adolescent était devenu un élément pittoresque, comme un chaton hésitant qui saute sur nos genoux, qu'on caresse vaguement en continuant à discuter puis qu'on repousse ; du moins pour Jules. Pour Ferdinand, ce tendre et tiède animal l'avait maintenu dans un état de dépendance et de souffrance ; de joie, aussi, puisqu'il continuait à voir son ami. Aucun été n'avait passé là-dessus comme une grande vague. « Ce ne sont pas deux mois de grandes vacances qui vont refroidir un si attachant malheur », se disait-il, citant un personnage féminin et sarcastique de Pierre Hesse. Et, enfoui dans une crevasse de sa couette qu'il avait formée avec irritation, il relisait le passage d'une pièce de théâtre où un vieux roi dit d'un jeune marquis : « Avec lui, c'était une aurore nouvelle, plus belle, qui se levait pour moi. » Quelle belle expression, pensait-il. Un être pareil à une aurore nouvelle. L'illusion est immédiate de croire qu'elle se lève pour soi seul. L'enchantement de l'amour est indissociablement lié à cette croyance que l'être aimé a été créé pour nous. On lui nie toute existence autonome, et bientôt on devient malheureux, ou tyran, ah putain, je ne sais pas être tyran ! Est-ce que l'amour donne à tout le monde cette sagacité de vieillard ? se demanda-t-il alors que l'image de Jules se reformait dans un coin de son imagination. Il glissa la main sous son pantalon de pyjama.

Les gens qu'on aime, on découvre souvent qu'ils ont les mêmes conceptions que nous. Pierre qui avait dix fois pris la défense du présent, pauvre présent toujours calomnié, découvrit qu'un poète qu'il aimait, Thom Gunn, a dit : « Je ne déplore pas le présent. Je ne le trouve pas petit ni sordide quand on le compare au passé. Le passé était lui aussi petit et sordide. » L'amour est une ressemblance de conscience. C'est possible, ça ?

Il est possible que ceci soit exact :

L'amour n'est pas identique quel que soit son objet. L'amour pour les femmes n'est pas l'amour pour les hommes. J'ai toujours eu de la peine à lire *Albertine disparue*, sachant que Proust transposait des sentiments qu'il avait eus pour des hommes et des observations d'amours hétérosexuelles. Le semblable, sans doute, sont les manifestations négatives : la peur de la perte, la jalousie. Encore n'en suis-je pas sûr pour la dernière. D'autre part, il y a moins de comédie bourgeoise dans les couples d'hommes. Il n'y en a même jamais. L'amour des garçons semble plus paisible, plus raisonnable. Comment puis-je juger de la déraison des amours normales ?

Il est possible que ceci ne soit pas inexact :

Mais comment, si je le peux ! J'ai été élevé dans ce bassin-là, on m'a appris à y respirer, à le comprendre, à l'être, comme s'il était fait pour moi. Je n'ai pas été séparé de ce que l'autre goût ressentait. Dans « The Homosexual Villain », en 1955, Norman Mailer a reconnu avoir créé des personnages de gays méchants à cause du stéréotype qu'il avait de la chose, et l'avoir eu, ce stéréotype, parce qu'il ne connaissait *aucun* gay. « J'avais bien entendu rencontré des homosexuels, [...] mais je n'en avais connu aucun dans le sens humain de la connaissance, qui consiste à regarder les sentiments d'un ami avec ses yeux, non avec les nôtres. » L'humanité est composée d'aquariums séparés. De temps à autre, les poissons du plus grand aquarium s'irritent d'un petit aquarium proche et bondissent, mitrailleuse à la nageoire, pour un bon petit holocauste du voisin. Les organisateurs des visites d'un aquarium à l'autre sont les bienfaiteurs de l'humanité. Ils s'appellent les grands romanciers.

Aaron avait dit à Armand au début de leur relation : « Quand j'aime quelqu'un j'ai peur de mourir. Cela me priverait de l'amour. » Et ce jour-là, coupant la radio qui diffusait pour la millième fois un débat entre personnes qui parlaient des gays comme d'une tribu fauteuse de problèmes à propos de laquelle chacun avait des mots à dire, sinon des idées, Aaron fit un petit mouvement de danse sur la musique émanant de la nouvelle station, abaissa un sourcil puis son front plissé, vérifia dans le miroir l'emplacement de sa mèche et, petit devant Armand qui passait grand derrière lui, dit en roulant les r et la voix chevrotante : « Tant tu m'apportes que je m'aime t'aimant, Armand. » Armand qui avait un souci de cravate dit : « Mmm ? »

L'amour libère de tout, sauf de lui-même. Quand on aime, plus de dieu ni de chef : tout droit et tous les droits à l'amour. Une seule grosse corde au lieu de cent fils.

« Tout objet aimé est le centre d'un paradis. » (Novalis, *Fragments*.)

« J'aime le flan, mais moins que toi. » Et voilà la trivialité de ce verbe qui s'applique à l'estomac comme au cœur. Il est vrai que la bouche embrasse et mange ; et parle. Et l'on voudrait que l'anus ne servît qu'à chier ! Une idée de pureté s'y attache illogiquement. Je voudrais bien un verbe séparé pour aimer du cœur. Un langage hiératique, je n'ai jamais été contre. Il faudrait même un langage pour chaque être. Un langage d'amour, tout au moins. Au fait, cela s'appelle la poésie.

« Ma concupiscence sait donner le nom d'amour à sa faim. » (L'arrière-arrière-grand-père maréchal de France, dans *La Grande Fenêtre du premier* de Pierre Hesse, juste avant qu'il ne glisse du toit.)

Anne assise à son bureau, les jambes pliées de côté, un doigt entre les pages d'un catalogue de mobilier, songe à ses lectures. Les phrases dansent au-dessus de sa tête, en rubans, comme des publicités d'avion, des phylactères de saint médiéval, des écritures soufies dans des gravures persanes. Je nage dans une mer toute peuplée de garçons. Dans leur sueur et leur haleine, dans ces bals, cuisses, âmes, mains, tout mon être pêle-mêle... Son sexe est fort et pareil à un dragon et attend, sommeillant, dans le val de pudeur. Caresseurs, satin frais ! Mort à mes cendres, mort au marbre ! ce que je veux c'est le désir, la noire volupté du sable, l'éclat gluant du sexe sous la main ! Ainsi Amour inconstamment me mène.

Le moment où les choses déraisonnables cessent d'amuser est aussi le moment où l'on cesse d'aimer. Il n'y a que les folies qui soient heureuses.

Puisqu'il faut des raisons à l'amour !

d'être aimé

Aaron parlait moins souvent de la dureté de Paris, maintenant qu'il y avait trouvé sa place. De la période si longue où il avait été tenu à l'écart, il disait : « On peut vivre dans Paris sans vivre à Paris. Quand je suis arrivé du Canada, tout le monde a été très sympathique, on m'a invité à boire un verre, à un dîner de collègues de travail, puis rien. J'étais là, mais je n'étais pas là. Quelle solitude, et comme j'ai été malheureux ! J'avais beau inviter dans mon (minuscule) studio, et je cuisine bien, on ne venait pas. Au début j'ai cru que c'était La Villette, l'éloignement. Non, non, c'était moi. Un a-Parisien. Non présenté. On doit l'être comme à la Cour, ici, c'est formel comme le Japon en croyant être détendu comme le Brésil. Et puis il y a eu Armand. Mon sauveur ! » Armand souriait, assis sur le canapé de leur appartement dont ils partageaient le loyer.

Voici une des phrases les plus délicates qui soient, d'un livre extrêmement délicat, l'un des plus délicats qui soient, au-delà de la délicatesse, néoplatonicien, divin presque :

> De nombreuses autres causes, répondit le comte, enflamment aussi notre âme, outre la beauté ; ce peuvent être les manières de faire, le savoir, la façon de parler, les gestes et mille autres choses, qu'il serait sans doute possible en quelque manière d'appeler aussi des beautés ; mais il y a là surtout le fait de se sentir aimé.

C'est dans *Le Livre du courtisan* de Baldassar Castiglione, 1528.

Anne avait longtemps fait des achats pour plaire aux commerçants. Quand elle vivait seule, et ça lui était arrivé plus souvent qu'une fois, elle demandait de la quiche pour deux. « Où mène la terreur de l'amour… Ah ! que je suis conne… », dit-elle en versant deux décilitres de Cointreau dans deux cent cinquante grammes de farine.

« Et le bonheur est d'aimer bien plus que d'être aimé », Stendhal, *Voyage dans le midi de la France*. Proust aurait dit le contraire.

Les fils trop aimés par leur mère commettent un jour une folie dont le châtiment les étonne. Ils avaient le sentiment d'être protégés du monde. Le président de la République Giscard d'Estaing refusant de s'expliquer sur le « scandale des diamants » qui lui fit perdre sa présidence ; le journaliste Jean-Jacques Servan-Schreiber qui perdit tout en voulant être ministre et il ne le resta que deux semaines (sa mère s'est fait enterrer dans sa robe d'accouchement, celui de ce génie, elle l'avait donc gardée, quelle morbidité il peut y avoir dans les choses « naturelles ») ; Oscar Wilde qui a fait le procès qui l'a perdu ; Aaron avait été adoré par la sienne (juive mais pas plus que les mères des précédents). L'excès d'assurance que cela lui donnait par moments lui ferait-il prendre la mauvaise route du moi aveugle ? Armand entendait le protéger de son penchant. « Tant que c'est vers moi qu'il penche, il est sauvé. »

C'est un malheur pour une fille de trop aimer son père. Elle devient son soldat. La Deuxième Guerre mondiale finie, les fils de nazis ont méprisé leurs pères, les filles ont continué à vénérer les leurs. Anne haussa les épaules quand Aaron lui dit cela. Il avait employé l'expression « fille à père ».

Son père, avec qui Ferdinand avait vécu depuis l'âge de sept ans où sa mère était partie, l'avait habitué à la dureté. Méthode, disait-il. Simple conséquence de son caractère odieux, prétendait sa mère. « Fous le camp, connasse ! », avait hurlé le député le jour où elle lui avait annoncé son départ. Cela résonnait encore en Ferdinand, qui se pelotonnait sur son lit, bras croisés sur le ventre. En haut d'une des piles de livres formant muraille autour du meuble, se trouvait *Le Portail* de Pierre Hesse avec cette phrase encadrée de rouge :

> C'est une grande défectuosité que d'avoir besoin de preuves d'affection. Les gens vous en donnent peu, soit qu'ils n'y pensent pas, soit qu'ils y pensent. Les premiers sont les distraits, les seconds les méchants.

L'admiration est un sentiment froid, l'amour est un sentiment chaud. Un des idéaux de Pierre était que l'on pût dire de lui, comme de Zadig : « On l'admirait, et cependant on l'aimait », il l'avait répété, intentionnellement ou pas, dans plusieurs livres. Ginevra disait à une amie qui lui servait de confidente, elle n'était donc peut-être pas tout à fait une amie : « Il ne comprend pas que l'admiration entraîne l'amour mais le dissimule, par timidité peut-être, et comme je l'admire j'ai de la peine à me dire que je l'aime. De toute façon, les élans sont mal récompensés, avec lui. Quand on lui montre qu'on l'aime, il se rétracte. Amour sur Hesse est vinaigre sur huître. »

Sur le trottoir, le soir de leur troisième ou quatrième rencontre, Armand avait dit à Aaron : « Bonne nuit. Aimez-moi. » Aaron avait répondu : « C'est facile. Bonne nuit, Armand. » Rentrant chez lui, Armand eut le sentiment de glisser au-dessus du sol plutôt que de marcher. « "C'est facile !" Quelle gentillesse dans cette repartie ! "C'est facile !" Il va me faire du bien. Quelle !... » Sitôt chez lui il téléphona à Aaron. Il avait reconnu ce symptôme de l'amour : dès qu'il le quittait, il avait envie de lui téléphoner. Et, tout en parlant comme s'il était toujours chez lui, il prit un taxi et sonna à sa porte.

Anne rêvait d'hommes qui lui feraient des surprises à la Armand. Tout récemment, Aaron participant à une ennuyeuse journée de formation d'entreprise, il avait acheté un marron glacé à l'heure du déjeuner, pris un taxi pour l'hôtel bordant le périphérique où cela se passait, envoyé un SMS à Aaron (« Je suis de passage pour un rendez-vous »). Elle ne savait pas si Aaron avait trouvé bizarre un rendez-vous dans ce quartier peu fréquenté par les banquiers, mais il était remonté enchanté par le marron glacé et le déplacement. Les hétéros n'ont jamais d'attentions pareilles, se dit-elle. Ils achètent ou en quantité, ou très cher. N'ayant pas la moindre imagination, ils se disent que trente-six roses ou un parfum de luxe suppléeront au sentiment. L'idée d'Armand était de créer à Aaron des souvenirs merveilleux. « Une forme de pessimisme narcissique, peut-être ?..., se demanda-t-elle en s'étirant. "Je peux mourir dans un accident d'avion, semons de ces détails qui restent en tête pour la vie, quelle bonne opinion il gardera de moi" ?... » Elle bâilla. « Bah, il m'est égal de savoir pourquoi les hommes ont fait les choses... Ils les ont faites... Et les gestes d'Armand sont très... », pensa-t-elle en s'endormant.

Un jaloux était aimé. Il était malheureux. Il voulait être préféré.

du vocatif

Anne utilisait un vocatif d'amour qu'elle avait pris au roi de France Henri IV (1553-1610 ; aimait la nourriture aillée, les odeurs fortes, les tromperies des femmes, batailler, rire) : « Mon cher amour. » L'utilisation des vocatifs pouvait donner une allure théâtrale à sa façon de parler. (Le théâtre c'est souvent l'appel au drame par le simple appel des autres. « Dis mon nom, Hippolyte ! Dis mon nom ! ») Elle avait connu un homme si orgueilleux qu'il ne nommait jamais les autres. Dans la certitude souffrante du coffre de son moi, il se donnait l'illusion d'être le seul à exister. L'absence d'appellation transforme les êtres en totems et peut donner de ces couples comme ses parents qui, très âgés, ne se disaient plus « Anne-Marie » et « Dominique », mais : « Toi » et : « Tu es là ? ». Lorsqu'il avait cessé d'aimer sa dernière femme, Pierre avait de plus en plus souvent utilisé son nom quand il s'adressait à elle. Xu, Xu, Xu, et fini ma chérie, mon ange, mon amour. À Ginevra, il donnait du : « Chère Ginevra. » Avec le peu d'autres personnes qu'il fréquentait encore, il exerçait, indifférent à ne pas être servi de retour (les gens, généralement peu sensibles aux égards, n'en réclament pas plus qu'ils n'en donnent), en tirant même un léger orgueil de souffrance, sa courtoisie de roi.

L'hommage qu'on fait à une personne de son nom est la première manifestation de l'humanité.

Pierre avait pensé rompre avec Xu, ne l'avait pas fait, elle était morte, il s'en voulait. Moins d'avoir pensé à rompre que de ne pas l'avoir fait avant sa maladie. Mais voilà, sous quel motif ? Il avait eu bien des torts. Il était amoureux de cette lectrice, cette Ginevra. Et il n'avait pas eu la force de feindre la haine pour provoquer une scène qui aurait mené à la rupture. Allongé dans son fauteuil, il laissait infuser ce vieux sentiment. « Il ne me reste que le passé ? », se demandait un homme d'à peine plus de soixante ans face à la fenêtre ouverte de son appartement, où Ginevra refusait de revenir tant qu'il ne s'engagerait pas davantage.

La forme des dialogues de Platon ne provient pas d'un présupposé philosophique, mais de l'amour. Si Socrate imagine des répliques, c'est afin de pouvoir redire le nom de celui qu'il aime au moyen du vocatif. Nommer l'aimé, c'est déjà faire l'amour. S'adressant à Alcibiade il dit : « Tu me dirais vraisemblablement, sachant que je dis la vérité : “Quel rapport, Socrate [...]” ; je te répondrai alors : “Cher fils de Clignas [...]” » (*Alcibiade*). Et quand ce n'est pas des gens qu'il aime à qui il s'adresse, mais des adversaires philosophiques, il répète leur nom pour mieux savourer leur écrasement progressif. Là, le vocatif sert sa vanité, c'est-à-dire l'amour de soi. Nom de l'autre, toujours soi.

> Quand j'aime quelqu'un, je lui cherche un vocatif spécifique. Moi seul l'appellerai comme ceci, il le saura. Ce nom sera un aimant. Cet objet qui attire est aussi le participe présent du verbe aimer.
>
> Pierre Hesse, *Il me faudrait un petit palais*

Il y a de faux vocatifs. On en adresse un à quelqu'un et il est en réalité destiné à un autre. « Dis-moi, mon amour », disait Pierre à Xu en phase descendante, et ce « mon amour » contenait déjà l'idée de Ginevra.

des gros mots

Paquet de merde chierie chiasse les pédales hun salope chierie de merde enculé hun hun puterie de merde la salope tous des enculés hun fait chier dans sa chambre bien rangée Ferdinand tente de dormir. Il a un corps écrasé comme une ville du Midi en été. Sa respiration est courte, il serre un oreiller contre son ventre. Il fait un bond, rejetant l'oreiller loin de lui, change de côté, respire plus lentement. Quatre heures du matin. Reprenant l'oreiller contre son ventre et se grignotant l'intérieur des joues, il tente de repousser les coups de maillet des phrases de son père après le dîner. Dans un canapé, le député Furnesse en chemise ouverte, couilles pendant entre des cuisses assombries de longs poils noirs, cigare à la bouche, disait chierie merde les enculés fiottes hun en se resservant de whisky. Coudes sur les genoux. Torse en avant. Épaules rondes. Menton bas. Enfoirés cette salope enculés hun. Il avait ravalé un filet de bave et s'était essuyé le coin de la bouche du poignet, avant de s'endormir assis, d'un coup. La haine n'est pas une forme d'amour, se dit Ferdinand, couché sur le flanc gauche. Puis, couché sur le flanc droit : la haine est le mal enrageant de ne pouvoir réussir sur-le-champ.

Le livre le plus précieux de la bibliothèque de Pierre n'était pas le *Coup de dés* de Mallarmé en très grand format, toujours disponible et qu'il pouvait racheter, ni les sept volumes d'*À la recherche du temps perdu*, même tatoués d'un journal intime de notes marginales prises à différents moments de sa vie, ni même sa première édition sur grand papier des *Contrerimes* de Toulet, avec sa ravissante couverture à losanges rouges et blancs, c'était le traité des injures de Suétone, *Des termes injurieux. Des jeux grecs*, dans l'édition des Belles Lettres de 1967. Quand on dit Les Belles Lettres, c'est à condition d'avoir ouvert le volume, car il n'y avait pas de mention d'éditeur sur la couverture, ce que Pierre trouvait extrêmement chic. « D'accord, lui avait dit son éditeur. On enlèvera votre nom aussi. » Le format était grand, le papier de couverture vert, ressemblant aux fascicules du Queen's College d'Oxford où il avait jadis donné une série de cours (en se demandant bien pourquoi on lui avait demandé ça, lui si peu conférencier) (mais enfin les étudiantes étaient allègres) (mais les mises en garde ! harcèlement sexuel ! profs virés ! carrières ruinées ! ah si j'avais la chance d'être pédé, ils sautent leurs étudiants et jamais un procès ni whatever). Le charme humoristique du livre venait de ce qu'on apprenait des injures grecques et de ce que, le texte n'étant pas traduit, les notes préservaient la bienséance en ne donnant aucun équivalent français ni tentative de traduction. Ô tranquillité de l'érudition derrière laquelle toutes les libertés du monde peuvent se produire, se disait Pierre qui avait reçu des remarques acides pour les scènes entre le descendant du maréchal de *La Grande Fenêtre du premier* et son neveu de quatorze ans. On n'avait pas vu le comique de la phrase :

> Sortirent de l'ascenseur le maréchal en uniforme, regardant devant lui, sans expression, et ce très jeune blond en jean au regard insolent, qui souriait, le visage couvert de sperme.

« Jurons. Mots faits pour briser », se dit Ferdinand tentant de s'endormir, puis la phrase s'entortilla dans des images, joueur de foot soulevant son maillot sur un ventre blanc, cuisse de soldat dans une culotte de serge contre une grosse tête de cheval qui l'admire, lèvres d'homme sur lèvres d'homme sur un miroir, ô plongée, ô tendresse, ô ce point au fond.

Les Français bouffent et ont des gros mots à base de merde, les Anglais boivent et ont des gros mots à base de pisse, comme le très amusant « don't piss on my fireworks », ne pisse pas sur mon feu d'artifice, pour :

« ne gâte pas mon plaisir. » Grossièreté la plus amusante du XXe siècle pour signifier la malchance, l'expression américaine « Shit hit the fan », la merde a heurté le ventilateur. « Quant à dire je m'en branle pour je m'en fous, c'est être injuste envers un mode de plaisir qui satisfait l'humanité gratuitement », disait Aaron.

La scène d'après-dîner du député Furnesse avait commencé par une histoire drôle en passant à table. Il l'avait dite avec un regard en dessous : « Quelle est la différence entre un intellectuel et un pédé ? L'intellectuel a le Petit Larousse dans la tête, et le pédé a le grand Robert dans le cul ! » Ferdinand se leva, s'accroupit devant une pile des livres en muraille près de son lit, en extirpa un qu'il consulta, écrivit ces mots sur une feuille de papier qu'il scotcha en bannière à un rayonnage :

PREMIÈRE SORCIÈRE — OÙ ÉTAIS-TU, MA SŒUR ?
DEUXIÈME SORCIÈRE — JE TUAIS UN PORC.
MACBETH

et se recoucha.

Les joyeux gros mots sont ceux qui nous vengent naïvement des pouvoirs, comme quand, désignant des personnages de haut rang, Rabelais les nomme duc de Tournemoule, capitaine Merdaille, duc de Basdefesses. Dans sa circonscription, le député Furnesse était surnommé Funeste. Il était régulièrement réélu. Nom de con n'est pas révolution.

des messages d'amour

Quand Pierre désirait Ginevra, mais sa femme était devenue très malade, il lui avait écrit :

> Je vous aime. C'est une chose qui devrait pouvoir être dite comme ça, dans la vie, sans plus de complication que « il fait soleil ». Puisque c'est un soleil. On devrait beaucoup plus se dire « je t'aime ». Ça dédramatiserait l'amour.

Et il n'avait pas envoyé le mail, se disant que c'était indélicat pour Xu, qu'il n'était pas si sûr de tellement aimer Ginevra et que, si elle répondait par de l'amour, elle serait en position de supériorité éternelle. « On ne tient plus les femmes, à les traiter de soleil. » Xu, quelle emmerdeuse. Il avait été l'homme qui avait écrit, dans *Il me faudrait un petit palais*, des pages féroces contre l'amour courtois. « Cette forme d'amour mensongère inventée au Moyen Âge n'est qu'un procédé permettant à la virilité la plus rudimentaire de faire ce qu'elle veut à condition de déifier la femme, ce qui est aussi un procédé permettant de la paralyser. Et déifiée elle croit à sa déification et nous soumet. Le maître est esclave. »

Que c'est amusant, ces toc-toc à la porte cœur, les SMS d'amour ! (Ils sont aussi : cui-cui, plou-plouf. Rien de grave.) Ils arrivent aux moments les plus ordinaires de la vie. Chacun est un secret, un délice, un pour soi d'autant plus délicieux qu'un monde accaparé de travail nous voit les recevoir, ignorant ce qu'ils contiennent. Petits ponts permettant de traverser la vie.

SMS envoyés par certains des personnages de cette histoire :

Ce n'est que la deuxième fois que je vous vois ? Vos yeux ont dû me tromper. Comme ils sont d'un bleu clair très rare et très frappant, qui les a vus une fois croit les avoir toujours vus.

La nuit est ennuyeuse, qui me prive de vous.

Tu es si sérieux. Tout homme qui te fera rire deviendra amoureux de toi. Il sera amoureux de son triomphe.

Je traverse la place, si peu ! d'Italie. Son nom me fait penser à vous.

Si tu savais comme j'ai été…
… follement, sottement irrité et inquiet que tu ne répondes pas ;
… heureux de t'entendre ;

... rassuré de te savoir obligé de remplacer quelqu'un au travail au lieu de nager parmi les mille garçons du quartier ;

... touché de cette idée de week-end médiéval à deux, enfermés tout en haut de notre appartement ;

et comme je reste plein de toi en nos secrets châteaux que pour toi j'ai bâtis, invisibles aux autres, solides comme l'enthousiasme.

Je hais toutes ces années où je ne vous connaissais pas.

Je sors de l'Eurostar, et je suis bousculé par une harpie avançant comme un robot sur le quai. Avançant comme un robot, mais grinchant comme une mouette. Kia kia kia, kia kia kia ! Son mètre cinquante-cinq picotant poursuit mon mètre quatre-vingt-sept gêné. À peine posé un pied en France, on n'entend que ronchonnements. Il faudrait envoyer le pays en stage, tout entier, les soixante millions, en Angleterre où on est si poli. Quelle peuplade de pignoufs ! Enfin. Je ne me laisserai pas influencer par la ville la plus méchante du monde, comme tu dis, et je t'invite au restaurant. Tu me fais oublier les autres.

[À quelqu'un qui disait perdre ses cheveux. Premier SMS :] Je t'aimerai chauve. *[Aussitôt, second SMS :]* Je t'aimerais borgne.

J'ai une extinction de voix. C'est à force de me répéter à moi-même tes louanges. Elles restent, muettes, s'enroulant autour de moi comme des fantômes dans Shakespeare, la fumée d'une cigarette, une écharpe en soie battant dans une voiture décapotable sur une route de printemps.

Je récupère ma cravate à la teinturerie. Je l'ai si peu portée que c'est comme si tu m'en refaisais le présent. Ô pétales de sensations de la vie.

J'emporterai : *La Chambre de Jacob* ; *Le Roi Lear* ; les poèmes de Roberto Juarroz ; mon vieux cardigan ; la pensée de vous.

Ouvre-toi, branchie de l'avion. Laisse sortir mon mec par le tube aquatique qui te relie à l'aquarium de l'aéroport. Frétillant, il file. Eh, mon mec : à tout de suite.

Aaron avait envoyé à Armand l'email suivant :

Je pense à toi, à tes cheveux blonds courts, à ta haute taille, à la couleur grise de tes costumes qui te va si bien, aux rides en éventail au coin de tes yeux quand tu souris, à tes pouces cambrés, au fagot de poils surgissant de ta poitrine pour me héler, à ton sérieux si délicat, à cette idée charmante que tu as eue tout d'un coup de vouloir m'expliquer la recette du ris de veau, à l'élan qui m'a porté vers toi et à toi qui tente déjà de me porter plus haut que cet élan.

Je

et ce je qui se taisait avait plus ému Armand qu'une déclaration. Ce « je » est le plus beau « je t'aime » qu'on m'ait jamais dit, pensa-t-il, et c'est parce qu'il n'a pas été dit ; si évident qu'il n'a pas à être exprimé ; c'est le geste retenu d'un danseur qui résume tout. Il fut encore plus heureux que le jour où Aaron avait répondu « c'est facile » à sa demande « aimez-moi », et il le fut d'autant plus qu'Aaron détestait écrire. (Et pourtant il aimait lire.) Sept mois plus tard, au moment où cette histoire se passe, revenant en train d'un voyage d'affaires, Armand envoie un SMS à Aaron qu'il éprouve toujours le besoin de séduire. Il aime les SMS longs, avec des phrases étudiées, signifiant qu'il a pris un soin particulier de leur destinataire, contre l'usage habituellement utilitaire et peu soigneux qu'on en fait. Y réfléchir et les écrire, c'est du temps qu'on passe avec l'autre. Aaron, qui raffole de « ces SMS de fou, longs comme des bannières de guerriers chinois », répond le plus souvent par des SMS-moustiques. Quand on travaille dans un endroit comme le rayon Bricolage du BHV, les collègues vous font des remarques aigres si on utilise son temps oisif pour soi. Mieux vaut parler avec eux, à la rigueur observer le plafond. On s'ennuie comme, on reste avec. De toute façon, le réseau passe mal au sous-sol.

« Les lettres des débuts des amours sont charmantes, mais quand elles durent elles prennent un air de linge sale », dit le maréchal dans *La Grande Fenêtre du premier*, sans que l'on puisse savoir si c'était aussi une opinion de Pierre Hesse.

« Il m'arrive d'avoir des érections en écrivant un mail affectueux », dit Armand à un jeune collègue de sa banque à mine sévère. Celui-ci répondit sans aucune expression : « Le sentimentalisme est un érotisme » et retourna à ses dossiers.

Un SMS, ça compte comme un flocon de neige. Un mail, ça compte comme du papier pelure. Un chat, ça compte comme une roucoulade. Une lettre écrite à la main et envoyée par la poste, ça compte comme une couverture que l'on rajuste sur nous. Rien de tout cela ne compte par rapport à un geste spontané pour faire plaisir. C'est encore plus rare que la drôlerie.

des preuves d'amour les plus grandes

Ferdinand qui se droguait à Jules l'accompagna dans une boîte de Pigalle, après les cours, il ne faisait pas encore nuit. Tout lui répugna, les photos décolorées des filles aux seins refaits dans les vitrines, le type ample et jovial à l'entrée qui rabattait le client avec une insistance frôlant l'intimidation, les lumières violettes à l'intérieur, les clients solitaires et torves, ou en groupe et riant fort, les sièges en peluche lustrée, la table à plateau de verre avec une bouteille de champagne déjà posée dans un seau en métal suant des gouttes d'eau. La fille aux seins immobiles et aux fesses ovales où s'insérait un string eut des mouvements si athlétiques qu'il ne comprit pas comment Jules pouvait être excité. Et il l'était, bouche entrouverte et œil hagard. Quand la fille se courba en arrière et posa sa jambe nue sur leur table en un mouvement de ciseau, Jules eut un sourire déplaisant que Ferdinand décida de ne pas voir. Il supporta la conversation avec la fille, son mépris parce qu'ils ne voulaient pas dépenser cinq cents euros pour la bouteille, la visite de Jules aux cabines de l'arrière-salle. Il entra dans la cabine voisine, paya la fille pour ne rien faire et écouta les halètements. « Il va faire l'amour ! Si près de moi ! », se disait Ferdinand, qui bandait. Jules sortit, repu, cambré, fier d'avoir joui, le regardant à peine.

Une des plus belles preuves d'amour est l'indignation. Comment ? le monde entier ne connaît pas la merveille que j'aime, et je l'aime parce qu'elle est une merveille ? Dans l'Eurostar pénétrant dans Paris, Armand regardait les gens d'affaires autour de lui et pensait avec un joyeux dédain : « Aucun de ces sinistres ne connaît Aaron Alt ! »

Grande preuve d'amour, parce qu'elle est ostensible en faveur d'un être qui n'est pas de sa qualité, Marcel Proust imprimant le nom d'Alfred Agostinelli dans *Le Figaro*. Agostinelli n'est personne qui mérite d'avoir son nom dans *Le Figaro*. Agostinelli est quelqu'un qui mérite d'avoir son nom au laser dans le ciel. Agostinelli est son secrétaire. Agostinelli est adoré de lui. Imprimer un nom, pour un écrivain, est ce qu'il y a de plus fort. Ce sont des amours que l'on clame sans les clamer.

Quand Armand était en déplacement, Aaron rentrait rue Debelleyme, dix minutes à pied du BHV, mangeait quelques sushis achetés en chemin tout en lisant un recueil de maximes (« Je lis assorti »), se douchait, puis allait nu vers la penderie de l'entrée. Y prenait un manteau. Le portait à la chambre en le tenant serré contre lui. S'asseyait au milieu du lit, ayant écarté les draps, installait le bas du manteau sur ses pieds, s'allongeait sur le dos, ramenait le reste du manteau sur lui, puis les draps. Il dormait avec Armand.

Autres façons de dire « je t'aime ». Arrivant à la fac à vélo, Ferdinand aperçut Jules, lui fit un salut de marquis de ballet et entreprit des figures, un huit, des bunny up, des manual, un pied sur la selle et l'autre en l'air. Il trébucha, se rattrapa, fit demi-tour, passa et repassa haletant près de Jules, qui alla retrouver sa copine.

des ennemis de l'amour

C'est un œil d'homme. Il est plissé. L'homme regarde attentivement ce qui se passe sur la scène. On ordonne, on pleure, on trahit, on tue, on chante. L'homme enregistre avec intérêt ces histoires aux intrigues sommaires, à la violence vantée, aux conclusions morales. Il les comprend, il les aime. À la fin de la représentation, il se faufile vers le premier rang en bousculant plusieurs spectateurs, et salue la présidente du patronat en se penchant d'un mouvement sec qui le conduit très bas. Baisemain à la présidente d'un groupe de presse qui accompagne la présidente du patronat. « Nous comptons sur vous, M. le député, dit celle-ci. On n'ose pas dire aux Français qu'il faut faire des sacrifices. » Dans le taxi, il envoie un SMS la qualifiant de « gouine trapue » et assurant qu'elle couche avec la présidente du groupe de presse. Il demande au chauffeur de taxi des nouvelles de la politique. Parlant plus fort que la radio où un chroniqueur proteste contre le

« politiquement correct », le chauffeur proteste contre le « politiquement correct ». Le député Furnesse approuve : le « politiquement correct » infeste le pays. Il remarque dans le rétroviseur la tranche d'yeux du chauffeur qui examine son propre visage gris, ses lunettes à monture invisible, ses yeux pâles, sa chemise blanche au col très serré, sa cravate beige, son costume noir, le ruban de la Légion d'honneur au revers. En se rendant à sa chambre, le député ne passe pas devant celle de Ferdinand, elle est à l'autre bout de l'appartement. Économisant la location d'un studio que son fils pourrait demander en tant qu'étudiant, il retient néanmoins cent euros par mois sur les quatre cent cinquante qu'il lui donne, « pour le principe » ; en utilisant au mieux les dispositions légales, il perçoit des allocations de l'État. Le député est élu d'une ville moyenne à une centaine de kilomètres de Paris. Ce matin, à la radio, avant de passer à son sujet principal, la guérilla contre le mariage gay, il a fait une déclaration contre « les élites » qui n'entendent pas « la souffrance des Français », elles qui vivent « sous les lambris de la République ». Quand l'autre invité l'a interrompu, il lui a coupé la parole à son tour et conseillé de venir avec lui dans sa circonscription « un week-end de son choix » pour visiter le marché et parler aux « paysans » des « problèmes créés par les bureaucrates fous de Bruxelles ». Aujourd'hui samedi, il n'a pas fait sa visite plus ou moins hebdomadaire dans la circonscription qui l'a élu (« ma circonscription », « mes administrés »), puisque avant d'aller à l'Opéra Bastille il avait des réunions avec des représentants du

Mai charismatique français et d'autres associations aptes à mobiliser beaucoup de manifestants contre le mariage. « Ce petit con me fait chier », marmonne-t-il en refermant la porte de sa chambre. Un très grand lit y est observé par un très grand écran de télévision (consoles de jeu sur la banquette en bois et daim au pied du lit). Il hésite à regarder un film puis choisit une escort sur un site de rencontre.

Les ennemis de l'amour :

a) Les amis. Si on se trouve dans une période de grand bonheur, jouir de l'amour sans penser à eux. Ils nous veulent à tout prix en leur compagnie alors qu'ils ne sont pas nécessairement heureux. Un des embêtements de la vie est que les moments de bonheur des gens coïncident rarement. Et nous gâtons le nôtre, si frêle qu'il avait besoin d'être couvé, à nous consacrer à ces autres qui réclament avis, conseils, consolation, aide, plaisir, enfin aspirent notre énergie, assèchent ce faisant le début du bonheur qui s'étiole sans notre présence et nous font leur en vouloir. Et quand nous revenons vers l'amour, il boude, ne se ranimant qu'à force de caresses et d'attentions. Le plus féroce égoïsme envers l'amour naissant est à recommander, pour l'amour, pour nos amis et pour nous.

b) Un amer connard a défini l'amour : « L'infini à portée des caniches. » Il suffirait à nous rendre pour, si par hasard on avait été contre. Ils n'ont pas droit à l'infini, les caniches ? Les caniches, c'est pour les salauds tout ce qui est humain.

c) L'esprit. Dans un bar de nuit de cette rue de Ponthieu aux modes aléatoires (VIIIe arrondissement, près des Champs-Élysées ; il y avait eu, plus haut, une boîte de nuit célèbre d'où étaient sortis en riant, à des quatre heures du matin, dans les années 1960, une romancière à mèche blonde et à l'œil lourd, un couturier à lunettes d'écaille, son amie à saule pleureur de cheveux blonds et un cousin lointain du père de Ferdinand mort des suites du sida quand Ferdinand avait cinq ans, son père n'en parlait jamais ; le Mathi's où se passe la scène qui va suivre avait deux petites salles de part et d'autre de l'entrée, à gauche on dînait, à droite on buvait des verres, c'est à un des canapés que se produisit donc :), voyant Pierre refréner un bâillement, la jolie Liégeoise qui ne répondait pas à ses avances dit :

— Morphée vous appelle.

Et Pierre :

— Ce con.

Elle sourit. Ce sourire ! Énigmatique et sexuel. On aurait dit le bouddha de Polonnaruwa. Pierre garda la parole, et parla, parla, parla, lançant des balles, les rattrapant, imagé, intéressant, inattendu, enchanteur. La Liégeoise le regardait les yeux brillants. « Résultat affreux ! L'esprit est le pire ennemi de l'amour, si je puis dire », se dit-il en fermant sur elle la porte du taxi. Le lancer de balles lui avait suffi. Elle avait sauté sur son sac et son manteau, souriant, les yeux à demi fermés, comme pour conserver le goût savoureux de ce qu'il lui avait dit, et partant comme on refuse un plat afin de rester sur la saveur du précédent. « Elle n'a été attirée que par ma notoriété, si je puis encore dire. Indice infaillible de vulgarité. C'est égal, je n'aurais même pas pu m'en servir pour tirer un coup. Je ne pourrai pas conclure à son sujet, avec cette muflerie intermittente chez moi, que j'aurai gâché des années de ma vie pour une femme qui n'était pas mon genre. » Il retourna dans le bar pour boire seul. « La clientèle est moins amusante qu'il y a quelques années, ou c'est moi ? »

des douleurs d'amour

Quand on a de la peine, on ne voit rien, car ce n'est pas avec les yeux qu'on voit. Un rideau de tristesse obscurcissait les autres sensations de Ferdinand. Fixant du regard le dôme des Invalides brillant sous le soleil, il se dit : « Si on y passait le doigt, on en ramènerait de la suie. » Voilà ce que c'était que d'être amoureux de quelqu'un qui ne pouvait retourner votre amour. Et il laissa quand même un message à Jules. Il se prépara pour la fête d'anniversaire où il était invité, tout en se disant : « Préparons-nous pour sortir. » Il était hébété de douleur. Un brouhaha monta de l'esplanade. Il s'approcha de la fenêtre en arrêtant de boutonner sa chemise. En bas, des manifestants hurlaient, agitant des drapeaux français, des étendards roses, décidément ils avaient compris la tactique de s'emparer des symboles des autres, des mères poussaient des poussettes avec des enfants maquillés de bleu, blanc, rouge, des pères portaient sur leurs épaules leur fils en T-shirt « Un papa et une maman on ne ment pas aux enfants ». « Ils font comme les Palestiniens qu'ils détestent, se dit-il en reprenant son boutonnage. Ils utilisent leurs enfants, les *endoctrinent*, les transforment en marionnettes. Quelle doit être la terreur de ces gosses ! » Oui, s'arracher Jules du cœur serait plus sain. Achevons cet amour qui n'a pas commencé. « Mais voilà, on n'a pas toujours envie de santé. C'est à cause de cette chose atroce qui s'appelle l'espoir », se dit-il en enfilant un blazer. L'esplanade des Invalides était une bête houleuse d'où émanait un grognement.

La tristesse de certaines amours est résumée par cette photo de James Dean avec une poupée en bois. L'inégalité des élans. Le talent qui se croit inférieur et n'ose pas. Le… Et voilà comment on peut finir, par sa propre faute, sans jamais avoir vécu avec qui l'on devait avoir vécu.

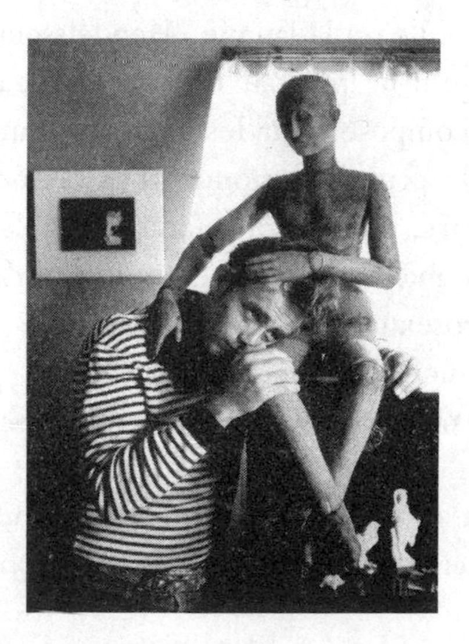

« Dans la découverte très douloureuse que quelqu'un qu'on aime n'est pas fait pour nous, se disait Anne en entortillant une mèche de cheveux autour de son index, la douleur vient moins de son indifférence que de notre sottise. Nous avons vite su qu'il ou elle était comme ça, mais nous nous l'étions caché. » Son téléphone était en train de s'éteindre sur l'image d'un homme.

On aime selon un rêve que nous mettons dans la personne aimée, et nous lui en voulons quelquefois de ne pas y être conforme. Ce rêve n'est pas si loin de ce qu'elle est, mettons 1 % d'écart, mais c'est ce 1 % qui fait les haines.

« Il me faudrait un dépit amoureux, pensait Pierre dans son fauteuil en faisant tourner autour de son index quelque chose de son chien allongé près de lui qui pouvait être une oreille ou la langue. Mendelssohn, le musicien, si petit qu'il ne pouvait demander aucune femme en mariage, a composé pour les charmer toutes les plus belles pièces de piano du monde. Les bonnes fortunes ne font pas écrire, ou alors des fatuités risibles, "dans le con profond de ma mie / je jouis six fois et demie", que les mâles hétérosexuels peuvent être stupides, parfois. Si je développais une fixation sur la Liégeoise, puisqu'elle me résiste, ça me ferait sûrement écrire… »

« Je suis ivre de douleur, de folie et d'amour, se disait derrière une fenêtre de l'autre côté de l'esplanade des

Invalides (si vaste que Ferdinand ne pouvait même pas l'apercevoir) un obèse ayant une assiette de cheesecake sur son ventre en ballon, qui tenait entre ses doigts épais la photo d'une très belle femme. Je suis également idiot. » Et il reprit du gâteau, dans l'espoir informulé d'un infarctus.

« Ma fille, personne ne vaut que l'on soit malheureux », avait appris Mme Angeli à Anne. Elle trouvait que le malheur d'amour était une forme de vanité devant être soignée par une amputation franche. « Le meilleur remède est de lire une comédie anglaise de la Restauration. Ces pièces traitent l'amour en riant. Dorimant donne la recette dans *The Man of Mode*, de George Etherege (1676) : "Quand l'amour devient maladif, la meilleure chose à faire est de l'achever par une mort violente." Si tu approuves cette réplique d'un sourire, c'est de ta niaiserie que tu as souri. Tu vas mieux. » Oui maman, avait répondu Anne, adolescente gênée par les conseils des aînés sur l'amour.

de la fin des amours

Anne déjeuna pour ce qu'elle avait si décidé être la dernière fois avec le jeune peintre en bâtiment (qu'elle avait trouvé émouvant son sein aperçu par l'échancrure de la salopette blanche tachée de blanc !) chez qui elle avait couché pendant sept nuits. Le potage aux poireaux contenant du citron lui avait semblé une hérésie sur la carte, et elle le trouvait délicieux. « Je pense à des choses pareilles, se dit-elle ; il ne m'intéresse vraiment plus. » Le peintre fit à la serveuse un sourire qui, la veille encore, aurait poussé Anne à dire : « N'adresse pas des éclats de lumière pareils à une inconnue ! » Et ce fut : « Il est délicieux, ce potage. » Lui : « Délicieux… » C'était mou, c'était ennuyeux, c'était décevant. Ils se rendaient compte qu'ils n'avaient rien à se dire, et se le cachaient comme une souris morte sous un meuble. Anne se jugea coupable. « J'y prends goût… Ça finira comme une fable… "Celle qui abandonnait si aisément fut un jour abandonnée à jamais”... Et je serai surprise !... » Elle voulut se donner une chance, mais le peintre venait de dire : « Je crois qu’il serait plus sage qu’on ne se voie plus. »

Après une rupture, on connaît l’emploi du temps de l’autre pendant une quinzaine de jours puis, au-delà, inconnu. Et c’est quand on ne sait plus ce qu’il fait que la rupture a eu lieu. (C’est par curiosité de ce qu’ils font de leur temps que, parfois, on reste avec les gens.) Ressurgit, quatre ou six mois plus tard, un : « Tiens, février. Il ne devait pas aller en Chine, en février ? », et on le pense sans plus aucune douleur. C’est la fin. Elle est plus triste que la douleur, même si elle nous laisse libre pour un autre élan.

Pierre n’avait pas été gêné de draguer la Liégeoise alors même qu’il sortait plus ou moins avec Ginevra. Il estimait que, dans les aventures parallèles, on ne se doit rien. Leur début en a fixé la règle : irrégulières, légères, sans conséquence. Si leur fin se passe dans le mélodrame, c’est une malhonnêteté de la part de celui qui le cause. Pierre pensait à sa deuxième femme, celle qui l’avait quitté parce qu’il s’occupait trop de l’écriture du *Portail*. « Tu veux être aimé, mais tu es écrivain. Tu préfères tes livres ! Tu... ! » Elle raffolait des scènes, se rappela Pierre. « Peut-être que suis fait pour les fatigantes...

Ginevra est un peu collante. On ne s'est rien promis, que je sache. La tranquillité dont j'ai besoin pour écrire... Écrire quoi ?... Je ne suis pas tombé si bas que j'aie à écrire à partir de ma *vie privée*, Liégeoise ou Ginevra ou quoi que ce soit de ce qui *m'*arrive... D'ailleurs il ne m'arrive plus rien... Tant mieux. On écrit des livres à propos des nuages. Mais bon... Bouarf... » Il se resservit de champagne. Cessant de regarder le ciel par sa fenêtre encadrée de sculptures tout en haut de son immeuble 1903 (c'était gravé en haut à droite de la porte d'entrée, avec le nom de l'architecte), il se leva de son fauteuil et se pencha sur le square Trousseau. Vus d'en haut, le kiosque à musique avait l'air d'un chapeau vietnamien et les toboggans colorés du jardin d'enfants, d'un dessin animé ; aidée par de petits bruits secs très audibles dans cette après-midi calme, son imagination reconstitua les tables de ping-pong en béton cachées par les arbres.

Les gens restent pour nous ce qu'ils étaient la première fois. Même s'ils se complètent et que l'image originelle s'estompe, elle reste l'image principale. Et c'est ce qui nous trompe. Nous voulons que la personne que nous aimons reste dans cet état comme idéal qui nous l'a fait aimer à l'origine. Le sentiment trompeur est là : « Idéal. » Cet état n'est pas exact et ne l'a jamais été. Même à la première rencontre, lorsque toute défense est abolie et que nous nous ouvrons comme une fleur, nous avons rencontré des surprises, des obstacles, une réalité. Nous sommes capturés par des images que nous créons.

Et c'est quand nous n'en pouvons plus de l'inadéquation de l'actuel avec l'idéal que nous rompons. Nous rompons avec nous-même.

Les aventures mal finies laissent des fantômes qui ressurgissent à des moments inopportuns. La mauvaise fin a laissé quelque chose d'inachevé, de pourrissant, de puant ; son intention désagréable demeure et revient nous gêner par surprise. Voilà une matinée gâtée, une journée triste. Avec les aventures bien finies, pas de fantômes ; des souvenirs recherchés, au contraire, et toujours allègres.

La Liégeoise était deux fois plus jeune que Pierre. « C'est l'inconvénient de vieillir ; les autres ne savent pas que nous avons le même âge qu'eux », se dit-il. Cet abandon lui avait donné l'impression d'être repoussé vers la mort, là-bas, au fond, la grande déchetterie des gens pas frais, on ne veut plus de vous, place, place, il faut de la place ! La poussée nous conduit vers le trou. Nous essayons d'attraper une dernière main au passage. La peur qu'elle ne se présente pas nous fait reconsidérer l'amour précédent comme un moment exquis, un tableau immatériel accroché au mur de notre vie qu'on aime regarder avec de plus en plus de plaisir. Et en même temps, quelle séduction, ce gouffre. « Attention, Ginevra !, se dit Pierre en regardant un groupe de lycéens s'asseoir sur un banc du square (ils ne pensent jamais à vérifier en l'air si quelqu'un peut les voir rouler leurs pétards), je remue des idées sur la santé de la rupture ! »

Elles venaient d'être allumées par la lecture d'un vers ancien :

> Aujourd'huy l'un te plaist, demain tu t'en estranges.

Le charme du vers avait en partie tenu au verbe « s'étranger », si mort, si beau. « Le cœur est un chacal qui se cherche des raisons, se dit Pierre. Et quand on cherche des raisons, on en trouve. Surtout les mauvaises. Et ce cruel grignote mon amour vivant. C'est dégueulasse, le cœur ! » Ginevra ne saurait jamais qu'elle avait vaincu cet obstacle. Pierre Hesse n'était-il pas l'auteur de cette phrase reprise sur wikiquote, dicocitations, evene, goodreads :

> « Quand l'amour s'en va, on est soulagé et déçu » ?

C'est la fin des amours qui donne de si beaux regards lointains.

corps

planche 1. les corps

Trois heures du matin. Une petite main carrée à la peau mate tourne un bouton de radiateur. Aaron se recouche avec précautions, Armand ronfle doucement. Toujours aussi chaud, se dit Aaron. Tableau où rien ne bouge. La chaleur est une lourdeur. Je suis collé aux draps comme du plomb en train de mollir. Si j'actionne mes haubans imaginaires pour hisser de nouveau ce corps, mon corps, à la verticale, je ne me rendormirai jamais. Peu après, lumière d'un réfrigérateur sur un corps accroupi dans la cuisine d'un appartement de la rue Debelleyme, Paris, France, Europe, monde, univers, bang. Je l'épouserais, cet air frais, se disait Aaron dont le buste était éclairé de face par la lumière blanche. Triptyque d'un saint dont les panneaux contiendraient, l'un, des bouteilles en carton multicolore, l'autre, des pots de yaourt, des packs de blanc d'œuf, des boîtes de vitamines.

Il n'y a pas de plus grand mystère que les corps. Mystère irritant. Comment est-ce, sous ces vêtements ? Cette forme de tissu qui a l'air de coïncider avec la forme d'un corps nous trompe, nous le savons. L'esprit, ah, comme on le devine, une fois que la bouche a tant soit peu parlé. On veut coucher avec quelqu'un pour résoudre ce mystère. Je saurai comment il ou elle est vraiment. (C'est pour cela que l'on veut parfois coucher avec des gens dont le corps ne nous attire pas.) On découvre un corps nu. Ce corps est plus ou moins agréable, plutôt plus que moins puisqu'on l'a désiré, on jouit avec lui, et on n'a découvert qu'un corps. Comment, qu'un corps ? C'est beaucoup, un corps, il apporte ce que n'apportent pas les mots. Il est un autre langage. En faisant l'amour, un corps plus un corps créent une phrase. Si on a pensé que coucher révélerait les dessous de la personne, c'est par infection du vocabulaire, sans doute. Nous jugeons que le vêtement cache l'important, que sous le vêtement réside la vérité, que la vérité existe et qu'elle est dissimulée à notre regard. Persuadés d'être des hommes préhistoriques, nous ne croyons jamais à notre raffinement. Les vêtements ne cachent ni ne révèlent, ils sculptent et peignent. Ils inventent un autre être. Celui-ci a beaucoup de points communs avec le corps qui est dessous, mais pas tout, puisque l'apparence est l'essentiel de ce que nous montrons quand nous le montrons. Essentiel est le superficiel. Il n'est pas exactement là pour améliorer, dans la mesure où le corps l'améliore aussi ; on pourrait dire qu'on s'habille pour améliorer des vêtements. Ils sont si muets, si tristes, si incomplets, sur des cintres ! On veut bien admettre qu'ils sont beaux, mais c'est comme on admet que ce singe a été moi.

Une partie du corps n'est jamais belle seule. Si Anne a de belles fesses, c'est parce que, quand elle se retourne (ici, assise au bord de la baignoire, attrapant une brosse à cheveux), ses lèvres bien dessinées leur font écho. Ceci est peut-être exact : quelqu'un qui n'aurait qu'un bel élément corporel n'aurait pas de bel élément corporel. Les plus beaux yeux bleus du monde, dans un visage grisâtre et sur un corps flasque, ne seraient plus les plus beaux yeux bleus du monde, mais une aberration.

Pierre s'étant lassé de sa deuxième femme, en faisant l'amour avec elle il convoquait le visage de Xu. Au début des amours, on couche avec des corps, après, avec des images.

Sur l'île Saint-Louis que traversait Anne à pied dans la nuit, un petit chat noir semblable à une virgule qui marchait d'un pas hésitant leva les yeux à la façon d'une vieille dame, l'air pas même surpris. Le corps avait réagi avant la tête.

La légèreté bondissante des gros, le père d'Aaron l'illustrait très bien. Cet obèse contenait une coccinelle. Il arrive que nous ayons en nous-mêmes un être rêvé qui oriente toute notre vie sans jamais avoir complètement réussi à en prendre la maîtrise.

Les plus beaux corps de cette histoire étaient : 1) habillé, Pierre Hesse ; 2) nu, Ferdinand ; 3) nue et habillée, Anne. Le plus souvent, Ferdinand sentait la cigarette. D'Anne émanait l'odeur légère d'une poudre parfumée, délicieuse, délicieuse, et quand on s'approchait de sa joue pour l'embrasser on avait l'impression de devenir plume qui balance pour se poser mollement dans un berceau. Armand la nuit transpirait légèrement, ce qui donnait à sa joue où affleurait un papier émeri de barbe blond-blanc une odeur de cuir humide. Le jour, d'autant moins d'odeur qu'il ne portait pas d'eau de toilette ; il avait une brosse à dents pliable dont il se servait après le déjeuner. Les réunions où les confrères parlaient avec une haleine au café ne l'enchantaient pas. Voilà sept ans qu'Aaron avait remplacé, sur son conseil, son eau de toilette américaine par un talc à l'orange amère. Pierre sentait « Mouchoir de Monsieur », du moins jusqu'à la mort de Xu, depuis il ne portait plus rien, et même, omettait de plus en plus souvent de se raser. Le député Furnesse qui ne se lavait pas souvent sentait le tiroir de maison de campagne.

À la télévision, le membre d'un clergé parlait de la souillure des corps et de la pureté des âmes.

La hanche est une faiblesse.

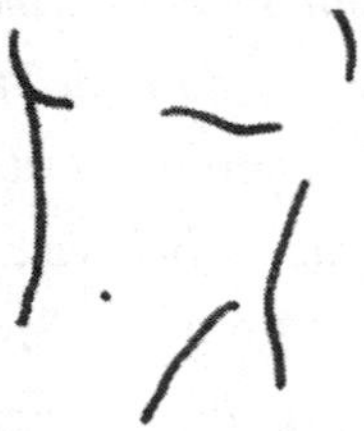

C'est là que la lance peut aller.

Anne aimait le déhanchement des morts sur les sarcophages étrusques. « La mort y a l'air d'un banquet lent. »

On change de corps comme de chemise. Le corps qui a couché avec un autre il y a vingt-quatre heures n'est plus le même que le corps du maintenant. Il a oublié son plaisir ; mais pas qu'il l'avait eu, ce qui lui donne envie de recommencer. Les corps ont une mémoire abstraite. Ce sont les esprits qui ont une mémoire matérielle, du détail de l'endroit du corps qui jouissait plus que l'autre.

Notre corps résiste à notre esprit. Brave corps.

[NB. Entretien de ces corps.

Il y aurait une certaine vulgarité à esquiver la question de l'argent. Celle qui en avait le moins était Anne, elle se salariait à peine dans sa petite entreprise et, une fois donnés les 700 € mensuels pour sa chambre, il ne lui restait rien pour les plaisirs. Elle confectionnait elle-même ses vêtements à partir de tissus bon marché achetés dans des boutiques africaines du Xe arrondissement. Aaron gagnait 1 800 € par mois, dont 900 allaient au loyer de la rue Debelleyme. Armand en payait le principal, il gagnait 8 000 € par mois dans sa banque (mais ne possédait aucun capital). Pierre avait hérité de ses parents l'appartement du square Trousseau et, après avoir vécu très mal puis relativement bien de ses droits d'auteur, il épuisait une avance que lui avait versée son éditeur. Le plus riche était le député Furnesse. 13 500 € par mois plus les avantages, PDG d'une société de conseil, propriétaire de l'appartement de la rue Fabert, cinq appartements dans Paris rapportant des loyers, membre de trois conseils d'administration. Ginevra, je ne sais pas.]

planche 2. les cheveux

Aaron avait les cheveux bruns et coiffés en arrière avec sur le crâne une grosse mèche en pointe de crème sortie d'un pot. Dans trois ou quatre ans, passé trente ans, cela ne lui irait plus. Armand avait des cheveux blonds se nuançant de gris avec une raie sur le côté, ce qu'Aaron qualifiait de « ta coiffure de bureau » (et il la trouvait très bien). Ses fins cheveux dorés faisaient à Anne un voilage quand ils lui retombaient sur les yeux, ce qui n'était pas rare, elle baissait le front dès qu'elle commençait à parler. Pierre avait des cheveux blancs très courts qu'il mettait en valeur par des chemises toujours blanches. (Il se vantait de posséder plus de chemises blanches que de livres de philosophie.) La première fois qu'on voyait Ferdinand, on ne voyait que du blond. Dès que quelqu'un disait quelque chose d'insolent dans une situation de sérieux (en cours, par exemple), on voyait ces cheveux plonger en avant avec lui qui se penchait pour étouffer un rire. Ses cheveux riaient pour lui. Malgré son art du mensonge, il était impossible à Ferdinand de dissimuler son amusement.

Les cheveux sont de l'intérieur devenu surface. La profondeur n'en peut plus d'être profonde. Hors de moi !, crie le cheveu hors de lui. Chez certains, comme Armand, il se met calmement en place ; chez d'autres, comme Ferdinand, il continue à piaffer. L'orientation d'arrière en avant des cheveux sur les tempes d'Armand lui venait de sa grand-mère. « C'est dans la surface qu'est le souvenir des morts », lui avait dit Aaron.

Le coiffeur était en retard. Il avait donné une consultation en cabine à une cliente aux cheveux très fins (cette cliente n'était pas Anne). « Le cheveu fin est souvent le signe d'une enfance timide, ou qui n'a pas été choyée, en tout cas qui n'a pas pris sa place ; et il est resté fin, tout fin, sans s'épanouir », dit-il à la cliente qu'il avait fait attendre (cette cliente était Ginevra). Elle répondit : « Vous l'avez tellement réconfortée que la semaine prochaine elle va venir avec une afro, et vous allez devoir lui dire : calmez-vous, ispida, euh, hirsute, sinon je vous recoiffe comme avant ! » Le coiffeur sourit, comme gêné. Elle l'aimait bien, Ginevra, ce garçon. Elle le trouvait intelligent et modéré et faisait sur lui des tests à propos de Pierre en le présentant comme « l'ami de cœur, c'est bien le mot en français ? » d'une de ses amies. « C'est un homme qui s'approche puis fuit, jamais très près dans un cas, jamais très loin dans l'autre. Mon amie se demande ce qu'elle devrait faire. » Le coiffeur, qui la croyait ou non, répondit : « Il n'y a jamais assez de chance à donner à l'amour. Surtout à nos âges, si je puis dire. » Elle se demanda si ce flatteur (il lui avait dit avoir quarante-deux ans) avait compris qu'il s'agissait d'elle. « C'est la gentillesse qu'on attaque quand on se moque des salons de coiffure, dit-elle à Pierre qui l'avait invitée à dîner ; et l'art. Il s'en va coiffer une sœur de l'émir d'Abu Dhabi pour son mariage et sept autres invités, 40 000 euros. En espèces. » Pierre marmonna : « C'est l'à-valoir qu'on me donne pour un livre qui me coûte deux ans de travail. J'aurais dû être coiffeur. » Après un léger silence, il reprit d'un ton enjoué, comme s'il avait voulu se rattraper : « Et puis j'aurais eu votre tête entre mes mains ! » Ginevra avait dit, en même temps : « Vous travaillez pour l'éternité, Pierre. » Elle ne semblait pas s'être moquée, il ne semblait pas s'être moqué, mais leurs phrases s'étaient bousculées, les quilles de leurs mots en étaient tombées, ça aurait été un chantier de reconstruire à partir de ces gravats, ni l'un, ni l'autre ne comprit bien ce que l'autre avait dit, et peut-être imaginèrent-ils à tort. C'était au restaurant du square Trousseau, en face de chez Pierre. « Quartier paisible, dit-il. S'il y a des manifestations elles sont fréquentables, comme celle en faveur du mariage gay. Les vieux cons, on les envoie défiler aux Invalides. C'est bien normal. » Ginevra se dit choquée par la boule de bestialité qu'était devenue Paris. « J'ai croisé des manifestations contre, j'ai vu le dos moutonnant de la haine. Et ces prêtres sortis tout d'un coup dans les rues ! Les religions instrumentalisant les foules contre les pouvoirs civils, c'est une tentative de médiévalisation de la société. Ce sera l'objet de mon prochain séminaire sur la magie dans les temps démocratiques. » Pierre, dont l'assiette restait pleine, redemanda un verre de champagne et dit, lentement, formant sa pensée au fur et à mesure des phrases : « Tant qu'on ne verra pas deux garçons s'embrasser sur le quai d'une gare sans que personne ne les dévisage, ils resteront des sous-hommes. Et ça ne se produira sans doute jamais. On affronte là le plus grand préjugé. Moi-même, il y a des années, devant accompagner le fils de mon cousin chez le coiffeur, à quatorze ans il avait l'air d'en avoir vingt, j'ai pris la précaution de bien dire à voix haute et d'un ton allègre qui a dû avoir l'air totalement factice : c'est mon neveu, il s'appelle Victor, il passe quelques jours chez son oncle de Paris, il... Eh bien, en regardant les manifestants pour le mariage, je me suis fait des réflexions du genre "ils ont l'air comme les autres", et j'ai repensé à ça, et j'ai eu honte. De ce que la haine soudain exprimée envers eux les oblige à se défendre, et de mes réflexions. » Il prit le verre qu'on venait de lui apporter et le leva : « Vous avez des cheveux qui ressemblent au château de Chambord, Ginevra. »

Ferdinand sortait de chez lui en ébouriffant ses cheveux des doigts. Jules ne se peignait jamais. En regardant à partir d'un mètre soixante-dix de hauteur dans le café des Grands Hommes, on ne voyait que mèches hérissées et cheveux en bourre. Une serveuse amoureuse de tous les étudiants se dit : « On devient adulte quand on a un coiffeur. »

Dans leur chambre, tout au bout d'une aile du bâtiment, elle semblait une nacelle surplombant la rue Debelleyme, Armand soufflait sur une mèche de cheveux de sa bouche en fourneau de pipe après avoir enfilé son T-shirt pour dormir. « Mon grand-père paternel adorait les cheveux de sa fiancée, bruns, soyeux, qu'elle peignait en kouglof, disait-il à Aaron. La nuit de leur mariage, il est entré dans leur chambre : ma grand-mère avait coupé ses cheveux qu'elle avait déposés sur son oreiller. Elle a eu le pouvoir pendant soixante ans. »

planche 3. les yeux

AARON : — Bonjour mon cher M. Anier. Je me réveille, j'ai les yeux collés comme un chat qui vient de naître.

ARMAND : — Ah, que je comprends ces paupières qui veulent garder pour elles un si charmant intérieur !

AARON : — Ces Français, toujours un mot d'esprit ! Et en même temps il a du cœur ! Miracle ! Miracle !

Aaron bondit sur le lit, en caleçon à éléphants, Armand tenant à l'entrée de la pièce le plateau du petit déjeuner. Encadré par le châssis blanc de la fenêtre, un ciel d'un bleu clair très lumineux formait avec la barre du toit en ardoise d'en face un tableau abstrait.

« Les yeux du prévenu brillaient à travers la grille comme deux escarboucles [...] ces yeux flamboyants parlaient un langage si clair qu'un juge d'instruction habile, comme monsieur Popinot par exemple, aurait reconnu le forçat dans le sacrilège » (Balzac, *Splendeurs et misères des courtisanes*). Quand je lisais ces passages où le regard parle à la place de la bouche, enfant, ma terroriste pudeur me disait : il ne faudra rien montrer ; et j'étais effrayé à l'idée que mes yeux pourraient dire malgré moi, en quelque domaine que ce fût, et dans un domaine en particulier. Je croyais absolument les romanciers, et tous les romanciers m'assuraient, surtout Balzac qui adore ça, que les regards nous révèlent malgré nous. On verra ta faiblesse, me disais-je, et on voudra te tuer !

« Vous avez les paupières nacrées. » Au-dessus de ces yeux effilés comme des poissons qui semblaient plonger vers la falaise du nez, la nuance de crème brillant de la peau avait ravi Pierre dès la première minute. Ginevra était toute en inattendus physiques qui auraient été des laideurs chez les autres.

Les hommes croient leurs yeux contre leurs oreilles.

Un double trait de cils sombres comme tracé d'un coup de pinceau entoure les yeux de Ferdinand éveillé. Ferdinand dormant serre un oreiller contre son ventre, ses jambes sont repliées ; ses paupières fermées remuent comme un lac. En dessous passent les songes. Il dort si lourdement qu'il a le poids d'un paquebot. Ce paquebot vogue sur les eaux épaisses d'un rêve. Dans ce rêve il y a des courses sur une plage vers des roseaux, des écharpes volant, des cheveux roux, des ordinateurs portables sur des pupitres d'amphithéâtres, des oiseaux battant des ailes avec un bruit de ciseaux au-dessus de lui qui court. « Bonjour, Ferdinand. » Son père se tient au pied de son lit. « Tu t'étais rendormi ? » Il fait partie du rêve, car le voici qui brandit une hache qu'il abat sur son fils, mais Ferdinand réussit à fuir, il est blotti contre la cuisse d'un grognard de la garde impériale, la gabardine lui gratte la pommette. En guise de shako, le soldat porte un ours en peluche. Ferdinand en mange l'oreille qui est en chocolat. Sur un nuage, un personnage de jeu vidéo rit. Au café des Grands Hommes, une fille extirpe de la hanche de Jules un nez dont les ailes brillent de graisse et dit, avec la voix de la sœur de Jules : « Alors, petit pédé, il paraît que tu es spécialisé dans la tragédie grecque ? Commente-nous donc les rapports d'Eschyle et du droit ! » Ferdinand dont le corps se transforme en une monumentale statue de bronze répond d'une voix de caverne : « Pauvres fous insatiables de misère ! » La fille disparaît à l'horizon comme un ballon qui se dégonfle en sifflant.

Les suicidés ferment les yeux.

Dans le visage d'Anne encadré du voile pâle de ses cheveux, on ne voyait ni nez, ni pommettes, ni menton, on ne voyait que deux très grands yeux verts qui semblaient occuper tout le visage, comme dans ces masques de bronze antique à double ovale d'émail. Dans le chavirement de l'amour, le blanc d'œil du commencement de la jouissance était immense. C'était alors qu'on se rendait compte qu'elle avait une petite verrue à la racine de son nez droit, que sa lèvre supérieure légèrement enflée rendait sa bouche très sensuelle, que ses oreilles étaient petites et très finement ourlées. Le nez, les oreilles et la bouche se décollèrent du visage et, voletant dans les airs, tinrent un conciliabule excité. « Nous allons la gifler vertement ! », disaient les oreilles. « Je soufflerai dans ces yeux jusqu'à ce qu'ils pleurent ! », s'exclama le nez. « Nous scellerons ces paupières l'une après l'autre ! », murmurèrent les lèvres. Les grands yeux se levèrent vers les révoltés avec une telle tendresse que, se taisant d'un coup, ils reprirent leur place non sans avoir voleté un dernier instant pour ne pas avoir l'air de céder tout de suite. Anne retrouva son beau visage, mais pas plus facilement des amants.

Un des hommes les plus ennuyeux de Paris est aussi celui qui en a les plus beaux cils. Ces cils sont longs, noirs, légèrement plus courts vers les coins, donnant une impression d'éventails. Parle, bavard, j'écoute tes yeux.

L'œil est un grand trompeur, et certains sourds profonds peuvent s'illusionner en développant une certitude d'avoir tout compris. Un des plus grands dogmatiques de l'histoire politique française, Charles Maurras, était sourd. Ignorant la contradiction que son sens auditif aurait pu apporter à son sens oculaire, il avait pu développer un système parfait qui comme toute perfection était mortel. Il écrivait comme un sourd. On le suivait aveuglément.

Écoutant un ennuyeux au téléphone, Anne avait dessiné dans la marge d'une facture un personnage dont les yeux étaient des cercles entourés de pétales. Des yeux-fleurs ! Sur le conseil d'Armand, elle déposa l'idée redessinée en plusieurs versions à l'Institut national de la propriété industrielle. Sur le conseil d'Aaron, elle fit reproduire les diverses versions sur des assiettes à dessert. Un concept store lui proposa, au vu du prototype, d'en commercialiser mille deux cents.

On bandait les yeux des condamnés. Pas pour eux, pour nous.

Si les hommes voulaient mourir, leurs paupières se fermeraient à l'instant où ils expirent.

Conques gluantes et sanguines
baignant le dormeur dans une mangue

il tente de se libérer

OUVREZ ! OUVREZ !

et nous résistons en nouant nos cils
en nœuds de fonte de balcons de Rome

Replonge ! repars au fond
du liquide égal du sommeil !

il est si beau ce dormeur
long
avec son corps en croix molle
sur le bouillon des draps ;
son sexe en collier glisse sur sa cuisse

nous le voulons pour nous seules,
conques amoureuses des corps à l'abandon
Que jamais il ne s'éveille !

Ainsi surviennent les dormeurs de marbre,
par l'amour obstiné des paupières
ayant figé leur demi-vie.

beauté, laideur

miroir de la laideur

Ferdinand arriva au café des Grands Hommes pâle, amenuisé, les sourcils froncés, les narines pincées, enlaidi par la souffrance. Enlaidissement saisissant. *Il ressemblait à sa douleur.* Ressentant une blessure de couteau, il avait l'air d'un couteau. Peu à peu, il se détendit, revint à lui-même, s'éclaira et redevint beau, parce que ses amis ou plutôt Jules pour une fois sans fille l'entouraient, lui conseillant de détendre son front chevronné, lui rappelant des souvenirs savoureux, disant des bêtises, de ces bêtises qui consolent et ne sont donc pas des bêtises. Jules savait qu'il pouvait avoir cet effet-là sur Ferdinand, et il l'utilisait, exquis un jour, distrait le lendemain, ne répondant plus aux messages le jour d'après, puis, quand Ferdinand arrivait au bord de la révolte, redevenant tendre. Ferdinand se tourna vers lui et lui serra gravement la main. Ce babil lui avait fait oublier la nouvelle scène de son père, avec convocation dans son bureau, procès glacial remontant à des faits d'enfance, insinuations dédaigneuses sur le fait qu'il ne sortait de sa chambre que pour errer dans le couloir en croisant les bras sur son ventre comme un fou, « et d'ailleurs, fou ! Je n'aime pas du tout ce que tu deviens en ce moment... », avec points de suspension pour que Ferdinand donne suite. Il n'avait pas donné suite. Plaintes du député sur ce qu'on ne l'aimait pas, lieux communs sur la perte du respect, expressions ordurières, le tout en pompant sur son cigare, canon du char d'assaut de sa haine, s'était dit son fils.

Les gens un peu moches sont généralement à la mode deux générations plus tard. L'actrice Marion Morehouse, modèle de type « osé » des années 1930, laide en 1960, belle en 1990. La beauté devient comique, puis laide, puis neutre.

Aaron montra sa photo sur son nouveau permis de travail. « Les photos d'identité sont si enlaidissantes que, en hébreu, on les appelle "photo retzakh", photos meurtre, dit-il. Elles ont contre nous la même valeur nulle et la même persuasion absolue que le témoignage. — Meuh non, tu es très bien », lui dit Armand qui payait des factures.

On représente toujours Narcisse comme un beau jeune homme se mirant dans l'eau. Très juste. Très faux. Le narcissisme est tel qu'il fait se trouver passionnant même si on est laid et vieux. On pourrait représenter Narcisse sous les traits d'un vieillard suave et d'une modestie écrasante qui penche ses flasques peaux sur l'étang en disant : « Que je suis aimable d'être aussi humble en étant si génial ! »

Entrant dans le métro, Pierre vit une tête de Louis Aragon sur une affiche, et eut un sursaut de dégoût. « Il a une tête de salaud à la Céline. La méchanceté affleure partout sur ce visage enlaidi, prête à siffler comme tous les serpents de la Gorgone. » Et il quitta le métro, comme si les choses visuelles avaient une odeur. Paris sentait peu. Il n'y avait guère que le métro, avec son odeur chaude et caoutchouteuse, et, dans les rues, un relent de gaz d'échappement ici, de cuisine de restaurant là. La pire chose que Pierre avait reprochée à Xu était sa manie de cuisiner à toute heure. « Ça sent le frichti, j'ai l'impression d'habiter chez le concierge. » Il aimait bien les odeurs poivrées des épiciers indiens près du théâtre des Bouffes du Nord. Récemment, au lieu d'y entrer, la simple idée d'aller voir une pièce m'ennuie, l'effort de s'ouvrir, entrer dans le domaine de l'art, même pas sûr d'y entrer, et puis l'art !, il s'était promené dans les rues voisines. Devant sa porte, il avait posé un pissenlit de sacs en plastique et, tout en cherchant sa clef, s'était demandé ce qu'il allait faire de ces sachets de riz, de ces boîtes de piment, de ces bottes de légumes devenus laids en changeant de quartier. Bouarf.

Un beau qui grimace ne s'enlaidit pas. On sait que la beauté va revenir sur son visage. Un laid qui grimace fait rire aux dépens de sa laideur. Il attire l'attention sur elle dont on sait qu'elle va rester. Ce beau est gentil, ce laid est vaniteux.

Dans une galerie de la rue Saint-Claude, tout près de la rue Debelleyme, Anne resta perplexe devant des sculptures de créatures à demi humaines, à demi robots en plastique fondu. « Chewing-gums du troisième type », dit Aaron. « Je dirais… Enfin… La laideur comme système est une paresse au même titre que le Beau », répondit Anne debout, un pied enroulé autour de la cheville (le talon s'est décollé de sa chaussure).

Une candidate républicaine au Congrès des États-Unis a déclaré :

> La vague de froid sur Chicago et la succession de tornades sont une réponse de Dieu à la loi de mariage gay en Illinois. L'autisme et les maladies sont une autre réponse. Tout le monde sait que Dieu contrôle le climat.

Elle est laide comme un navet dont on n'a pas encore enlevé les poils :

Apercevant une étudiante qui la jalousait, car des extravagances pareilles existent, Ginevra à qui on venait de la désigner trouva qu'elle ressemblait à une chaussette avec un dentier. Redressant de manière peut-être pas si machinale la chevalière armoriée rappelant qu'elle avait eu un pape dans sa famille, elle dit d'un ton indifférent, comme scientifique : « Une laide qui se croit belle est un étonnant spectacle. » Elle parla à Pierre d'un confrère universitaire qui s'était révélé un imposteur, ayant menti sur son mariage et devenant bigame, ayant menti sur ses diplômes et enseignant dans de grandes universités américaines, tout cela pour passer une vie prestigieuse et paisible. « On pourrait dire que tout ça n'a aucune importance puisqu'il a donné de bons cours. Il y a tant de vrais diplômés qui en donnent de mauvais !... — Ah je ne suis pas sûr, lui dit Pierre ; cet homme a enseigné une théorie de la mort du roman parce qu'il était incapable d'en écrire un. Assez souvent, les théories littéraires sont faites en haine de la littérature. »

La laideur est un privilège dont il ne faut pas abuser. De même que la beauté est plus exaltante quand elle est en partie cachée, la laideur devient tyrannique quand elle est exagérée.

Ferdinand se sentait harcelé par les manifestations incessantes contre le mariage. Il les prenait pour lui. Et pourquoi ne les prendrais-je pas pour moi ? Elles ne m'attaquent pas nommément, personne ne crie : « Mort à Ferdinand ! » de Denfert-Rochereau aux Invalides, mais elles attaquent ce que je suis en tant que je le suis. C'est bien moi qu'on attaque. En rentrant chez lui, il regarda des émissions de débat où l'on ne débattait que d'une chose, ce foutu mariage, et il en donnait, des idées aux cons (se dit-il) ! Toutes les chaînes avaient leurs « chroniqueurs ». Ce mot dont il avait appris à la fac qu'il désignait jadis un métier précieux, celui des historiens tenant le registre des règnes, tel jour le roi est parti pour la Bourgogne, tel autre il a eu la colique, était devenu le nom d'incompétents universels s'arrogeant le droit d'avoir des avis sur tout. Ce soir-là comme depuis tant de soirs, sur toutes les chaînes, chacun donnait son opinion, chaque fois docte et presque toujours hostile. On parle de *nous*, se disait Ferdinand, comme si nous étions des corps étrangers à la société, des virus. Autour d'une table en fer à cheval, certains de ces « chroniqueurs » feignaient de s'opposer en proférant des énormités. Pour une fois il n'y a pas mon père dans cette arène de pit-bulls. Il y serait posé et souriant, et donc encore plus inquiétant que ces bouffons. À qui s'adressaient-ils ? Pour réveiller quelle tourbe étaient-ils faits ? Un public assis en amphithéâtre les regardait en direct. On avait jeté une tranche de l'humanité dans le petit cercle où ces féroces étaient assis, et c'était à qui dévorerait *les homosexuels* avec le plus de sang. L'un tendait le torse en avant, l'autre ululait, tous levaient le menton et roulaient l'œil. Comme ils étaient fiers. Que l'expression en groupe de la bêtise flatte. Ils crucifieraient un nouveau-né en direct si ça pouvait faire parler d'eux le lendemain. Nous avons quelque chose de terrible à affronter, se dit Ferdinand, la vanité de la vulgarité. Chose frappante, le plus vindicatif était le plus laid. La paupière pendante, la lèvre amère, le dos en crochet, époussetant de la main les objections qui approchaient, il avait une voix à faire avorter la Vierge. C'était cette mine de mulot mouillé qu'il voulait venger, sans doute, retournant son complexe en morgue, à moins qu'il ne fût gay et se torturant dans un placard, haïssant ceux qui vivaient en plein air sans déranger personne que lui et sa honte ; ou bien il avait pour femme une virago qui le persécutait à la maison ? La psychologie est toujours sommaire, se dit Ferdinand, voilà pourquoi elle est exacte avec les sommaires. Quelle que soit la raison, elle n'est qu'une raison. Quantité d'autres humains ayant les mêmes raisons que cet homme n'en créaient pas les mêmes conséquences, et plus d'un rabougri maltraité par sa femme se fichait des gays. La télévision engendrait des imbéciles, elle engendre des monstres. Pour remplacer la brave andouille présentant des émissions de variétés, le Dr Frankenstein a conçu le chroniqueur. Ferdinand changea de chaîne. Autres commentateurs, ici assistés de médecins, pour insinuer la maladie des corps, là de prêtres, celle de l'âme. Il ne manquait que des exorcistes. Ferdinand éteignit la télévision et se rabattit d'un coup sur le dossier du canapé, plaquant un coussin sur son visage puis mettant les bras en croix en gargouillant : « Ah les cons, ah les salauds, ah les xalauds ! »

Toute laideur s'efface dès que celui qui en est affligé parle s'il est intelligent ou sensible ; le silence n'aide pas le laid.

miroir de la beauté

Anne était la très belle fille châtain doré d'une très belle mère brune, laquelle était morte avec une beauté fracassée de tragédienne grecque à la retraite. Anne l'avait beaucoup pleurée, alors qu'elle ne l'avait pas aimée. Son mari ne l'avait pas du tout pleurée, alors qu'il l'avait adorée. Anne s'était précipitée en province pour s'occuper de lui. Cela lui avait fait perdre son amour du moment. C'est au retour qu'elle avait pris une chambre chez Armand et Aaron, lasse des mâles et de leurs grosses mains, de leurs grosses sensations, de leurs grosses idées, de leur grosse passion pour les choses grosses. Et cette femme qui se jugeait inapte à l'amour subjuguait bien des hommes par son ondulante chevelure à reflets clairs, sa peau poudrée qui semblait flotter autour de son visage plutôt que de le modeler, ses grands yeux vert pâle qui donnaient envie d'y plonger pour toujours, la souplesse de son corps mince, la sinuosité de ses gestes et l'élégance de ses longues mains aux ongles courts et bombés, jamais un bijou. Un jour que, rue Debelleyme, elle s'était endormie dans le canapé, sa main pendante laissant couler un livre comme Marat assassiné, Armand dit : « Jamais pages n'auront vu si beau visage. Les personnages doivent être jaloux. »

La beauté est un piège à mémoire. Elle fixe pour toujours l'impression de l'autre. Une personne belle est belle à jamais.

« La beauté des acteurs ne cache pas leur éventuelle absence de talent, celle-ci en est même encore plus complaisamment relevée, dit Aaron qui feuilletait un magazine. En revanche, des acteurs laids *et* mauvais ont la réputation d'être bons *parce qu'*ils sont laids. Le préjugé en faveur de la laideur est infini. »

Ferdinand qui se regardait dans un miroir ne vit pas son visage triangulaire surmonté d'une bombe de cheveux blonds mal peignés, la peau mate où une ancienne cicatrice avait laissé, près d'une pommette, un petit carré brillant, les lèvres épaisses, les sourcils droits et comme chinois, les yeux d'un bleu presque noir, non, rien de ce ravissant ; se perçant un bouton au coin du nez qu'il tord (ce nez de lionceau), il pense à Jules ; drague légère, flatteries, caresses, balancelle, esprit avec le cœur, malheur.

La beauté est très difficile à supporter par les hommes ; elle passe pour une féminité, c'est-à-dire, dans l'idée commune, une faiblesse. De plus, elle est si inégalitaire que, pour la supporter, on l'associe à la bêtise, et la société est telle que la bêtise n'est envisageable que pour les femmes. D'une femme belle on dira qu'elle est idiote, pas d'un homme beau ; mais cela protège la femme. Si elle est idiote, on peut lui pardonner sa beauté. Les femmes enfin s'aident d'artifices permettant de sous-entendre que ce sont eux qui font leur beauté. « Ce n'est pas elle, il a fallu tout cela ! », chuchotent maquillages, coiffures et robes, protégeant la divine qu'on tuerait d'envie si on la savait naturellement belle. Un homme beau est seul avec sa beauté et doit la justifier en permanence aux yeux de la haine. Ne le pouvant pas, il s'enlaidit parfois, en se droguant, en buvant, en faisant du sport. Il se détruit en pensant détruire sa beauté qu'il croit un masque.

Une cause d'assassinat que je n'ai vu exprimée qu'une fois l'a été par Saïkaku Ebara dans les *Contes d'amour des samouraïs* (fin du XVIIe siècle). Et cette cause, si évidente, si cachée, je la sépare dans l'espoir qu'on la remarque, deux fois en quatre siècles n'est pas une redite telle que tous les gars du monde se lâchent les mains, les posent sur les hanches et soufflent d'exaspération en me regardant, cette phrase enfin la voici :

Beaucoup d'hommes périssent parce qu'ils sont trop beaux.

Cas du marin Billy Budd, le personnage de Melville, exécuté par un officier enrageant de sa beauté tranquille. (Cet officier est probablement un gay qui se le cache à lui-même et hait la sensualité de Billy qui le tire toujours vers ce qu'il devrait être ; ceci n'est que suggéré, Melville est un symboliste réfutant l'analyse et il le récuserait d'autant plus qu'il s'est caché son goût sexuel à lui-même et que, bouleversé dans son silence, il a conçu des mythes à partir de ses batailles intérieures, *Billy Budd*, *Moby Dick*, *Pierre ou les Ambiguïtés*.) Cas de Julien Sorel, bien sûr exécuté pour avoir tué Mme de Rênal, mais tout autant parce qu'il n'avait pas su dissimuler sa beauté sous une hypocrisie constante. (Les personnages de Stendhal, lui, Fabrice del Dongo, Lucien Leuwen, sont beaux avant toute autre chose sociale.) La beauté est trop étrange pour ne pas provoquer de la haine. Ferdinand était-il menacé, avec sa blondeur scandaleuse et ses méfiances obscures, ses répliques abruptes et sa première incisive plus courte et de travers qui semblait raconter un roman tendre ?

Le penseur captivé par les beaux condescend à mille amabilités pour les attirer, eux qui n'ont souvent aucun intérêt pour ses réflexions. Si Platon avait écrit autre chose que des contes de fées d'idées, dans l'*Hippias majeur* (sur le beau) il aurait fait Socrate commencer à parler, puis lorgner un beau corps qui passe, puis abandonner la conversation pour le suivre. Le plus exact dialogue sur le beau est celui qui cesse après deux répliques.

Les meilleurs des hommes selon Socrate sont les hommes bons, et meilleurs encore, les beaux et bons. Une beauté vient de la bonté ; sinon tout ça fascisme. Cette chose n'est pas si rare, la bonté se mêlant à la beauté. Une beauté venait de la bonté dure de la mère d'Armand. La bonté est souvent dure, d'ailleurs. Elle ne peut pas se permettre les accommodements.

La passion pour la beauté est une forme de bêtise. Se réconciliant avec Alfred Douglas par la faute de son seul vice, la beauté (Douglas était beau et Wilde, non content d'être captif de la beauté, en a fait une morale, presque une idéologie), il n'en a eu que des désillusions. Douglas l'a manipulé, mal aimé, posthumément trahi. Sigmund Freud sur les jeunes amants peintres de Léonard de Vinci :

> Puisqu'il les avait choisis pour leur beauté et non pour leur talent, aucun d'entre eux : Cesare da Sesto, G. Boltraffio, Andrea Salaino, Francesco Melzi et d'autres, ne devint un peintre important.
>
> *Introduction à la méthode de Léonard de Vinci*

Il a raison, et après ? La belle histoire, d'avoir raison ! Ils ne devinrent pas des peintres importants, mais ils furent peut-être heureux ; et Vinci l'a bien entendu été. Le talent n'est pas si équitablement réparti qu'il l'aurait trouvé à coup sûr chez des élèves laids.

On ne s'habitue pas plus à la beauté, dans le sens où elle s'userait et lasserait, qu'au génie artistique. Anne restait belle chaque fois qu'on la revoyait comme Proust reste génial chaque fois qu'on le rouvre.

Avant qu'Armand ne connaisse Aaron, son armoire à pharmacie était une murette de boîtes de médicaments. Ayant mal à la tête alors qu'il se dirigeait vers un rendez-vous, il était entré dans la première pharmacie ouverte. Que ce pharmacien était beau ! Petit, les cheveux très noirs, implantés bas sur le front comme s'ils enrageaient de devoir laisser la place à un aussi beau visage, les pommettes obliques, les joues dont le léger creux était accentué par une barbe fine, les lèvres charnues, le nez fort à l'arête aplatie, les yeux noirs aux longs cils, il transformait sa blouse de nylon blanc en costume d'Adonis. Armand était revenu souvent, pour le plaisir des yeux et dans l'espoir de la queue. L'accent albigeois du garçon, vingt-sept ans peut-être, lui fit concevoir des songeries de Pygmalion. « Allongé dans le lit après l'amour, faisant le tour de son téton du bout de l'index, je lui dirais : "On ne dit pas *je t'aimeu*, mais *je t'aime*." » Passant un soir devant la pharmacie, il vit l'adorable Adonis albigeois fermer boutique avec poussette et enfant. Il avait perdu l'attribut divin de sa sensualité, sa blouse à caducée, au fait le caducée n'était-il pas l'attribut du dieu du mensonge ? Loin d'en devenir un terne mortel, la poussette et l'enfant lui donnèrent un charme d'hétérosexuel pas encore malheureux qui poussa Armand à toutes les tentatives. L'Adonis en civil sourit, répondit avec son joyeux accent : « Vous êtes gentil, mais moi c'est plutôt les dames » et, avec un sourire qui rendit presque Armand amoureux, se dirigea vers une petite voiture plouc.

La beauté oblige. Soi, l'autre. Des hommes détruisent leur beauté qu'ils ne supportent pas, la concierge de Pierre avait quitté son premier mari si beau parce qu'elle était négligée. Le physique de cet homme l'obligeait à une certaine tenue. Elle vivait depuis avec un homme ni beau, ni laid, et était devenue ce grand corps bouffi, mal peigné et heureux.

Depuis l'âge de quatorze ans, la vie de Ferdinand consistait à repousser des gens qui voulaient coucher avec lui. Jeunes, vieux, hommes, femmes, il en était harcelé. Le seul endroit où il était à peu près tranquille était le café des Grands Hommes, où les regards usés ne le voyaient plus. Comme pour toute fréquentation très régulière des êtres, on n'y parlait plus à Ferdinand, mais à une idée de Ferdinand, simplifiée et correspondant pourtant en grande partie à ce qu'il avait voulu imposer, et où la beauté n'était pour rien. Partout ailleurs, rue, restaurant, bibliothèque, amphithéâtre, musée, il semblait aimanter le désir universel. Ce n'était pas le numéro des plaques, le menu, le livre, le professeur, le chef-d'œuvre qu'on regardait, mais lui. Il était baisé des yeux. Les jours où il sortait en ayant oublié de se cadenasser au monde, il s'en rendait compte et avait l'impression de se trouver au centre d'un manège où virevoltaient, tout autour de lui, des yeux exorbités, des langues haletantes, des vagins palpitants, des pénis en hallebarde. Il en venait à haïr sa beauté. Il se rongeait les joues, tordant la bouche et le nez en un rictus acide ; son Etna de cheveux blonds, il le teignit un jour en orange parce qu'il attirait une bonne opinion de lui (hurlements de son père qui n'avait d'ailleurs pas tout de suite remarqué la teinture) ; il se goinfra de cassoulet en boîte et s'imbiba de vodka pour devenir gras. Ange à dix-huit ans, il serait laideron à vingt ! Il n'y était pas parvenu. La beauté est si rare que, une fois qu'elle a trouvé un corps, elle ne s'en laisse pas facilement chasser. Ferdinand n'avait pu modifier son apparence pour tromper la société, comme Jules qui s'habillait normcore pour cacher son ambition de devenir ministre. Après quelques semaines de haricots, il était allé faire des longueurs de piscine, d'où il était sorti plus svelte, l'eau le quittant à regret, l'entourant de tous ses doigts, et glissant, glissant, glissant à terre avec un cri muet : « Non, non, je ne veux pas quitter ce corps ! Ce torse si glabre, ces cuisses si galbées, ce maillot qui ne me cache presque rien ! Corps ! Corps ! C... » L'informe voulait la forme, et la plus belle. Face au miroir des vestiaires, Ferdinand avait frotté sa tête penchée avec déception. Il n'avait pas pris la peine de s'éloigner du champ de vision du jeune myope à appareil dentaire qui, au fond de sa cabine, se branlait en le regardant.

surface

expressivité des beaux vêtements

Anne s'habillait de matières souples et de couleurs qui n'étaient jamais vives mais ne réussissaient pas à éteindre son regard. Elle possédait un cardigan en soie d'un vert qu'elle appelait « eau de rigole de Paris » (elle trouvait qu'il fallait inventer les noms des couleurs). « Pas mal », aurait dit Pierre, expression qui était pour lui un grand compliment ; « génial », aurait dit Aaron avec intention de se moquer de son exagération ; « désirable », aurait dit Ferdinand venant de prendre ce mot à Tennessee Williams qu'il était en train de lire. Lui-même était habillé avec sérieux, blazers, pantalons de flanelle, jamais de jeans. Pierre ne s'habillait plus que de pantalons en velours ras, du même vieux cardigan chameau et de ses chemises blanches dont il ne vérifiait pas le repassage ; lui jadis si coquet ne portait plus de cravate. Ginevra, Milanaise, avait une collection de tailleurs en laine tricotée et de foulards qu'elle nouait sur le côté comme dans les années 1970 qui la rendaient excessivement originale à Paris. Aaron était d'un mal habillé qui ne pouvait passer pour bien habillé auprès de personne ; son désassorti n'était pas intentionnel et son ample l'était trop. Armand, obligé de travailler en costume toute la semaine, portait des jeans et des T-shirts le week-end, Aaron le préférait en costume (et dans tous les cas aimait ses lunettes en écaille dont, à la lumière, apparaissait la nuance cerise). Au fameux dîner du lampadaire, Anne revenant de la cuisine avec son gâteau japonais qui avait l'air d'un pavé de château recouvert d'une moisissure illustre raconta une histoire de Sacha Guitry. « Guitry était un client d'Hermès… Il se faisait envoyer les factures… C'était pour ne pas les régler. Quand il revenait, la caissière lui faisait un rappel poli… Il éludait et faisait ajouter le nouvel achat à sa note… Un jour, on envoie une nouvelle vendeuse à l'assaut. Cette nouvelle… c'était ma mère. Réservée mais décidée (elle était corse…), elle demande… : “Maître, auriez-vous l'obligeance de payer… comptant ?”… Et Guitry qui avait mis sur les épaules une peau de tigre qui servait de décoration en faisant “Rrrr !” pour amuser une petite fille… à moins que ça n'ait été pour s'amuser lui-même… oui, oui, Armand, j'y arrive, mais je ne sais pas raconter les histoires, je suis si nulle, où en étais-je ? Hein ? Ah oui. Prends plutôt ça pour découper… Comment ?… Ah, voilà… Sacha (la moitié du plaisir qu'on a à aimer Guitry vient de son prénom)… » La tablée la hua en riant (sauf Armand qui l'observait avec un amusement bienveillant). Elle sourit, tapa d'un index sur la table et dit : « Guitry prend une grosse voix furieuse et s'écrie : “Comptant ? Mécontent !”, et il part. » Ouf, ah, bravo, excellent, dirent les convives. Si les dîners de la rue Debelleyme ont pris ce nom légendaire des « dîners de la rue Debelleyme », en voilà une des raisons. Et ce dîner dit du lampadaire, dont le prétexte avait été l'achat sur le conseil d'Anne et la présentation à leurs amis par Aaron et Armand d'un tube blanc à LED d'un designer italien d'1,90 m de hauteur, ce qui le mettait à peu près à celle d'Armand, tandis bien sûr qu'Aaron le regardait de quinze centimètres plus bas, ce dîner fut si réussi que ses hôtes en le racontant y agglomérèrent des répliques survenues à d'autres dîners, des plats servis à d'autres occasions, exagérant ceci, outrant cela, enfin il grossit comme un souvenir de Cendrars, une bouffonnerie de Dickens, une fantaisie de Pierre Hesse, donnant l'impression qu'il avait duré six nuits et qu'on y avait mangé douze aurochs en riant.

« Un vêtement est une armure... Une robe est une tour... Un chapeau est un toit... Un pantalon est une cheminée... Les couturiers sont des architectes », disait Anne en refermant *Comment doit-on s'habiller ?*, recueil d'articles d'Adolf Loos, l'architecte qui, au début du XXe siècle, a sauvé Vienne du style végétal. Elle poursuivit en réfléchissant aux peintres qui avaient fait de la mode, comme Carlo Carrà, le futuriste italien, auteur d'une chemise : une blouse de marionnette en triangles de couleurs.

« On n'est jamais aussi moderne qu'on le pense… », dit-elle, en serrant son cardigan eau de rigole sur sa chemise blanche d'homme. Dans son bureau glacial (elle faisait des économies), elle remarqua un passant, par la fenêtre, tout en bas, dans la rue. Il portait des vêtements bruyants. Comment peut-on ?… Mais ?… Serait-ce ?… La veille du dîner du lampadaire, elle avait rencontré un importateur de mobilier norvégien, un rustre, très attirant par sa rusticité. Il habitait un appartement tout blanc avec de la moquette en corde et des bancs de bois brut dans un immeuble de l'île Saint-Louis qui semblait voué au rejet du bon goût Louis XVI ; c'était celui, 24, quai de Béthune, qu'avait fait construire la parfumeuse Helena Rubinstein avant la Deuxième Guerre mondiale et où avait vécu le président Pompidou, lequel avait passé commande pour l'Élysée d'une chambre à Agam et de canapés à Paulin, cela fit la plus longue partie de la conversation entre Anne et le Norvégien regardant par la fenêtre l'Institut du monde arabe (qu'il méprisait), le dos en insecte de Notre-Dame de Paris (qu'il détestait), la tour de Jussieu (qu'il aimait, il n'aimait que l'architecture moderniste et haïssait Paris dont il dit beaucoup de mal). Dans sa chambre, de part et d'autre d'un matelas enchâssé dans un cadre en planches, elle admira deux lampes maigres, et aussi qu'il n'y eût aucun livre, elle dont la chambre en était pleine jusque entre les meubles, pour la plupart commencés et pas finis. Un vrai homme, épais, aimant la force, un peu crétin !… Ça n'était pas raisonnable, de vivre avec deux gays, de se réfugier dans une féerie. « J'ai le génie de me créer des vies impossibles... », avait-elle dit à ce Kasper dans sa robe en soie, au tissu si lent à bouger ; lent comme un serpent, qui glissa tout d'un coup quand elle fut au pied du lit.

Au dîner du lampadaire, au café, la drag queen s'assit sur le rebord d'un fauteuil, jambes sur le côté, reproduisant l'exacte posture de Sophia Loren dans une scène de *Hier, aujourd'hui et demain*, et dit : « Quand les princesses étrangères ayant épousé un dauphin arrivaient en France (le mariage avait eu lieu par procuration dans leur pays), on les déshabillait entièrement, dessous compris, pour qu'elles ne gardent rien d'étranger sur elles. La naturalisation commence en France par le vêtement, c'est pour cela que les Français ont tant de mal à admettre des musulmanes voilées, des juifs à kippa, des sikhs nous n'en avons pas c'est bien dommage leurs turbans sont splendides. »

L'ARCHITECTE : — Pas de sucre, merci. Nous nous habillons en fonction de nos habitations. La plupart des hommes occidentaux vivent dans de petits appartements. Les manches bouffantes et les cols à jabots y prendraient trop de place.

ARMAND : — Comme j'étais amoureux de Zorro ! Il est venu après Filip de 2Be3, que j'aimais d'un amour encore liquide et océanique de bébé (j'avais quoi ? huit ans ?). Pour Zorro (j'avais quoi ? douze ans ?), je commençais à concevoir la sensualité. J'aimais son corps. Je pensais que c'était ses spencers en velours rebrodé, mais je le pensais au premier plan ; au second, un moi moins hypocrite, ou moins aveuglé, me disait : il y a un torse là-dessous. L'amour de la mode est un cache de la sexualité chez les timides. Car enfin, je me branlais à me faire tomber la queue sur l'image d'un de mes amis de classe. *Vogue Hommes* promené chez moi quelques années plus tard était une parole dont je ne me rendais pas compte. Un outing que ma mère ne voulait pas voir. Les couturiers sont des gays qui n'ont jamais osé rompre avec leur mère.

AARON, *citant* Comment doit-on s'habiller ? *qu'Anne lui avait montré* : — À quoi servirait d'avoir de l'esprit si on ne pouvait le faire valoir par la qualité de ses vêtements ?

Dans ces *Écrits apparemment matérialistes* que j'écrirai un jour, je décrirai la mort d'un jean. « Adieu, mon vieil ami ! Comme je t'aurai aimé ! Il n'y a que toi et le futur antérieur pour avoir été aussi proches de moi ! C'est en dix minutes que je t'avais acheté, ô jean en toile épaisse d'un bleu de pierre, pour compenser le décès d'un autre que j'avais adoré parce qu'il avait fini par m'aller comme un gant, ou plutôt comme un jean, avec des épousailles des jambes comme seuls le permettent ces pantalons ; le tissu s'était adouci en peau d'abricot, je le portais volontiers sans slip. Mais voilà, il avait pris des trous, trop de trous, des trous hideux, des trous de miséreux, il était devenu oiseux. "Eheu, mon vieux jean, je te quitte, eheu, eheu !", ai-je crié en bouffonnant au moment de te jeter à la poubelle, et à un ami, comme il venait de me complimenter sur son remplaçant : "Je ne supporte pas qu'on me quitte." » On devrait écrire des nécrologies de nos vêtements, de nos objets, de tout cet inerte qui nous sert docilement et envers qui nous sommes si ingrats. Dans ces *Écrits apparemment matérialistes*...

Pierre qui avait trop bu de champagne se tracta jusque dans un grand magasin pour acheter une cravate. « Sauvetage par la forme. L'angoisse est une perte de forme. On dit plus qu'on ne pense quand on dit "je ne suis pas en forme". La mort est une dé-formation », dit-il en essayant la cravate devant un miroir. La vendeuse, très polie, ne répondit rien. Pierre dîna seul chez lui de petits pois en conserve, froids, directement dans la boîte, avec une fourchette de cuisine, regardant l'étroit étui en carton au ruban intact dans la corbeille de son bureau. Son chien, gueule sur les pattes avant, levait un sourcil en point d'interrogation.

Ferdinand invité à une soirée où devaient se trouver des étudiants qu'il détestait, de rage, s'habilla mal. Puis tout de même : quand on est bien habillé, on passe une meilleure soirée. Et il se changea, mit son plus beau blazer, une cravate moins large que celle de son père mais plus large que celles des présentateurs de Canal + (c'était son critère), et... Il regarda son pantalon de flanelle, plus ou moins crucifié sur son lit, et tout d'un coup vit son père. L'écharpe !, se dit-il. Ce pantalon est lui aussi mon père ! Mes vêtements sont mon père ! Il malaxa le pantalon, le mit dans un sac de librairie posé sur une des piles de livres et ouvrit un tiroir. Le jean neuf lui fit l'effet d'un frère bâtard que la famille aurait toujours méprisé et qu'on se serait décidé à aimer. Il l'enfila, s'examina en se déhanchant dans le miroir de la salle de bains. Sa mère le lui avait offert et il l'avait rangé au fond d'un placard. Elle insistait pour qu'il s'habille « moins raide », chaque fois qu'elle le voyait, tous les six mois. Incroyable comme ma vie consiste à recevoir des *remarques*. Directement (mes parents), indirectement (les persiflages ici ou là, les injures dans les manifestations même si elles ne savent pas que c'est pour *moi*). Je suis un être humain considéré comme une statue sur laquelle on peut cracher. Il jeta le pantalon de flanelle dans une poubelle de la rue Fabert et s'éloigna en sifflotant, se retournant sur un grand roux qui promenait un enfant par la main.

Les dieux haineux portent des survêtements. Les dieux bienveillants portent des petits costumes bleus avec un polo et des sneakers turquoise. Les déesses haineuses poussent des poussettes d'enfants remplies de mitrailleuses. Le dieu des dieux est assis au coin d'un long canapé italien moderne, en veste chocolat, pantalon sable, chemise blanche et foulard. Il est un peu vieux beau de bord de mer, mais on l'aime bien.

Quand je dis les dieux, je veux dire les hommes.

expressivité des chaussures

À l'entrée de sa penderie, le cheveu embrouillé, une manche de son cardigan mal enfilée et un verre de champagne au bout des doigts, Pierre regardait les robes pendant comme des pendues et se demandait pourquoi, depuis près de deux ans que Xu était morte, il n'avait toujours pas vidé cette pièce. Comment se faisait-il qu'il s'était débarrassé des soutiens-gorge et des slips et avait gardé le reste ? Et les chaussures ! Pourquoi ces chaussures se trouvaient-elles encore là ? Ces becs d'oiseau bien rangés, paisibles et menaçants ? Il fit un pas en avant puis s'arrêta, à la façon d'un enfant qui entre dans la mer. Deuxième pas. Il posa le verre de champagne par terre, se redressa, fit un autre pas, et ce fut un tsunami. Un quart d'heure plus tard, il était assis dans le couloir, en larmes devant une colline de robes.

En regardant *Charles Quint reçu par François Ier en 1540* (Antoine-Jean Gros, musée du Louvre), on plisse les yeux pour ne pas voir la hideuse mode de cette année-là. Rien n'a été plus laid que leurs souliers à bout rond relevé. Ils ont tellement choqué qu'il a fallu quatre cent soixante-dix ans pour les voir réapparaître, dans ces sabots de plage en plastique ajouré qui persistaient modérément au moment où cette histoire se passe.

Anne photographia des souliers dans une boutique de la rue de Grenelle. Ils l'avaient hélée de la vitrine.

LES SOULIERS : — Viens ! Viens ! Nous ne te rappelons rien ?

ANNE : — Les escarpins à talons aiguilles en chevreau rose de ma mère !... Elle les conservait dans un grenier... Ils n'étaient... enfin, plus du tout à la mode... Ils en prenaient un air Cendrillon...

LES SOULIERS : — Nous te plaisons, alors ?

ANNE : — ... Les souliers d'Audrey Hepburn ou de Shirley MacLaine dans un film où elles étaient gaies et souriantes...

LES SOULIERS : — Tu nous adores ?

ANNE : — ... Les souliers d'un livre pour enfants... Souliers, chers souliers...

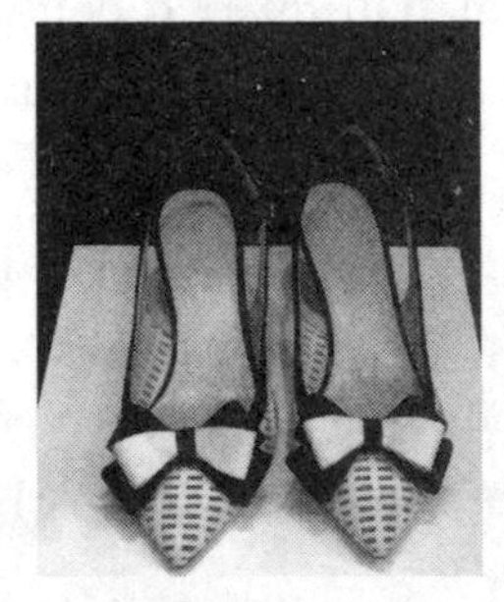

Il y avait deux pieds droits. Anne ne le vit pas, elle avait perdu un verre de contact et ne voulait pas porter ses lunettes. Le marchand lui vendit les escarpins tels quels après qu'elle n'en eut essayé qu'un (et c'est elle qui avait dit : « Pardon, mais... Je suis pressée... »). Comme elle avait mal aux pieds, elle ne se rendit pas compte de la tromperie et les garda, souffrant et heureuse. Quand elle se tordit la cheville dans la rue, aucun passant ne la dragua en relevant. Elle rentra chez elle où, lunettes sur le nez, elle se dit d'un air rêveur : « Quelle conne !... » et reprit un livre d'histoire de l'art.

Aaron, Armand, café de Bretagne, regardant passants passer.

AARON : — Chose désolante : un beau garçon, on abaisse le regard, il a un soulier à bout carré déformé par un cor.

Armand hoche la tête, pensant à une autre partie du corps des garçons qui peut causer une stupéfaction heureuse quand on baisse la tête. Il le dira à Aaron, après que celui-ci aura raconté l'histoire de sa très très vieille grand-tante qui s'était acheté des souliers à talons très très hauts. Sa grand-mère (sœur de sa grand-tante) lui avait dit Augusta (cette Hanka se faisait appeler Augusta par amour, non de l'impératrice Augusta, précisait-elle toujours, et pourquoi donc, la femme de ce néfaste imbécile de Guillaume II, mais de la bataille de la baie de l'impératrice Augusta qui, en 1943, elle vivait depuis trente ans déjà au Canada, avait vu, à son soulagement, les Américains piler la marine japonaise), sa grand-mère avait donc dit à sa sœur : Augusta, à ton âge ! exactement comme Picasso dans sa vieillesse, j'ai dû te le raconter cent fois. Invité par Miró à voir ses dernières peintures dans son atelier, Picasso les regarde, lentement, l'une après l'autre, des ronds jaunes, des ronds rouges, puis dit : enfin, Miró, à ton âge ! La grand-tante d'Aaron, toute fiérote sur ses hauts talons, sort dans la rue, tombe, se casse la jambe, est opérée, supporte mal l'intervention, meurt. « Elle est morte de coquetterie. Il y a plus triste », conclut Aaron. Avec toutes ses digressions, Armand a oublié ce qu'il voulait lui dire.

Ayant encore mal aux pieds, Anne avoua à Aaron (on n'avouait à Armand que les choses sérieuses) qu'elle chaussait du 39 et non du 38, comme elle l'avait dit par SMS à l'amie qui lui avait rapporté ces espadrilles du Pays basque ; elle trouvait 39 une taille stupide. Ce qu'on appelle mensonge est parfois rêverie, se dit Aaron ; une des guerres secrètes de l'humanité est celle de la rêverie contre l'exactitude ; l'exactitude n'est pas toujours si exacte, c'est une force qui, étant majoritaire, veut écraser le reste pour se simplifier la digestion (la majorité n'a pas de cerveau, elle a un estomac). Il répondit (et Anne ne comprit pas tout de suite le rapport) : « Pourquoi les rêveurs de petites choses seraient-ils des *menteurs* ? » Elle se pencha dans un mouvement de chatte pour se masser la cheville, ayant encore mal.

Ce qui consola vaguement Pierre assis dans le couloir fut un souvenir littéraire. Dans ses *Journaux*, Robert Musil, l'auteur d'au moins deux chefs-d'œuvre, *Les Désarrois de l'élève Törless* et *L'Homme sans qualités*, note : « Je cire très bien les chaussures. » Quand on a fait de grandes choses, on est naïvement fier des petites. Les grandes choses, on a oublié comme cela avait été grandement difficile, cela ne compte plus, on se croit du commun des mortels. Pierre s'allongea par terre pour dormir.

objets

usage des fauteuils et des chaises

Pierre passait la plupart de ses journées dans son fauteuil. Il avait acheté son chien peu après la mort de sa femme. C'était un fauteuil bas, ample, à accoudoirs plats, qui avait l'air de la mâchoire d'un robot de film. Le chien était un setter haletant. Il l'avait trouvé très beau, chez le marchand (odeur forte). Un oiseau plutôt qu'un chien ; frémissant, les longs poils roux de ses pattes ressemblant à des plumes de coiffe sioux. Et là, près du fauteuil dont le daim rouge était plus éclatant que son pelage, observant sa gueule ouverte où les molaires avaient l'air de montagnes enneigées et d'où sa langue sale comme une semelle de tong gouttait de salive (tache sombre sur le tapis râpé), il le trouva trop assorti. « Décidément, je ne réussis pas mes couples. » Il tapota le flanc du chien, qui leva un sourcil. « Rien », lui dit Pierre.

Tout ce que Pierre n'avait pas fait :

Il n'avait jamais laissé une salle de bains d'hôtel plus sale que la sienne. Il n'avait jamais fait de moto, de ski nautique, de bricolage. Il n'avait jamais couché avec une Noire. Il n'avait jamais resquillé dans une file d'attente ; il n'en avait pas tiré une idée de supériorité morale, comme cela peut arriver aux Anglais, qui induisent par fois qu'ils ont gagné la guerre parce qu'ils font la queue patiemment. Il n'avait jamais suivi d'analyse. Il n'aimait pas l'opéra, le lait à la cannelle, les motos. Il aimait le très bon champagne, celui qui donne l'impression de boire du vent, mais il n'y en avait plus ce jour-là, alors il descendit au supermarché pour acheter de l'ordinaire. Le chien fut étonné de le voir fermer la porte sans penser à le faire suivre. Il retourna vers le fauteuil, renifla vaguement l'endroit où avait été assis Pierre, planta sa truffe dans le tapis et se coucha en toupie.

Les fauteuils semblent toujours nous prévenir de quelque chose.

Madame Victoire, une des filles de Louis XV, aussi aimable que sa sœur Madame Adélaïde était morgueuse, quand on lui demanda si comme leur autre sœur Louise elle entrerait dans les ordres, répondit gentiment, en montrant une bergère : « J'aime trop les commodités de la vie ; voici un fauteuil qui me perd. »

« Ce vase te va bien », dit le fauteuil à l'amaryllis.

« Pourquoi je conserve dans notre chambre un fauteuil défoncé des années 40 alors que je me suis débarrassé de mes autres meubles de famille ? Eh bien, chère Anne, dit Armand, ce fauteuil est le dernier survivant d'une personne de ma famille que j'ai infiniment aimée, ma grand-mère paternelle (celle de la chevelure mutilée). Elle les avait fait fabriquer dans sa jeunesse. C'est elle qui m'a dit, à treize ans : "Je comprends ce que tu aimes", et m'a bien aidé quand mes parents sont devenus encore plus glaçons. »

Dans les salons sombres de maisons de campagne, les vieux fauteuils nous tendent les bras comme la mort.

Anne regardait des photos de l'appartement de son père qu'elle avait prises après sa mort, en particulier la chaise où il se tenait toujours, parallèlement à la table, un coude posé sur elle, les yeux droit devant. Elle se rappelait ses dernières paroles :

Les nuages me poursuivent.

Elle avait l'impression que c'était la chaise qui parlait. « Il a disparu. Il est devenu cette chaise. »

Le prêtre qui avait prononcé l'homélie de Xu était un Greco à longues oreilles, comme pour être plus facilement hissé vers Dieu. Ces discours ont un seul objet, s'était dit Pierre en noir au premier rang, la propagande.

Elle se fait par la menace et l'intimidation, voire l'injure. « Ceux qui se sont fermés à la vérité... Les pharisiens... » Et on est bien mal assis dans leurs salles d'engueulade, on se croirait en classe éco. Penser à écrire l'ordonnancement de mes funérailles. Ce sera mon dernier écrit et, comme les testaments ne sont jamais respectés, ma meilleure fiction.

Aaron qui venait d'entrer au théâtre avec Anne envoya un message à Armand en déplacement : « Il y a un fauteuil sur la scène. Ça va être une pièce bourgeoise emmerdante ! »

Pierre rêvassa afin d'empêcher la haine de s'installer en lui au moyen du pied-de-biche qu'était l'infernal prêtre. La haine le faisait écrire. Il n'avait envie que de se consacrer à son deuil.

Une chaise est un idéogramme, se dit Anne en se tournant vers le client du café qui tirait la sienne par terre pour s'asseoir.

usage du téléphone

Pierre allait appareiller pour l'Ennui, quand Ginevra lui a téléphoné. Elle a eu un joli mot. Comme il lui demandait :

— Vous me donnez une seconde ?

Elle a répondu :

— Je vous donne l'éternité.

Ça a embêté Pierre.

Aaron raccrocha pensif de sa conversation avec Armand. Les mots, misérables supplétifs. On se parle, et même s'il n'y a eu que des gentillesses, c'est de la dureté. Ce n'est pas serrer la personne dans ses bras. Contrairement à ce que laissent croire depuis la naissance de l'humanité certains gigolos de poèmes, un mot n'est pas une main.

Le messager est plus important que le message. Imaginez que, un matin de grand soleil, on annonce au jeune roi la naissance d'un héritier et la plus grande des victoires contre l'ennemi : si le messager est chafouin, sale, ricaneur, son plaisir en sera gâté. Quoi que me téléphone ou écrive quelqu'un que j'aime, même : « Le temps est couvert ce matin », je suis heureux.

Les réseaux sociaux ont décuplé une chose qui existait avec les messageries de téléphone, lesquelles avaient décuplé ce qui existait avec les téléphones, lesquels, etc., jusqu'au début de toute communication médiatisée sans doute, l'attente non récompensée. Et on se connecte pour voir si l'autre est connecté, et on va sur sa page pour voir s'il y a du nouveau, et cela crée une démangeaison qui confine à la manie. Ferdinand surveillait Jules sur l'instrument d'espionnage nommé facebook. Il téléchargea une photo de lui en Inde avec sa fiancée puis effaça la fiancée. On est toujours un peu stalinien de purge, quand on aime sans espoir.

Un mastard ; la seule chose délicate en lui, les gestes du bout des doigts sur son téléphone portable. Tout objet appelle certains gestes, et celui-ci, ces tapotements de chat à la surface d'un aquarium.

Dans le 96, vers Saint-Paul, une jeune mère de famille éclata de rire en regardant son téléphone. Son petit garçon lui demanda pourquoi. « C'est Lionel. Tu sais Lionel, il est très... Il suit la mode. Il est très mode, Lionel. » Et elle eut un sourire qui venait du plus grand plaisir intérieur. Aaron assis en face d'elle raconta la scène à Armand par SMS avec ce commentaire : « Je l'embrasserais volontiers sur les deux joues. »

Dans les dîners, les gens de télévision se lèvent toujours plusieurs fois pour répondre au téléphone. Sans s'excuser, ils s'écartent dans une pièce voisine, repassent à table sans s'excuser davantage, se relèvent, etc. Ce sont des gens très importants.

Le téléphone d'Aaron bugge, rompant le rythme ping-pong de ses messages avec Armand. Varier le rythme, c'était bien son téléphone. Au bout d'un certain temps, tout ce qui est autour de nous, objets comme êtres humains, serait-il une émanation de nous-même ? Ou plutôt, nous agglomérons-nous à des systèmes matériels qui sont l'écho de nos sentiments, de nos peurs, de nos élans ?

Un décorateur vénitien est engagé par la femme suisse d'un Russe d'ancienne famille qui a récupéré son palais à Venise après la chute du communisme. Pendant que le mari et le décorateur couchent ensemble, le téléphone portable du mari enclenché par un orteil nu enregistre la séance. La femme entend, elle a l'esprit de ne rien dire. « Il est vrai qu'elle était née avec une jambe en moins », dit l'importateur de mobilier norvégien qui le raconte à Anne.

Au téléphone, Pierre qui ne faisait à peu près plus que lire avait toujours l'air de remonter des profondeurs. Il passait du lire au parler, sans paliers de décompression. On l'aurait pris, là, venu de son Shakespeare, il aurait eu la voix de Nosferatu.

usage des lits

Ferdinand avait conservé son lit d'enfant à une place. Derrière les livres qui le protégeaient, il s'y hérissonnait, avec ses oreillers en môle, sous le blindage des draps, de la couverture, de la couette. La confiance du sommeil le faisait s'épanouir comme une fleur. Tout en dormant, il écartait oreillers, couette, couverture et draps. Par l'entrebâillement de son pantalon de pyjama écossais, on aperçoit une ombre. Mon imagination s'y irrite. Retournons à lui. Il est pelotonné dans son rêve. Quel âge aura Ferdinand dans sa vie ? Les hommes se fixent souvent à un âge sensible dont ils ne sortent pas. Son père a éternellement vingt-trois ans, l'âge où, étudiant nul, il était entré dans un syndicat universitaire et avait commencé une carrière, carrière, c'était le mot, laborieusement exploitée, pierre par pierre, échec après échec, humiliation après humiliation, service après service, n'exprimant jamais une opinion sur les gens, un cabinet d'avocat de peu de clients, la députation l'avait sauvé de la faillite. Le mur contre lequel est plaqué le lit de Ferdinand est couvert d'images. Plus ou moins grandes, certaines sont des cartes postales, d'autres, des photographies découpées dans des magazines, d'autres, des impressions d'ordinateur, l'ensemble en forme de bouclier. Alexander Skarsgard, de la série *True Blood*, en chemise noire ouverte sur un torse glabre, un filet de sang y coulant de ses canines pointues. Orlando Bloom dans *Le Seigneur des anneaux*. Le *Cuirassier blessé quittant le feu* de Géricault, cuirasse, pantalon blanc, pied freinant dans la pente et retenant son cheval qui se cabre. Barack Obama saluant d'une main caressante. En grand, Scarlett Johansson. Le joueur de football Yoann Gourcuff. Daniel Craig en smoking dans *Casino Royale*. Le sportif anglais Tom Daley sur un plongeoir, bras comme attachés au-dessus de la tête par une corde invisible. Juste à côté, un *Saint Sébastien* de Pierre et Gilles. En grand, Marilyn Monroe nue et cambrée sur un drap rouge. James Franco en blouson de cuir donnant un baiser sur les lèvres à son reflet dans un miroir. Justin Timberlake dansant en costume. Harvey Milk assis sur le dossier du siège d'une voiture découverte que suivent des manifestants, collier de fleurs autour du cou, poing en l'air et riant. Murat, roi de Naples, en habit bleu et culotte blanche brodée, par Jean-Baptiste Wicar. Le *Jeune homme nu assis au bord de la mer*, tête sur les genoux, d'Hippolyte Flandrin. Le présentateur de télévision américain Anderson Cooper. Jude Law en jean, l'air mauvais, dans *Minuit dans le jardin du bien et du mal*. Paul Newman en peignoir éponge bleu, Elizabeth Taylor accrochée à son épaule, dans

La Chatte sur un toit brûlant. Pete Doherty dénudant son bras tatoué, Carl Barât accroché à son épaule, sur la pochette de *The Libertines*. Tony Leung fumant tête baissée dans *In the Mood for Love*. Terence Stamp, blond, blafard, mince, tête penchée, portant une chemise blanche avec un large foulard noir et des pantalons de satin parme dans le *Toby Dammit* de Fellini. En noir et blanc, Joe Dallesandro nu et endormi sur le ventre dans un film de Warhol. Tout en haut, comme regardant le tout d'un air bienveillant, Virginia Woolf. À un rayonnage, Ferdinand avait scotché en bannière une citation de Voltaire :

> ENFIN JE NE CROIS PAS QU'IL Y AIT JAMAIS EU AUCUNE NATION POLICÉE QUI AIT FAIT DES LOIS CONTRE LES MŒURS.

La chambre était la dernière pièce de cet appartement prestigieux et lugubre. Ces qualificatifs ne venaient qu'à ceux qui y entraient pour la première fois ; Ferdinand qui y vivait depuis sa naissance ne voyait que le lugubre. Dans son lit, son père fumant un cigare donne des instructions à une strip-teaseuse sur un site Internet russe.

Le lit est un aimant. Dans *Le Fronton* (le chapitre sur la chambre du maréchal), Pierre avait écrit : « L'Église qui est opposée à tout bonheur s'est évidemment emportée contre cet objet, et le vocabulaire du plaisir et du confort étant toujours détourné dans un sens injurieux par les moralistes, “se coucher” veut dire : obéir. Écartant les draps sur ses cuisses aux poils blancs, musclées, grandes ouvertes en triangle, le maréchal dit : “Viens ici, toi !” »

Dans le navire de son lit, Ferdinand une pile d'oreillers sur la tête essayait d'appareiller loin des bruits d'une nouvelle manifestation. La marée de hurlements montait, s'apaisait, puis, alors qu'on pouvait les croire éteints, ils recommençaient, très fort, percés de rugissements. Ferdinand croyait comprendre ce qu'est une vague dans l'océan déchaîné : ce dos qui se bombe, portant sur lui des tigres baveux. Chaque hurlement venait frapper sur sa poitrine. La houle, avec ses creux, ses sursauts, ses menaces, allait-elle faire chavirer son lit ? La meute y planterait-elle ses crocs enragés, pour attirer l'innocent qu'il était dans son abîme de haine ?

Préparant la décoration d'un appartement, Anne feuilletait un livre d'art sur les lits anciens. Ils avaient des lits comme leurs perruques, se dit-elle.

Elle chantonna, tournant les pages : « Lit d'ange, je te range... Lit en tombeau, que tu es beau... Lit à la duchesse, touche-moi les fesses... Lit à la polonaise, tu me baises... Lit à l'impériale, tu m'y empales... »

Le frère de Birbillaz, le cinéaste d'*Un film d'amour*, plaqué dans son lit par un cancer, était comme une créature ne faisant qu'un avec lui, une sorte de centaure. La tombe est l'ombre du lit.

Quel étrange lieu qu'un appartement, se dit Pierre dans le sien. On devrait le constituer en fonction d'un bouquet de fleurs, comme on devrait acheter un costume en fonction d'une cravate, engendrer un enfant pour qu'il soit assorti avec une bague bleue et écrire un livre pour y placer une certaine phrase. Les rapports esthétiques exacts sont à l'inverse de ce que pensent les esprits pratiques. Se faufilant à l'intérieur de ses draps alors qu'on était en plein jour, il pensa : « Un lit, c'est la mer. »

héros

illustration de l'héroïsme modeste

Pierre s'en serait voulu de ressembler à Daniel d'Arthez, le romancier inventé par Balzac dans *La Comédie humaine*. D'Arthez est ce que Balzac aurait souhaité qu'on croie qu'il était, et sa vertu perpétuelle semble une grande naïveté de la part d'un auteur qui ne décrit d'habitude que des personnages avec deux ou trois fleuves psychologiques souterrains. Selon Pierre, d'Arthez était « un grand écrivain pour cinéastes » (*La Grande Fenêtre du premier* ; c'est à cet étage que se trouve la bibliothèque du fondateur de la famille, changeant selon ses humeurs. On comprend qu'elle est la bibliothèque universelle, sous les auspices de cette géniale définition peinte au plafond : « Une bibliothèque est un poumon »). Pierre comparait d'Arthez à l'écrivain de *La dolce vita* de Fellini, homme grave qui se suicide par écœurement de la futilité environnante. « Un type qui n'a jamais mangé du saucisson », disait Pierre. Il expliquait ce personnage factice de

Fellini par un complexe de cinéaste croyant les écrivains moralement supérieurs à lui. Pierre ne parlait jamais de ses livres, lui qui en avait écrit de si beaux.

On oublie les opposants de l'intérieur, ceux qui se sont opposés en étant dans le parti au pouvoir ; ce sont pourtant eux qui ont pris le plus de risques, on peut les assassiner discrètement. Ayant agi, ils se taisent. Voici, selon *The Dark Side*, de Jane Mayer (2008), les noms d'employés du gouvernement de George W. Bush qui ont tenté de s'opposer à la légalisation de la torture par ce même gouvernement : Alberto Mora, conseiller juridique du chef d'état-major de la Marine, Jack Goldsmith, chef du Bureau du conseil juridique ; Matthew Waxman, juriste du Département de la Défense. Trois.

Dans une tranchée anglaise, en 1915, un colonel est mort en guidant ses hommes avec un bâton qui leur indiquait « plus à droite, plus à gauche ». Il ne portait pas d'arme. « Les pistolets sont trop bruyants », disait-il. Les Anglais sont le seul peuple du monde à ne pas favoriser l'héroïsme qui fait du bruit. Dans la tranchée, il tricotait. Des écharpes, pour lui, pour les autres officiers. Ça rassurait les hommes. « Oh, le colonel tricote ! » Ils riaient au lieu d'avoir peur. C'était le père du romancier Christopher Isherwood. Ce héros de l'élégance n'a pas de statue.

Un professeur de médecine à Toulouse pendant la Deuxième Guerre mondiale a caché des Juifs en transit pour l'Espagne dans des lits de son service à l'hôpital. Il n'en a jamais parlé. « On fait ce qu'on a à faire et on n'embête pas l'humanité avec ça. » Les héros s'oublient eux-mêmes.

Dans *Les Sept contre Thèbes*, les Argiens assiégeant Thèbes ont tous sur leur bouclier des blasons plus insolents les uns que les autres, sauf le devin Amphiaraos : « Il ne veut pas paraître un héros, il veut l'être », dit le messager. Tu es le dieu de mon orgueil, Amphiaraos, se dit Armand qui entendait cela à la radio.

Pierre rangea *Illusions perdues* dans sa bibliothèque. Le mouvement le fit passer devant une fenêtre où, si son regard avait pu transpercer les immeubles dans la direction nord-nord-est, il aurait vu, pas si loin, dans le Haut Marais, rue Debelleyme, un immeuble haut et étroit surplombant la rue comme un donjon, dans cet immeuble un appartement qui semblait flotter dans le vide, dans cet appartement une table rectangulaire autour de laquelle douze personnes dînaient gaiement, et parmi ces douze personnes, Aaron, brun aux yeux gris cernés, qui disait : « La reine d'Angleterre, c'est quelque chose sous un chapeau. » Et il y eut grande dispute. Armand chercha sur youtube la cérémonie du Trooping the Colour du 13 juin 1981 où un homme tire six balles (qu'elle ne savait pas à blanc) sur elle, son cheval s'emballe et elle le maîtrise sans un tremblement. « Admirable ! Admirable ! » Un invité : « Cette vieille salope a accordé son pardon à Alan Turing, le savant grâce à qui le code secret des nazis a été déchiffré, en remerciement de quoi il a été condamné pour homosexualité en 1952 ; après une bonne petite castration chimique, il s'est suicidé. Accorder son pardon est la manière royale de faire des excuses, je présume. » La drag queen assise à son côté abaissa les paupières en pinçant la bouche, geste dont on se demanda s'il était approbation de l'admiration de cette reine ou désapprobation du jugement d'un monarque. Aaron cita une phrase de Marie de Gournay, l'amie de Montaigne : « À Dieu ne plaise que je condamne ce que Socrate a pratiqué. »

Je n'entends pas héroïsme comme on l'entend habituellement, un cirque vaniteux d'assassins, se disait Ferdinand allongé en regardant son mur d'images ; mes héros sont des anges, faisant pour moi sans avoir conscience d'avoir fait, m'aidant de leur simple existence. Des ouvertures dans le ciel.

illustration des chevaleresques

Sujet de dissertation à l'université de Paris-Censier, L1, cette année-là : « Commenter la phrase de Pierre Hesse dans *Le Fronton* : "Le chevaleresque est une preuve tendre de bêtise." » Meilleure note : Ferdinand Furnesse. Il avait cité :

L'Envie soupire.
Le Désir louche.
Le Talent tricote.
Le Génie danse.
La Bêtise écrase.
La Méchanceté lime.
Le Plaisir suce.
Le Mensonge raccourcit.
L'Impuissance mord. L'Enthousiasme bondit.[1]

---

1. Dans *Tout en haut du toit*, bien sûr.

En 1844, expliqua Jules, un juriste avait publié un traité *Du droit du chasseur sur le gibier*. Son professeur avait présenté comme une ignominie le fait de céder légalement à l'iniquité. « Car enfin le chasseur a un fusil, il est plus fort, il est même le plus fort, et il n'est pas attaqué, c'est lui qui provoque l'attaque, commenta Jules répétant à peu près textuellement le cours. Le chasseur, c'est Bismarck, garçon ! » Ferdinand trouvait touchant ce défaut éternel de son ami, présenter ce qu'il venait d'apprendre comme une évidence sue par lui depuis toujours. Tout de Jules était touchant pour Ferdinand, et d'abord ses défauts, sans doute parce que Ferdinand est timide, se disait Ferdinand. « La force, qui a l'air franche et naïve, est en réalité une ruse qui met en place des systèmes de provocation pour persuader l'humanité qu'elle a été attaquée et doit répondre, poursuivit Jules. C'est la seule limite au mal, c'est la seule limite du mal, cette méfiance de la conscience. Même les nazis, dit-il en posant précautionneusement son verre de bière sur la table, comme pour ménager un effet, une des plus grandes barbaries organisées de l'univers, n'ont pas osé aller jusqu'au cynisme pur, ont menti, tenté de faire croire qu'ils voulaient la justice. En cela ils avaient perdu d'avance. Le mal perd toujours. Hélas, c'est au prix de tueries. » Ferdinand le regardait avec amour. « C'est peut-être toute l'histoire du droit, continuait Jules avec ses phrases parfaitement formées et sans une hésitation, cette légalisation de la suprématie en feignant de la tempérer. En droit constitutionnel, la seule constitution qui n'ait pas cédé à la force mais ait créé du droit comme si la force n'existait pas est celle de 1793, la plus libérale que la France ait jamais eue. C'est celle qui commence par la Déclaration des droits de l'homme et du citoyen, qui exaspérera toujours les cyniques, les malins et les réalistes. Un bon droit est un droit irritant. Et, non, conclut-il, ce prof n'est pas végétarien. La conscience n'a pas besoin d'un intérêt pratique pour apparaître. » Ferdinand se retint d'applaudir.

Crillon, un Gascon de Henri IV, « priant Dieu devant un crucifix, tout d'un coup se mit à crier : “Ah ! Seigneur, si j'y eusse été, on ne vous eût jamais crucifié !” » (Tallemant des Réaux, *Historiettes*). Certaines personnes sont comme ça avec moi. Ce chevaleresque rêveur est émouvant.

Mary McLeod Bethune, militante noire pour les droits civiques, parle en public. Elle perd la voix. Eleanor Roosevelt, assise à côté d'elle, ce qui était déjà beaucoup en des temps de ségrégation raciale, lui sert un verre d'eau. Geste inouï, qui a choqué, marqué, instruit. Le bien est lent à gagner, mais il gagne.

Je parle d'un monde idéal ; dans le monde pratique, où seule la violence est admirée, voici ce qu'une éditorialiste du *New York Times* écrivait sur un président des États-Unis : « Parce qu'il ne savoure pas la confrontation, il échoue souvent à clouer ses opposants au sol à la première occasion ; au lieu de cela, avec perversité, il recule et permet à ses ennemis de reprendre de l'oxygène. » On appelle donc perversité l'humanité. Dans le monde pratique, il y a des choses qui se font, comme d'attaquer le premier et d'abattre à la première occasion. Les enfants à qui on a inculqué le chevaleresque sont très mal éduqués.

À moi, chevaleresques, tendez-moi vos joues !

matériel, immatériel

preuves de la poésie du sperme

Le peintre en bâtiment avec qui Anne était sortie riait après avoir joui. À genoux et cambré sur le lit comme un triton, il regardait les lourdes gouttes ambrées s'enfoncer dans les draps et disait en riant : « Ce serait plus commode si c'était en poudre ! »

Selon un mythe, Aphrodite est fille d'Ouranos dont les organes sexuels tranchés par Cronos tombant dans la mer l'ont engendrée, Femme-née-des-vagues ou « du sperme de dieu ».

Bion de Smyrne, poète grec du IIIe s. avant notre ère, Dracontius, poète latin du Ve siècle de notre ère qui vivait à Carthage, ainsi que quelques autres écrivains antiques donnent pour origine à la rose le sperme de Dionysos tombé par terre comme il se masturbait. Une éjaculation est une fleur. Ce fluide épais, visqueux, gras et collant s'élève et se transforme en un déploiement lourd en haut d'une tige. Dans « La Reine des neiges » d'Andersen, Gerda pleure : ses larmes tombant sur le sol se transforment en roses. Andersen était malheureux et tendre. Bion et Dracontius devaient être des égoïstes gais.

Quand les Anciens disaient que les géants avaient empilé les montagnes pour aller à l'assaut des dieux, lesquels les ont abattues, c'était le souvenir transformé en mythologie de la séparation des continents. Ce n'est pas une invention, c'est une mémoire. La mythologie est la mémoire poétisée des temps géologiques violents. Les mythes sont de plus une projection idéalisée de la vie afin de la maintenir comme elle est. Les mythes sont membres des partis conservateurs.

Le député Furnesse, qui ne se masturbait pas moins que son fils, n'obtenait pas les mêmes exaltants résultats. Il était atteint d'aspermie. Avec ses amis, quand il ne parlait pas d'argent, c'était de viagra. (Ginevra : « Ils ne nous laisseront jamais en paix ? Naguère, passé un certain âge, ils enroulaient leur cordeau dans leur slip et allaient pêcher à la ligne. Dorénavant, jusque dans leur cercueil, on entendra le toc de la queue dressée. Érection, il se lève ; l'homme suit sa queue. Et voilà comment cet altruiste mène le monde. ») Dans une brasserie sombre de l'avenue du Maine où se retrouvaient beaucoup d'hommes aimant comploter (nappes à carreaux), le député Furnesse déjeunait avec quelques personnes peu visibles dans l'obscurité. On aurait dit des profils de cartes. Il y avait un homme à col levé et paupières suprêmes qui ressemblait à Charles X, un petit maigre aux lèvres fines, aux joues creuses et dont les cheveux extrêmement courts portaient une dépression circulaire à l'occiput (il avait un très gros crâne), un très jeune homme en soutane, deux maigres en costume qui semblaient faits en fumée. L'un dit messieurs, pour la première fois depuis 1830 peut-être nous pouvons dire qu'il y a impossibilité de former un parti armé en France sans le clergé. Le très jeune homme en soutane posa deux poings de joueur de sumo sur le bord de la table. Un autre dit messieurs calmons-nous et parla de retour au peuple. Un grand homme chauve et pâle, au front bosselé, aux yeux fortement pochés et qui regardait par-dessus la monture d'acier de ses lunettes, ce qui faisait voir de gros yeux globuleux et sans couleur, prit la parole. Il avait une voix étonnamment flûtée pour sa corpulence, flûtée et rapide, aiguë aussi : « Messieurs, la plupart des hommes s'arrêtent de penser après leurs études universitaires. S'enfermant dans un terrier de mariage puis dans l'élevage d'un bétail familial, ils cessent de voir des gens différents et de frotter leurs opinions (je ne dirais pas qu'ils avaient des idées) et se figent dans la pensée que le monde est resté le même que quand ils avaient vingt-trois ans. C'est ainsi que nous avons pu leur répéter “mai 68 ! mai 68 ! le confort intellectuel de mai 68 !" pendant des années et les en persuader aisément, puisqu'ils avaient subi dans leur jeunesse les ratiocinations des soixante-huitards d'autant plus bavards qu'ils avaient perdu. Comme vous savez, les hommes de pouvoir parlent peu. » La tête toujours baissée, il eut un regard circulaire sur les autres convives, qui ne dirent pas un mot. « Il ne faut évidemment pas qu'ils se rendent compte que tout ceci est devenu faux et que c'est nous qui sommes à présent le confort intellectuel. Notre système de terreur douce, laissant croire aux braves gens qu'ils sont les victimes d'un complot de snobs, est fortement aidé par ce projet de loi qui nous permet de dire qu'il est de plus un complot de dépravés. Que je sois moi-même homosexuel ne fait que prouver qu'on peut être homosexuel et ouvert d'esprit. » Son regard roula de nouveau lentement sur les convives, qui restèrent muets. « Nous serons bientôt les vainqueurs, nous devons avoir l'air de victimes, nous serons bientôt les persécuteurs, nous devons nous dire persécutés. Messieurs, vous savez que rien n'est plus stupide que la bourgeoisie française, toujours prête à se laisser voler si on lui dit que c'est pour la grandeur de la Nation, et à croire que nous sommes des gens d'ordre alors que nous sommes un désordre qui renversera cette classe molle et corrompue à la première occasion. Messieurs, le principe des manifestations ne doit pas varier. Notre poison est en train de s'insinuer dans la société de ce pays méprisable, il n'est pas temps de retirer l'aiguille. » Alors qu'il n'avait rien mangé, il essuya lentement ses lèvres fines en les tapotant de sa serviette restée pliée qu'il reposa lentement sur la table, enfila lentement le manteau qu'on lui tendait (il était bossu), prit le petit cartable en cuir qui n'avait pas quitté ses cuisses et s'en alla lentement sans avoir salué. « C'est un con, dit Furnesse, mais il a un service d'ordre et des provocateurs très efficaces. » Les deux maigres en fumée dirent qu'ils allaient voir ce qu'ils pouvaient « sur ce plan-là » avec « nos amis de l'autre côté, qui ont d'ailleurs de très bons rapports avec les institutions musulmanes conservatrices ». L'homme à paupières suprêmes envoya un texto. Réseaux sociaux, jeunesse, mobilisation, financements. L'homme à gros crâne et le très jeune homme en soutane partirent. (Rectangle de lumière à l'ouverture de la porte.) Le député Furnesse tendit la main, on passa la commande des desserts, les corps se détendirent, on put l'entendre dire, sur sa famille : « Mon fils ne fout rien à la fac, il passe son temps à baiser des filles. Ce petit con a raté le concours d'entrée à Sciences po, et il fait des lettres dans une fac de gauche. En revanche, j'ai un neveu qui me donne toute satisfaction. Il *pense bien*. Je viens de le prendre comme attaché parlementaire » ; sur la ministre de la Justice d'origine guyanaise qui présentait la loi sur le mariage gay : « Elle est nulle ! Retarder le vote de la loi pour nous accorder six mois de débats dont nous ne rêvions pas ! Et donner sa première interview sur la question à un journal catholique en croyant calmer les curés (maintenant nous pouvons parler, hun), alors que ces gens-là c'est comme les chiens, il ne faut pas leur donner à manger à table, ils vous mordent ! Hun. On n'a pas tort de la surnommer la guenon. Ouh là là, je vais me faire alpaguer par la police politique ! On ne peut plus rien dire, n'est-ce pas ! La moindre plaisanterie, et c'est la LICRA ! » ; sur le sujet qui le possédait : « Tous collabos, les pédés, c'est connu !... Excités par les beaux nazis blonds !... Rappelez-vous le ministre de Vichy qu'on surnommait Gestapette !... Ils veulent le pouvoir pour installer une société permissive !... Et quand les Arabes seront là, plus personne pour entrer en résistance !... De toute façon, les pédés !... Ils les attendront à quatre pattes, les Arabes, en tendant le trou du cul !... Hun ! Hun ! Vous connaissez l'histoire drôle ? C'est un pédé qui a été viré de son boulot à la banque du sperme... Il avait été pris en train de boire pendant le travail ! Hun ! Hun ! Hun ! » Rires. La serveuse qui apportait les desserts entendit de fortes allusions à propos de la chantilly dans le banana split.

Anne disait que le dieu des affaires insolentes et joyeuses était le *Lonesome Cowboy* de Murakami ; ce personnage de manga en résine peinte, jambes fièrement écartées, mince, musclé, nu, soutient son sexe bandé d'une main et, de l'autre, le ruban crème qui en jaillit vers le ciel. « Il... *[Elle balaie son front baissé d'une mèche.]* Il offre son sperme à l'humanité. »

preuves de la persistance perverse du passé

Anne revenue de Nice après l'enterrement de son père avait raconté son enfance à Armand et Aaron. Le portail de l'immeuble en haut duquel elle grimpait avec ses amies pour jouer à la balançoire, les escapades à Rauba-Capeù, puis, après un silence qui s'était étiré comme une traîne : « Les murs ont des souvenirs… Ces murs se souviennent de mon père… Bien sûr qu'ils se souviennent ! » Et elle eut les yeux pleins de larmes. Le « bien sûr » voulait dire qu'elle savait qu'ils ne se souviennent pas, mais elle voulait forcer la mort à reculer. Ayant ravalé un sanglot, elle dit : « Je hais les fantômes… Ils se croient sympathiques. »

« La décadence est une idée pour crétins », dit Pierre regardé par son chien le regardant regarder son café qui passait. L'invité à la radio ayant ajouté une remarque sur le « dangereux » projet de loi sur le mariage, il jeta le filtre à café à la poubelle en disant :

— Tout est décadence. La vie est décadence. L'Italie est décadente depuis deux mille ans, et elle reste un des modèles du monde. On a rarement vu idée erronée avoir autant de charme.

Le chien frétilla de la queue.

Il y a une décadence de la force. Franco, Tito, Brejnev, le djihad des musulmans. Et tous ces républicains américains de bombardement. Il se peut que ce qu'on appelle décadence ne soit qu'un emploi irraisonné des moyens par rapport à la fin espérée.

Comme c'est étrange, d'entrer dans le passé de quelqu'un, se disait Ginevra se promenant avec Pierre dans le quartier de Reuilly de son enfance. Le passé, c'est du dur. « Je suis allé dans cette école. Dans cette salle, on avait cours de physique avec Mme Legrand. » Et ça n'évoque rien. C'est caillou parce qu'il n'y a pas notre sentiment. Dieu de l'extériorité, sort-on jamais de soi ? « Le jour de sa mort », répondit le dieu, et le questionneur mourut, évasé, dilaté, heureux, rejoignant le grand Rien.

Le député Furnesse offrait à Ferdinand, une fois par an, la biographie d'un homme politique (« Les gens ont besoin de chefs ») ou un nouveau livre sur Napoléon (« Il faut être un meneur d'hommes »). Il méprisait la fiction, tout en étant, disait son fils, la preuve de son existence. « Lui et ses gorilles d'amis ont inventé une comédie de comportement. Ils croient sincèrement en la supériorité de leur mode de vie, qu'ils ne voient d'ailleurs pas comme un mode de vie mais comme un universel. » Ferdinand l'esquivait le plus possible. Son goût sexuel l'en éloignait sans doute, mais beaucoup moins que d'autres choses telles qu'aimer la justice et haïr le genre bonne franquette. Avec son père, il ne prenait plus la peine de mentir, ce qui reste un lien, il se taisait. L'air frais arrivait au café des Grands Hommes, et alors là, comme il parlait fort ! Le voici, doigt levé, déclarant à l'élève de l'École normale qu'il juge à la fois cynique et niais que Michel Foucault « n'était jamais qu'un philosophe ». Il ne sait pas que cet étudiant est également dissimulateur. À la réunion de son parti, il fait compléter la fiche de Ferdinand : « Bourgeois de droite à tendances sociales-démocrates ; fils du député réactionnaire Furnesse ; hétérosexuel composant avec le lobby gay. »

Le passé est bien commode pour être moral. Les événements ont eu lieu. Ils sont là, secs, immobiles, piqués dans une boîte. Ils n'ont pas d'autre conséquence que des commentaires. Tout le monde adore le passé : on peut lui imposer des démonstrations sans qu'il nous interrompe. Quant au présent, terrorisés par les moralistes, snobés par les petits écrivains amers, culpabilisés par nos erreurs, nous le rejetons, sans nous rendre compte que nous nous rejetons avec lui. Il y entre une part de sournoiserie, peut-être. Puisque le présent est par principe haïssable, il n'y a rien à faire et, en particulier, pour s'améliorer ; si le passé rend pédant, le présent rend fataliste.

Armand : — Je n'ai jamais pensé à mon avenir, de crainte qu'il ne soit comme le passé.

Et c'est tout ce que l'on saurait de son enfance, de ses parents de peu de cœur, de son éducation sans pitié, des quolibets de cour d'école et de la méprisante remarque à la cantonade du président de la banque le premier jour de son embauche, de la dureté que ça avait développé en lui et qu'il n'aimait pas. « Que le passé meure !, disait-il à Aaron. Nous ne lui devons que des tristesses. »

rêver

concernant les rêves

Dans ce moment de l'endormissement où notre esprit relâche ses défenses tombant comme des planches, Ferdinand se croyait libéré des orages ; il se couchait de plus en plus souvent dans la journée. « Les animaux féroces se détournent du dormeur qu'ils reniflent. » Il avait essayé de coucher avec la fille du Wanderlust, et n'étant arrivé à rien, s'était tourné sur le ventre et faisait semblant de dormir. Elle lui caressait le dos en disant doucement : « Ça n'est pas grave. » Il espérait qu'elle partirait. Croyant ou ne croyant pas à son rythme de respiration profond, elle partit. Il s'endormit.

Dormeur, on est une maison fermée. On se croit protégé, mais les assassins cachés dans les greniers et les traîtres dissimulés dans les caves descendent et montent, aiguisant leurs couteaux, puis nous crèvent un œil pendant que Jude Law que l'on avait pris dans ses bras se cambre, sa bouche s'étire en un sourire méchant, et il nous dit une atrocité que l'on croit exacte avec une voix d'Ennemi. Ce corps immobile et respirant régulièrement, allongé sur le côté, un bras enserrant son épaule, jambes repliées, un pied posé sur l'autre dans une posture de cygne, il faudrait approcher de très près de ses paupières sous lesquelles les yeux roulent à toute vitesse pour se rendre compte que son sommeil n'est pas paisible.

— Que portez-vous la nuit ?

L'homme raffiné, nasillard, hautain et comique : — Chanel n° 5.

— Que portez-vous la nuit ?

Le macho rougissant : — Chanel n° 5.

— Que portez-vous la nuit ?

Ferdinand : — Le fardeau de mes rêves.

Le français est peut-être la seule langue qui dispose de deux mots pour désigner l'action incontrôlée du cerveau pendant le sommeil et à certains moments de la vie éveillée, « rêve » et « songe ». Nous appliquons « rêve » à ce que les autres langues appellent « dream », « Traum », « sueño », « sogno ». Il y a dans « songe » une teinte de réflexion que n'a pas « rêve », plus passif. Un cadre commercial français peut dire : « J'ai songé à ceci » en proposant une idée dans une réunion, un cadre britannique ne pourrait pas dire : « I dreamt of this scheme. »

Cela signifierait presque le contraire, qu'il a réfléchi à quelque chose d'irréalisable. Un des principaux traducteurs français de *A Midsummer Night's Dream* (*Le Rêve d'une nuit du milieu de l'été*) l'a rendu par : *Le Songe d'une nuit d'été*. Il n'est pas indifférent que ce François-Victor Hugo ait été le fils de Victor Hugo. Hugo était un homme qui croyait fortement au songe et à sa puissance (il était très pour la puissance). Le songe était pour lui la pensée des hommes se rapprochant des dieux.

Ferdinand eut tellement de cauchemars qu'il eut peur de se coucher. Ces obèses s'installaient sur lui pendant son sommeil. Ugolins, cyclopes, trolls, ils jouaient avec lui, le surprenant, le malaxant, le boxant, le broyant. Le résultat était un épuisement corporel *aussi*. Ferdinand endormi avait mené un combat et il avait perdu. Les symboles et leur épaisseur s'étaient posés sur lui. Or symboles ils n'étaient pas, et les heures du réveil se passaient à s'ébrouer de cette croyance créée par lui-même en dormant ; assis dans son lit, l'œil collé, les cheveux fripés, il grattait la bataille de poils blonds de sa poitrine sans voir le dôme des Invalides qu'il semblait fixer du regard par la fenêtre. Une armée en se retirant reste longtemps. Il fallait des heures à Ferdinand remonté du précipice pour sentir les restes de ses cauchemars s'écouler de lui, pareils à du ciment mou. Après une matinée d'efforts, il se rendait compte tout d'un coup que ça avait passé. Ce corps souple, ce cerveau frais, cette poitrine légère, avaient émergé de l'hébétude. Il ne croyait plus ce que les monstres lui avaient crié avec leurs images violentes, ni que dissimuler était une lâcheté ni que laisser son père déblatérer constituait un échec.

Edgar Poe et Füssli (le peintre anglais d'origine suisse dont le premier a quelquefois le mauvais goût) ont eu des cauchemars, l'image que l'un et l'autre emploient pour le symboliser l'atteste. Dans *Le Cauchemar* (1781, Detroit Institute of Arts), Füssli montre un singe assis sur le torse d'une femme endormie, tandis que dans « La Chute de la maison Usher », Poe écrit : « Une angoisse sans motif, un vrai cauchemar, vint s'asseoir sur mon cœur. » Seul quelqu'un qui l'a vécu peut savoir qu'un cauchemar est un corps pesant qui s'assied sur vous.

Aaron décrocha son téléphone à dix heures. Il avait la voix du sommeil, une voix chaude, enrouée, pelucheuse, de jeune animal de la jungle. Peut-être est-on un animal quand on dort, un animal mû par des songes, ces images non maîtrisées ; et la lionne va à la chasse quand notre estomac vide nous envoie l'image d'une gazelle sanglante. D'une voix sévère, son amie vendeuse au rayon Électricité lui dit : « On aurait fait la fête au CUD cette nuit ? On n'aurait pas oublié de se réveiller, par hasard ? » Aaron dit oh merde, raccrocha, sauta dans un pantalon et l'escalier, la responsable du rayon voulut bien se laisser charmer.

concernant la pornographie

La pornographie était un élément de la vie du député Furnesse, d'Aaron, de Jules, important pour Aaron, plus envahissant pour Jules, captivant pour le député. Armand n'aimait pas ça, Ferdinand l'utilisait en l'effaçant de son souvenir, elle était aussi étrangère à Anne, Ginevra et Pierre qu'une planète à numéro du système solaire. Ceux qui en faisaient usage, puisque cet art a une fonction utilitaire comme chacun, le roman par exemple, dont la fonction est de tenter de révéler ce que la vie se cache, ceux qui en faisaient usage le dissimulaient et voilà pourquoi ce roman le révèle. Aaron avait beau dire qu'il trouvait ça moins dégoûtant que la complaisance qu'ont les Français à parler de nourriture à table, ceci lui paraissant à son tour moins dégoûtant que les natures mortes hollandaises (« Ces tas d'anguilles, de lapins morts ! »), il n'évoquait la pornographie qu'avec les gens dont l'indifférence lui était certaine, c'est-à-dire, en gros, sa copine du BHV. « On ne va pas en faire de la psychosociologie, disait-elle. La pornographie n'a pas d'autre intention que le lucre au moyen de satisfaction sexuelle, et je ne trouve pas bien intelligent de faire l'intelligent à partir de choses non intelligentes. »

La pornographie est dans la situation d'Oscar Wilde au moment de sa chute, résumée par l'historien d'art Gleeson White : « Wilde ne relèvera jamais la tête, car il a contre lui tous les hommes qui mènent une vie infâme. » Aaron qui n'avait aucune croyance religieuse assurait que c'était une conséquence de la politique de la honte menée par les institutions. « On en fait des drames, et les drames sont souvent le fait d'ignorants. Que ceux qui ne s'y intéressent pas fassent comme pour le reste, qu'ils regardent ailleurs au lieu de s'y cramponner en haletant à la façon de roquets au pied d'une chaise. L'absence de gravité de la pornographie est marquée par les noms qu'elle donne aux acteurs. Écoute, appeler un acteur porno Jamie Swallow, Jamie Avale ! »

Dans *Tout en haut du toit*, Pierre évoque « Georges Bataille et sa littérature de puceau ». Plus loin : « Je trouve plus aimable la franche pornographie. Elle rappelle quand, adolescent, avant d'avoir jamais fait l'amour, on dessine de gigantesques seins à des femmes normales. On dessine en géant ce qu'on désire en réel. »

Aaron s'exclama à la terrasse du café de Bretagne, où Armand et lui parlaient de tout autre chose : « Ah oui ! Et cette forme pornographico-comique de la célébrité qui consiste à découvrir un acteur porno qui ressemble à une star et à lui donner un nom de scène assorti ! Il y a un Ricky Martinez, sosie de Ricky Martin. Sosie en tout, je l'espère pour le chanteur. — Tu es ennuyeux avec ça, dit Armand. Je te laisse, c'est l'heure de ma gym. » Rejoint par quelques amis, Aaron rit de la déclaration homophobe d'un député sexy qu'ils soupçonnaient d'être gay. Ils jouèrent à établir leur liste des hommes sexy du moment. Liste d'Aaron :

sportifs
David Beckham
Matthew Mitcham

mannequins
Piotr Kopertowski
Sylvain Guillemaud

acteurs
Daniel Craig
(dans *James Bond*)
Luke Halpin
(dans *Flipper le dauphin*)
Jude Law

pornstars
Kevin Williams
(vintage, studios Falcon)
Thom Barron
(vintage, studios Cazzo)
Jack Harrer (studios Belami)

Discussion d'une heure vingt. « Brent Everett, crevette. Plus joli : Giacomo Ferreri. — Jack Harrer et moi entretenons une grande affaire. Ça durera six mois, suivant la fugacité des amours pornographiques. Depuis Johan Paulik, je pourrais en mentionner trente. — Pour les mannequins de mode c'est encore plus rapide. Quelle injustice envers les hommes ! Les femmes mannequins peuvent durer quinze ans. — Pour moi : le fils de John Kennedy, le poète américain Frank O'Hara, le garde du corps dans *House of Cards* et Phillips Holmes, le plus bel acteur de tous les temps, on le voit dans *Broken Lullaby* de Lubitsch. » Armand revenu de sa gym dit, debout, s'appuyant à un dossier (la tête se retourne, sourire), d'une voix lugubre : « Ô litres de foutre, nuages dans les cieux, résidus d'amours abstraites ! » Passé le moment d'étonnement, ils rirent. L'un des garçons ajouta le député homophobe dans sa liste. Il était un peu dominant.

Lorsque Hachemi Rafsandjani a été élu président de la République iranienne à la fin du XXe siècle et qu'un léger assouplissement s'est ensuivi, il a paru des films porno mettant en scène l'ayatollah Khomeiny. Forme d'humour. De vengeance, aussi, qui montre le peu d'estime que l'on peut avoir pour le sexe.

À onze ans, Ferdinand avait découvert des DVD porno dans le bureau de son père où il fouillait. Il les avait regardés et n'avait rien dit à sa mère chez qui il avait passé le week-end suivant. Son regard avait, sans qu'il le lui eût ordonné, effacé les sexes féminins ; il était revenu vers ces films pendant des mois, se donnant la possibilité de se croire hétérosexuel. Et pourtant le choc avait été cela. Ainsi donc c'est ça, mon Beau, des corps d'hommes et leur sexe ? Celui qui provoque au plexus l'émotion enchanteresse, la promesse du jouir ? Il avait récemment rééprouvé cette émotion, quoique amoindrie, en revoyant l'extrait d'un de ces films sur Internet. « La pornographie serait-elle une forme d'idéalisme ? », se demanda-t-il.

« Le mot "libertinage" est comique », dit Ginevra à Pierre à la terrasse du restaurant du square Trousseau. À quinze mètres, dans une pâtisserie très à la mode, Anne achetait des éclairs au chocolat pour le dimanche matin d'Armand et Aaron, elle ne serait pas là. « … Il veut dire "je partouze mais je suis poli". » Anne sortant de la pâtisserie songea au nouvel amoureux avec qui elle allait passer le week-end. Il l'avait embarrassée en lui proposant d'inviter son ancienne maîtresse ; et son dégoût quand elle lui avait appris qu'elle louait une partie de l'appartement de deux gays ! « Pourquoi est-ce que je m'entiche de ces libertins misogynes et homophobes ?… » Ginevra poursuivait : « Les "libertins" n'aiment pas l'égalité. Pour eux, la femme n'a d'autre choix que d'être soumise à leur immense séduction. » Pierre qui ne mangeait pas son plat approuva de la tête et commanda un autre verre de champagne. « Vais-je encore passer le week-end avec un… enfin, un connard ? », se demandait Anne. Attirée par leurs cris d'oiseaux, elle s'était approchée de la grille du square et, ses bras enserrant son buste (le sac en plastique pend à un index dans son dos), un pied enroulé autour de la cheville, elle regardait jouer des petites filles. Elle tournait le dos à Ginevra et Pierre, la largeur de l'étroite rue entre eux. Pierre disait : « La société est remplie de pornographie légale. Le ballet classique, cette pornographie pour moustachus gras en frac. Les *Souvenirs sexuels d'une sociologue*, achetés par deux cent mille branlotins couards qui rêvaient de plans à plusieurs. La France est le pays le plus hypocrite du monde, mais on ne le voit pas parce qu'elle sort avec un godemiché sous le bras qu'elle fait passer pour une baguette. »

Et pour finir (je ne suis pas comme Proust, qui quand il écrit « pour finir » commence), les GIF, ce format permettant de créer des animations d'images en boucle, et qui serait selon Xabi Puig une conséquence esthétique du 11 septembre où nous avons vu, de manière répétitive, les avions entrer dans les tours jumelles (*Dans un avion pour Caracas*), semblent introduire de l'atonie dans la pornographie par leur archaïsme d'images saccadées. On n'a jamais l'intégralité d'une scène de sexe, mais des éléments partiels. Et la fascination de la répétition, doublée de l'attente, devient comme une masturbation (dont ils ont le rythme) sans jouissance. Ils sont comme les notes en bas de page des films porno.

formes

principe des oignons

« Saleté d'oignon ! », s'écria Anne qui pleurait de tristesse. La cuisine se trouvait dans un passage entre deux corridors, « une cuisine pour gens qui ne font pas la cuisine », s'était-elle dit la première fois qu'elle avait vu ces meubles en métal gris, ces placards remplis de casseroles sans cabossages, de poêles sans éraflures. Armand la faisait souvent et très bien. (Aaron savait à peine écaler un œuf dur.) Elle avait sous-loué une chambre dans leur appartement, moins parce qu'elle ouvrait une entreprise de décoration ligotée d'emprunts que parce qu'elle ne pouvait plus supporter d'être seule. Elle ne l'avait jamais pu et l'avait souvent été. Je suis incapable en amour, se disait-elle en s'essuyant le coin de l'œil du dos de la main qui tenait le couteau. Je me suis toujours donnée à des hommes qui... J'ai refusé les hommes que... Mais comment savoir ?... Je ne comprends rien, moi, ni de moi ni des autres... Il paraît qu'il faut mettre les mains dans l'eau froide pour faire passer les larmes... Si c'est comme ça pour l'amour, je vais passer le reste ma vie dans une baignoire, peut-être ?... Elle renifla. Ce qui la rendait malheureuse ce soir, où elle préparait une pissaladière, Armand étant en déplacement, n'était pas l'absence d'amant, mais celle de son père.

Pierre qui n'aimait plus que les supplétifs de spectacle que sont les enterrements, amena pourtant Ginevra au Théâtre du Rond-Point, ce tourniquet à cigares au bord des Champs-Élysées. Dans une petite salle noire, le chorégraphe Pierre Rigal dansait sa pièce *Érection*. C'est l'histoire d'un homme qui tente de se mettre debout. Pendant quarante minutes, dans un carré délimité par des cordons de lumière, il bondit, s'efforce, ahane. « C'est l'histoire de l'humanité qu'on nous montre là », chuchota Pierre à l'oreille de Ginevra. (Elle sentait bon.) « Ce n'est pas rien, dit-il à la sortie. À la fin d'une vie, si on a aimé l'art, on a été un peu moins limace que les autres. » Ils attendaient pour saluer Rigal, l'un des plus beaux hommes de France au début du XXIe siècle, petit, le cheveu et la barbe noirs, le nez busqué, léger accent de Toulouse, il aurait fait merveille à cheval dans les collines du Gers en 1590. Pierre eut envie de partir. Ginevra lui suggéra plusieurs restaurants. Aucun ne lui convint. Sans voir l'admirateur qui le saluait timidement à la sortie du théâtre, il la raccompagna à la station de taxi et rentra chez lui en métro. À la sortie, il trouva un SMS : « Vous êtes près de loin et loin de près. Ginevra. »

Armand et Aaron dans l'appartement de la rue Debelleyme, le matin. Armand lit au lit, Aaron dans le canapé. Ils parlent fort pour s'entendre d'une pièce à l'autre. La fenêtre est ouverte, un voisin écoute. Un dealer monte dans l'escalier de pierre de l'autre bâtiment sur la cour. La femme de ménage de l'actrice célèbre, sur le palier, installe deux camélias en pot de part et d'autre de sa porte d'entrée. L'actrice vient voir, une tasse de thé rouge à la main. « Magnifique, Maria ! » Il fait beau.

AARON : — Elle est très méchante.
ARMAND : — Elle est malheureuse.
AARON : — Pas assez.
ARMAND : — Oh !
AARON : — Le malheur n'excuse pas la méchanceté.

ARMAND : — … la paix des ports de pêche.
AARON : — Et l'odeur.
ARMAND : — Beuh !

Le soir, ils se mirent à la fenêtre ouverte, observant le petit appartement au dernier étage de la petite maison biscornue d'en face. On n'apercevait jamais personne derrière la multitude de plantes vertes et d'arbustes farcissant ce toit-terrasse pas plus grand qu'un placard. Était-ce la maison d'un nain grimpé en haut du haricot magique, la palais de la Reine moirée des Scarabées ou un nain difforme y perpétrait-il des assassinats subtils ? Le soleil roulait derrière la terre, ou le contraire, je n'ai jamais bien su.

ARMAND, *rajustant le col de son T-shirt d'un index en crochet* : — À Paris, le soleil est poli. Il n'étale pas de ces couchers à la confiture de framboise qu'on voit trop souvent au bord des mers.

AARON : — Anne a acheté une cornette. C'est une salade longue, ressemblant assez à la romaine, blanche et dure, avec une très légère nuance d'amertume. Elle n'est pas sans rappeler le style de Chamfort.

ARMAND : — Tu crois qu'elle va s'extirper de son étang ?

AARON : — Parmi toutes les catégorisations que l'on peut faire des êtres, je crois qu'il y a celle-ci : les êtres qui guérissent vite et les êtres qui ne guérissent jamais. Les premiers ont des chagrins d'une heure, les autres, d'une vie.

Dans la rue, un pneu grinça comme un chien qui souffre.

principe des crises

Il y a vingt ans, se disait Pierre à la terrasse du café Ledru-Rollin, nous avons vu arriver les Russes à Paris. Le rideau de fer sitôt tombé, le grand huit des blondes à pommettes obliques et minijupes a déferlé ; on avait vu ça avec des Espagnoles en jean moulant à la mort de Franco. Toute dictature est puritaine, toute libération engendre un style pute. « Un pamplemousse pressé et un café noisette, s'il vous plaît. » Cette année ce sont les Chinoises. En minijupe aussi, teintes en roux, moins grasses et vulgaires que les hommes qui les accompagnent. Il est très difficile, quand on croise des touristes, de ne pas devenir raciste, même si on a eu une Chinoise pour femme et qu'on n'a aimé que des étrangères. Tout se passe comme si le touriste n'était pas un individu mais un concentré des caractéristiques les plus détestables de son ethnie ou de son pays ou du fantasme qu'on en a ; l'incarnation du désir d'être bruyamment commun. Tous les neuf ou dix ans, Pierre traversait une bourrasque. Cela le modifiait entièrement, au point que ceux qui ne le voyaient pas régulièrement ne le reconnaissaient pas. Il se sentait perdre tout ce qu'il savait et craignait ce qu'il allait acquérir. Ce risque de devenir quelqu'un de moins bien lui faisait mal. Il pouvait situer ça au cœur, à la poitrine, au ventre. Dans la jungle de lui-même, il ne savait pas s'il pourrait modeler cet inconnu pour le rendre acceptable. Il était sorti de chacun de ses livres avec la mine d'un train qui aurait traversé une montagne sans tunnel. La recomposition prenait des mois, alors même que, sur sa lancée, il continuait à écrire. Et il vivait selon le livre à peine achevé avant de vivre selon le rythme du suivant. Il était devenu Livre. Ce qu'il venait de publier s'imprimait si bien à sa vie que, des mois après avoir achevé sa tétralogie (il n'aimait pas ce mot), il avait continué à voir le monde en tant que lieu d'habitation dont il cherchait les significations d'après ses objets. Dans *Le Portail*, *Le Fronton*, *La Grande Fenêtre du premier* et *Tout en haut du toit*, il avait décrit l'intérieur d'une maison, ou plutôt il avait été cette maison, de la cave au toit, sols, papiers peints, corniches, volets, meubles, tableaux, on aurait dit du Proust sans les personnages. Et c'étaient les livres les plus humains du monde. Ah, les six pages sur le portrait de l'arrière-arrière-grand-père maréchal de France, dans *La Grande Fenêtre du premier*, où il semble devenu le tableau même ! Un des grands moments de la prose française du XXIe siècle. Le sabre dont il s'était servi pour ce chapitre (dans la vie, c'était celui de son grand-père, il avait modifié les générations et bien d'autres choses, lui qui avait deviné dans son premier livre que « la fiction s'écrit par éloignements successifs de la vie »), il l'avait perdu. Une fois que la chose était transformée en littérature, elle cessait de l'intéresser. Il avait créé ses livres qui l'avaient tué, tout en le faisant exister. C'est ce qu'il avait suggéré à l'avant-dernière phrase de son dernier livre, *Tout en haut du toit* : « Ma vie est ma mort est ma vie. » Il savait bien que c'était pour le si grand territoire qu'il avait attribué à ses livres que tant de femmes l'avaient abandonné. Je viens de vérifier, le passage sur le maréchal ne dure qu'une page et demie. Le génie donne une impression d'éternité.

La vie est bonds, sauts, cahots, à-coups, crises. On se donne l'impression du continuum pour se tranquilliser, mais c'est contre toute observation. Nous ne voulons pas observer, nous voulons des préjugés. Le préjugé est qu'il y a avancée logique et liée de la vie. On veut effacer les crises, pourtant si bénéfiques, au profit d'une conception qui nous donne l'idée flatteuse que les dieux nous créent une destinée.

Paul Valéry a exprimé cette observation qui aurait dû lui valoir le prix Nobel (de physique) : « On parle de la logique des Français. Et on veut dire symétrie » (*Cahiers 1894-1914*). Lorsque, enfant, Ferdinand se faisait mal au genou droit, il se donnait un coup au genou gauche. Actuellement, s'il se rongeait le coin gauche de la bouche un long moment, il rétablissait l'équilibre en se rongeant le coin droit. Le monde ne comprend pas que la plupart des actions de la France naissent d'une angoisse de la symétrie. Cela lui vient de Versailles et de l'étiquette, de la Révolution et du système métrique, de Napoléon et des préfectures, de la Troisième République et de la grammaire, de sa conformation physique peut-être, un carré, pliable en parties égales, deux, quatre, huit, s'il y a droite il y a gauche, s'il y a haut il y a bas. La symétrie terrorise la France. La France est une symétrie. Elle est folle de douleur et ne le sait pas.

Anne, Armand et Aaron regardaient le DVD d'*Un film d'amour*, le film de Birbillaz. Armand le jugeait shakespearien, Aaron en connaissait des scènes par cœur, Anne en raffolait grâce à eux. Il y avait des bonus dans cette version Redux, notamment un film d'une minute enregistré pendant la conférence de presse d'après la projection de Cannes où Birbillaz avait été si maladroit (il ne se trouve pas dans le verbatim publié par une revue spécialisée après sa mort). L'homme le plus intelligent et le plus tourmenté de son temps dit, les coudes posés sur la table et penché sur un micro qui courbe son bec comme un héron :

> Le procureur du tribunal qui jugeait Gramsci a dit : « Nous devons empêcher ce cerveau de fonctionner pendant vingt ans. » Et

le philosophe a été condamné à vingt ans, quatre mois et cinq jours de prison. Le faux légalisme se donne une apparence de logique. Et le cynisme, aussi. Un tribunal de pays démocratique condamne à vingt ans. La cruauté raffine toujours.

L'image chavire et le film s'arrête.

principe des taxis

Armand, sur un quai de la gare du Nord, tirant une valise à roulettes pareille à l'ennui de vivre, un téléphone entre l'épaule et la joue (il va bientôt tomber), voit le chauffeur de taxi qui l'attend avec une pancarte (« ANIER »), lui fait un signe de tête puis reprend sa conversation à voix basse :

— Je sors de l'Eurostar, je vais directement au bureau, je te rappelle plus tard. À tout à… merde !

(C'est là que le téléphone est tombé, Armand ayant été bousculé par une petite femme maigre en blouson de cuir noir qui lui a aussitôt crié sous le menton. Le chauffeur se penche, ramasse l'appareil et le lui tend. Merci, dit Armand qui lui confie sa valise et envoie un SMS tout en marchant. Dans la voiture :)

— Rue François Ier au coin de la rue Pierre Charron, s'il vous plaît.

— Ça vous dérange si je branche la radio ?

— Puisque vous êtes assez aimable pour le demander, je préfère sans.

— De toute façon je l'écoute depuis cinq heures du matin, c'est toujours la même chose.

Armand remarqua dans le rétroviseur intérieur, le regardant, de très beaux yeux noirs à bord de velours dans un visage d'une trentaine d'années. Il ne pensa à rien que : tiens, je n'avais pas remarqué qu'il avait d'aussi beaux yeux, et la conversation s'enclencha. Le chauffeur avait commencé à cinq heures du matin, vous devez être fatigué, ils parlaient de ça quand, à la hauteur du monument à l'amiral de Coligny derrière une grille entre les piliers de la rue de Rivoli, comme si les Parisiens n'avaient accepté qu'avec la dernière réticence l'érection de ce monument à la mémoire des protestants assassinés la nuit de la Saint-Barthélemy, pensa Armand, le chauffeur dit : « Ce que je me suis amusé, la nuit ! Avec hommes et femmes. » Armand : « Avec les hommes c'est mieux. — Vous aimez les hommes ? — Oui, et vous ? — Les deux. Quel est votre genre d'homme ? » Armand lui sourit, regardant ses yeux noirs qui le regardaient eux aussi en souriant : « Les petits bruns. *(Silence.)* » Armand apprit son prénom de Tarek, Tarek ne lui demandant le sien qu'en se garant dans le parking souterrain. Ils firent ce qu'ils avaient à faire sans complication et avec beaucoup de plaisir. C'est étonnant l'espace que peut contenir une voiture quand le désir se déploie. Le taxi jaillissant au soleil, Armand dit : « Je dois te payer ta course. » Le chauffeur ne dit pas non, ça l'amusa.

Paris est une ville où se trouve une tribu peu examinée des ethnologues, qui vont chercher loin des manières de vivre étranges. Celle-ci est composée principalement de mâles. Leur origine majoritaire varie selon les périodes. Beaucoup de Français, dans les années 1990 les Chinois sont arrivés ; une vague de Libanais que l'on reconnaissait à leur parler moelleux et au crucifix balançant au rétroviseur a fait son entrée après une avancée du Hezbollah vers Beyrouth dans les années 2000 ; dans les années 2010, Français musulmans (barbe morale). C'est plutôt parmi ceux-ci et les « bons Français » qu'on rencontrera la sous-espèce « mal embouchés ». Pestant, ronchons, de mauvaise grâce, et avec cette spécificité parisienne de vouloir toujours avoir raison et de ne jamais faire d'excuse. S'ils se trompent dans leur trajet et qu'on le leur fasse remarquer, ils disent d'un ton aigre : « Ça arrive. » Ce genre de comportement avait donné lieu au délicieux chapitre où Pierre Hesse imagine une Djamila employée de hotline qui traite le client désemparé avec insolence et lui, trouvant cette fierté « pas mal », fait la chose la plus folle du monde. « C'est la rage qui lui donnait l'esprit de suite. Il téléphona à la compagnie de téléphonie où il connaissait quelqu'un [...] Marrakech [...] Djamila brune et moqueuse [...] Il en devint amoureux. »

Anne, de temps à autre et sans en avoir conscience, devenait Greta Garbo. Grimacière supérieure, de très peu de grimaces, et lentes, comme étaient lents les mouvements de ses longs bras, on aurait dit une grande singesse déçue s'éloignant dans la jungle. Et c'est cet air suprêmement ennuyé qu'elle prit en plantant là le grincheux qui protestait contre tout depuis les hors-d'œuvre. Elle se leva sinueusement, eut un sourire rêveur, étira le cou vers le ciel, semblant s'envoler vers des airs moins puants et le laissa stupéfait, avec un motif supplémentaire de grincer à propos des femmes. Pour oublier ce gâte-tout dans le taxi qu'elle avait arrêté après une attente déprimante quoique habituelle, rue de Turenne les taxis sont encore plus rares que la joie de vivre chez les fonctionnaires des impôts, disait Armand, elle se força à se rappeler que sept ans auparavant elle avait été folle d'un petit acteur trépidant qui triomphait dans une série télévisée américaine. Cette dépensière du peu qu'elle possédait avait pris l'avion pour aller le voir jouer dans une pièce à New York, à seule fin de pouvoir dire, des années plus tard : « Je l'ai vu. » Telle est la part de cabotinage *du spectateur* qui fait la puissance du théâtre. Elle l'avait raconté en impressionnant très peu de monde ; la série n'était pas connue en France. Pour ce qui était d'avoir couché avec lui, elle n'allait pas le dire, je ne suis pas comme la plupart des hommes avec leurs nuits d'amour, à faire visiter la salle des trophées. Moi et les hommes, se dit-elle. J'aurais mieux fait de dépenser l'argent du voyage pour m'acheter un beau sac. Mais comment ?

Elle l'avait, ce sac. Il était à côté d'elle, bec de pélican ouvert sur des merveilles minimes. Souriant, elle se dit : « Mais que je suis conne !… »

Quand on commande un taxi à Paris, on vous l'annonce « dans sept minutes », jamais cinq. « C'est pour satisfaire un désir de romanesque, disait Ginevra. Cinq est une division pour ainsi dire comptable du temps, sept sous-entend : il y aura un feu rouge, un détour inattendu, une poussette traversant hors du passage piéton devant laquelle il faudra piler. Paris est une ville symétrique tempérée par un désir de stendhalisme. »

Assis dans son fauteuil, Pierre se disait sans adverbe : « Eh bien voilà. J'ai fait ce que je voulais faire dans la vie à part écrire des livres, passer ma vie dans des taxis. Ce sont des carrosses magiques qui nous protègent et où l'on peut organiser la vie comme s'il n'y avait pas d'obstacles. Et puis, on peut y prendre la main des passagères comme un trésor précieux. Laisserai-je Ginevra sur le siège où je l'ai laissée s'asseoir ? La vie. On croit qu'on a été passager, sans rien y pouvoir, et on a été le chauffeur. »

principe de la musique

Là ! Le son de la musique fut monté et résonna dans la cour de la rue Debelleyme. Pop, pop, boum, boum, sur des pavés XVIIe qui à leur naissance avaient entendu clac clac hiiii ! Anne aimait les chanteuses narquoises, CocoRosie, Laurie Anderson. Son père avait longtemps été étonné de ce que, dans le monde, personne de moins de cinquante ans ne semblait pouvoir vivre sans musique ; dans sa chambre d'hôpital il avait répondu à sa fille : « Mais non, ma chérie, je n'ai pas besoin de radio ! » Il était mort dans le silence. (Rrrah.)

Pierre aimait bien France Musique au réveil parce qu'elle donnait des illustrations raffinées à ses chagrins. Dans un salon du livre, il avait répondu à un lecteur très curieux de savoir comment il écrivait qu'il avait toujours de la musique chez lui, et que dès qu'il écrivait il cessait de l'entendre. « Même Wagner se tait devant moi ! »

Armand aimait le rock. « Le rock c'est plouc », lui disait Aaron qui raffolait d'opéra baroque et de ce qu'il appelait « la musique de pétasses ». Rihanna était une de ces glaces à la fraise, qu'il remplaçait au bout d'un an par une glace à la vanille (Lana Del Rey), etc. Les cerises confites d'un été, comme Carly Rae Jepsen (« Call Me Maybe », l'été précédent), venaient compléter ses lentes gorgées de Bach, Haendel et Caldara.

Ferdinand aimait les chansons sosottes 1960, comme « Coucouche panier » de Gillian Hills et « Laisse tomber les filles » de France Gall. Les filles en minijupe, jolies et gaies. L'insouciance hystérique. Plus les « musiques du monde ». Son père était horripilé d'entendre Amr Diab envahir en arabe, et allègrement, les couloirs d'un appartement regardant le dôme des Invalides, la France, wallah !

Anne, ne pouvant vivre sans musique, sitôt levée lançait une playlist dans sa grande chambre, assez éloignée de celle d'Armand et d'Aaron pour ne pas les déranger. Elle se rappelait le monde silencieux de ses parents, leur maison, silencieuse, silencieuse, avec ces deux vieilles personnes silencieuses, silencieuses, silencieuses, dans des fauteuils silencieux, silencieux, silencieux, silencieux. Ils semblaient les avoir absorbées. Vieillir, était-ce devenir un objet ?, se demanda-t-elle qui à force de réfléchir avait cessé d'entendre la chanson que pourtant elle aimait. « J'écoute les chansons avec une désinvolture que je n'ai pas envers les papiers peints… C'est comme ça que je les rate… Je leur demande du goût tout de suite, comme à une mousse au chocolat… Qu'elles sont le plus souvent, dit-elle en se penchant dans la cour de la rue Debelleyme où résonnait le son de la musique. Les papiers peints, est-ce de la musique silencieuse ?… »

Certains hommes s'imaginent que la musique qui leur plaît plaira à tous et à tout moment. Au feu de la place Saint-Michel, un chauffeur de taxi laissait hurler du RnB par la fenêtre ouverte de sa voiture (son client lisant un journal le pria de baisser le son, ce qu'il fit très peu et en bougonnant), un conducteur de vélo-taxi pédalant autour de la pyramide du Louvre cliquetait de zouk, un groupe à petit chapeau en arrière jouait de l'accordéon à la terrasse d'un café de la Butte aux Cailles, un musicien en costume noir luisant d'usure interprétait à la trompette des musiques de films à la station Opéra. Personne n'oserait lire à voix haute des poèmes, se dit un passager.

Pourquoi les chansons arabes du Proche-Orient sont-elles tout sucre et larmes ? Serait-ce en raison de la violence et de l'assassinat si fréquents dans ces pays ? Le sentimentalisme serait-il l'hypocrisie de la brutalité ?

Partie l'escort et continuée la bouteille, le député Furnesse pleurait sur lui-même. Comme il pleurait, il se croyait sensible. Cela se produisait souvent après qu'il avait maltraité son fils. « Mais pourquoi est-on méchant avec moi ? Je suis gentil, moi, j'aime les gens. Ferdinand n'est pas gentil avec moi. Avec tout ce que je fais pour lui. Et ces cons de militants du parti. Toujours à réclamer quelque chose, sans un mot de félicitation pour tout ce que je fais. Et le groupe parlementaire. Une vie de sacrifice, et toujours pas ministre. Là, je tiens un bon moyen d'y arriver. Personne ne m'aime, mais je les emmerde. » Il se resservit de whisky et lança un jeu vidéo sur le grand écran de sa télévision, s'endormant à moitié, lâchant des « Enculés ! » somnolents. Assis sur son lit, Ferdinand que ses sanglots avaient répugné tout en le faisant se sentir coupable serrait un oreiller contre son ventre. Comme il ne pleurait pas, il se croyait fort. Il chercha sur Internet Delphine Seyrig, qui commença à chanter tendrement, moqueusement. Cette actrice lui donnait l'impression d'avoir une sœur.

Depuis son enfance, le bal de la *Symphonie fantastique* transportait Pierre au royaume idéal où le grave est léger. La grâce, s'y sachant aimée, tourne sur elle-même comme une folle en se disant : « Demain les malheurs ! » Et *La Damnation de Faust*, et *Harold en Italie* ! « Gloire à Berlioz, tellement "la France", mes grands-parents enivrés de ça, la Troisième République, les marches militaires réorchestrées, comme Mozart aimait tant en écrire avec son esprit d'enfant, ce côté dzim boum boum un peu con que nous avions, allez hop, on part pour la guerre à toute vitesse en enfilant la manche de la vareuse et le pain au chocolat dans la bouche, je finirai en route, mon amour, je gagne Malplaquet et je reviens demain. Hélas, ce rêve Louis XIV appliqué à l'Empire et à la République n'a produit que des échecs ; comme si d'ailleurs la "guerre en dentelle" avait été autre chose que du sang, de la boue et de la merde ; mais voilà, la dentelle. Les Français sont un peuple qui va aux désastres en sifflotant. » Ginevra qui n'était pas une sentimentale le regardait en lui trouvant du génie. Elle n'aimait que la musique répétitive et chic des minimalistes américains.

Le disco coulait comme de la glace italienne d'une machine. C'était rose, c'était sucré, c'était interminable, c'était délicieux. Je comprenais qu'on puisse se suicider là-dessus. « He's the Greatest Dancer », de Chic & Sister Sledge. Je croyais que j'avais été heureux.

Le disco coulait comme de la glace italienne d'une machine. C'était rose, c'était sucré, c'était interminable, c'était délicieux. Je comprenais qu'on puisse se suicider là-dessus. « He's the Greatest Dancer », de Chic & Sister Sledge. Je croyais que j'avais été heureux.

> La musique de Bach est un feu de braises.
> La musique de Mozart est un feu de petit bois.
> La musique de Scarlatti est de la braise.
> La musique de Wagner est de l'eau.
>
> Pierre Hesse, *Le Portail*

Le disco coulait comme de la glace italienne d'une machine. C'était rose, c'était sucré, c'était interminable, c'était délicieux. Je comprenais qu'on puisse se suicider là-dessus. « He's the Greatest Dancer », de Chic & Sister Sledge. Je croyais que j'avais été heureux.

principe du sourire

À son père malade, Anne disait « Papounet » pour le faire sourire, ce qu'il faisait douloureusement, comme ça, ah elle est gentille, mais ça n'est pas ça qui me rendra ma vie qui fuit, et puis il pensait : « Tout de même, une chose qui nous tire un sourire n'est pas rien. N'est pas un enfantillage. D'ailleurs, ce mot. Je n'ai jamais pensé que ce que disent les enfants était niais. Et quand bien même "papounet" le serait… Notre vie est si dure que les motifs de consolation ne doivent pas être freinés par le snobisme. » Et il souriait, réconcilié avec le monde au moment même où il allait le quitter, cet homme dur qui n'avait jamais pris un instant de plaisir, à l'admiration de sa fille qui souriait en tamponnant son front transpirant d'un mouchoir de lin.

Un sourire est une possession. Comme, dans une émission de télévision où il avait été invité, on avait diffusé l'extrait d'un dessin animé cité par lui dans *Tout en haut du toit*, une sensation de bonheur avait empli Pierre et l'avait fait sourire. Il n'était plus lui, il était ce souvenir adorable, cette œuvre et lui enfant et le plaisir dont elle l'embaumait. On peut sourire aux éclats.

Un sourire est une indifférence. Quand il revenait fatigué d'un de ses voyages, Armand avait un sourire sincère et éteint. Il était loin, comme derrière une vitre embuée où il tentait de faire voir le soleil.

Un sourire est une supériorité. Un vendeur du BHV, épaules lourdes, nuque basse, regard pesant, raconta une histoire drôle qui finit : « Et il l'encule. » Les yeux d'Aaron croisèrent ceux de la petite vendeuse du rayon Électricité, elle était lesbienne, et ils eurent un sourire qui étira longtemps leurs lèvres. Et pas le sourire sournois de la honte, non, non.

Un sourire est une ouverture. Les joues s'écartent comme un rideau de théâtre et (sauf dans les sourires faux, c'est d'ailleurs à cela qu'on les reconnaît) le corps entier se détend, s'épanouit, est prêt à s'offrir. Il y a des sourires si aimants, si généreux, qu'on s'en souvient toujours. J'aurai toujours avec moi le sourire de… quand il me regarde avec tendresse, le sourire de… quand j'ai pris mon premier café avec lui, le sourire de… quand je lui annoncé que... Sourires, sourires, dans le grand arbre de ma vie.

Un sourire est une panique. Quand Jules entrait au café des Grands Hommes, les généreux sourires où Ferdinand distribuait sa beauté et ses enthousiasmes sans y penser devenaient des sourires de panique ressemblant à ceux des sculptures de Carpeaux. Il avait peur de dire des bêtises, d'avoir l'air gauche. Jules souriait supérieurement à la fille qu'il tenait par la taille.

Un sourire est parfois un meurtre. Le Cambodge est un pays d'art souriant, et celui des khmers rouges, qui ont organisé l'assassinat d'un tiers de la population. « Et quelle douceur, disait Ginevra dans son séminaire à l'EHESS. La douceur peut être le baume de la cruauté et la brève patience du pouvoir. Bien des tyrans ont été d'une douceur exquise. Les étrangleurs sont très doux. La douceur est une tueuse. J'ai horreur de la douceur. »

Une certaine absence de sourire fait sourire. Les gens qui ne sourient jamais sont comiques quand ils le font par pose, croyant ça élégant, s'arrogeant l'orgueil de mépriser de ceux qui sourient. Ils croient que sourire est une faiblesse. « C'est le genre de Paris, on se croit important parce qu'on fait la gueule, disait Aaron. Heureusement, il y a les marchés, les plus joliment arrangés du monde, avec leurs étals de poisson aussi beaux que des vitrines de la place Vendôme et leurs charcuteries joyeuses comme l'opulence. On vous y sourit quelquefois, c'est parce qu'on vient de Prunay-le-Gillon. » Saint Jean Chrysostome (v. 344-407), c'est-à-dire saint Jean bouche d'or, a jugé admirable de la part de Jésus, proposant même cela comme modèle aux chrétiens, qu'« on ne le trouve pas riant, il ne souriait même jamais » (*Homi liae in Matthaeum*), en prenant pour preuve qu'aucun des évangélistes ne relève qu'il l'ait fait, eux qui relèvent toutes ses larmes et tant d'autres choses. Un homme qui n'a jamais ri ! Je pense à ces lugubres assassins, qui le sont en partie à cause de leur esprit de sérieux. Ils ne pourraient jamais rire *d'eux-mêmes*.

Un sourire n'est jamais aveugle. Du 87, Ferdinand vit une jeune fille sortir de l'Institut des jeunes aveugles. Le sourire qui flottait sur son visage semblait celui de la gêne. Gardant un index entre les pages de son livre, il élabora cette théorie : « Ce n'est pas que les aveugles soient dans des rêves, oh, sans doute non, et en tout cas ils ne seraient pas roses ; n'ayant pas idée de comment ils s'insèrent dans les images, ils se demandent à tout instant s'ils ne commettent pas une erreur. »

Un sourire est un poisson. « Tu as eu de si beaux sourires avec moi, ils flottent autour de moi comme les poissons, disait Armand à Aaron. Je les aime. »

Un sourire rend immortel. C'est de la jeunesse qui était apparu dans le visage de la mère de Pierre, quand il l'avait vue pour la dernière fois, très vieille, petite, ridée comme une roche de montagne, et qui en souriant avait montré ses quinze ans.

principe de la forme par la ville

Aaron avait inventé les dîners de formes. Le dîner pyramidal avait vu servir, comme entrée : un plateau de fruits de mer, blanc de glace pilée, puis, en montant, gris de fortifications d'huîtres, puis brun de bulots en contreforts, etc. jusqu'au bouquet de crevettes grises serrant les doigts au sommet ; comme plat : pièce montée de paupiettes de veau, légumes : faisceaux de haricots verts ; comme dessert : pavlova (soubassement en meringue, fondations en chantilly, étage en meringue, grenier en chantilly, lucarnes de framboises). Les serviettes étaient pliées en cônes, les verres furent des cratères. Anne ne connut pas ce dîner de formes-là, qui avait eu lieu peu de temps avant qu'elle eût pris la chambre rue Debelleyme ; Armand trouvant que les choses qui se répètent cessent d'être amusantes ne voulait plus en faire, et elle dut enrôler Aaron et le Temps pour le persuader d'en organiser un nouveau. Et s'il ne céda pas sa place de maître de la cuisine, Anne obtint le droit aux desserts, elle en fit un d'exquis lors d'un dîner pour eux trois. « Armand n'est pas homme à laisser son orgueil lui gâter un plaisir », dit Aaron en redemandant de la crème anglaise à Anne enchantée. Elle prépara le dessert du dîner du lampadaire, un saint-honoré si beau qu'on se le serait mis en fraise autour du cou, si bon qu'il n'en resta qu'un morceau de politesse qui fit bien des remords.

Ginevra apporta à sa confidente et peut-être amie, qui habitait dans le XVe arrondissement, un paris-brest à la crème de spéculoos de la pâtisserie à la mode du square Trousseau (elle n'avait découvert cette mode qu'après avoir offert un gâteau qui venait de là, et exclamations, ce qui lui donna l'impression d'avoir fait une bonne affaire). Le XVe arrondissement est le plus peuplé de Paris (premier tour élection présidentielle 2012, Sarkozy, UMP : 43 531 voix – 39,96 % ; Hollande, Parti socialiste, 32 008 voix – 29,38 %), et Ginevra avait pris en voiture la quasi-totalité de la rue de Vaugirard, la plus longue de la ville. Aller dans le XVe, c'est aller à Lens, se dit-elle après être passée sous le métro aérien et longeant des maisons tout d'un coup plus petites, des boutiques de vêtements de chaîne et une vitrine de pompes funèbres.

Un matin pluvieux, regardant le square Trousseau vide et hachuré par une averse, Pierre, au bord de lui ressembler, alla voir une exposition. Elle le remit tant soit peu en forme. L'art était de la forme contre l'informe. « On voit qu'on n'est pas en forme quand on pose la question du pourquoi, se dit-il en revenant chez lui. On sait qu'il n'y a que des comment, desquels nous sommes en partie responsables, mais quelque chose nous a échappé. Désemparés, nous disons destin, fatalité, pourquoi, pourquoi ? POURQUOI ? Des comment, comment on fait, comment on a fait, les artistes sont la petite armée, fougueuse et désordonnée. Ils défendent le monde contre le morne et l'esclavage, il ne le sait pas, cherchant POURQUOI. » Pierre Hesse avait été un de cette troupe hétéroclite de qui jaillissent notes de musique, couleurs, vers. L'esthétique était la forme de son esprit sans religion.

Aaron avait inventé la règle des deux présents. Il en faisait un, puis, pour augmenter la possibilité de plaisir, un autre. Il préférait dire « présent ». « "Cadeau" est déjà l'imposition d'un jugement. Un cadeau, c'est quelque chose de bien, que l'autre doit aimer ; un présent, c'est quelque chose que l'on présente, et l'autre décide. Ce qui fait le plus plaisir dans certains présents, c'est la mémoire qu'ont eue ceux qui les font, ajoutait-il en ouvrant le ruban du deuxième paquet que lui avait donné Armand (les couples). Ils se sont rappelé que, il y a longtemps, nous leur avions dit aimer ceci ou cela. » Armand : « On ne dira jamais assez les saines réactions que provoque l'égoïsme. »

L'urbanité est une des mises en forme les plus réussies imaginées par l'homme. Urbain, on l'est dans la mesure où l'on accepte les conflits. S'il n'y a que bornes et barrières, on est en barbarie. C'est dans l'organisation de la fluidité que l'urbanité se fait. Le Moyen Âge était barbare parce qu'il avait des châteaux forts et des octrois. « Quand on a mis les trains à grande vitesse en service, on a créé des pays où les liens ne se faisaient plus qu'entre métropoles, laissant isolées des régions entières en proie à l'ennui, à la jalousie, à elles-mêmes. Un temps viendra où des hordes en partiront pour aller à l'attaque des villes, brillantes, admirées et haïes » (Pierre Hesse, *Il me faudrait un petit palais*).

« Ce qui s'oppose à la barbarie n'est pas la civilisation. La civilisation peut être barbare. Il y a des barbares à cravate, et il y a sûrement eu des gens très délicats dans les cavernes qui offraient de beaux cailloux polis à leur compagne », disait Armand de retour du bureau en tirant sur sa cravate et en tordant le cou comme s'il voulait défaire un nœud coulant. Lui à qui l'amour faisait écrire de si longs SMS lisait peu ; des autobiographies de chefs d'entreprise, des livres d'analyse politique d'un niveau de première année de Sciences po qui faisaient honte à Aaron quand il les feuilletait. À la banque, les collègues d'Armand aimaient, tout en les méprisant, les romans sociologiques et mal écrits d'auteurs qui émettaient des généralités sans risque. L'un écrivait : « Le capitalisme ne durera pas toujours. » « Ses livres non plus », avait répliqué Gustave. L'autre donnait à ses personnages une sexualité morne. Aucun ne mettait en danger les performances de ces hommes. Ces romans étaient également lus par des élèves d'écoles de commerce à qui Ferdinand tournait le dos dans les soirées. Ils étaient faciles à comprendre et donnaient des sujets de conversations semblables à ceux des médias. L'auteur était des leurs. Il les aidait à ricaner, à aimer leur médiocrité, pensait Ferdinand, qui lançait alors des jugements le faisant qualifier d'esthète.

Du temps qu'il était en forme, Pierre essayait de donner une forme à ses actes. Accomplir les choses « comme ça » lui aurait paru peu convenable, pour la vie même. Il leur imaginait des raisons poétiques. « On devrait pouvoir entrer dans un taxi et dire : “Un thé au lait.” Une main surgirait pour le servir. »

Ferdinand déclara au café des Grands Hommes que le sort que l'on faisait aux étudiants français participait d'une désurbanisation du monde voulue par les pouvoirs. « On a depuis des années envoyé la plupart des étudiants de Paris dans des campus de banlieue, de province, Nanterre, Jouy, partout, nulle part, lieux sans forme ! Là-bas ils ne peuvent pas se mélanger à des non-étudiants, leur parler, constater qu'autre chose que ce qu'on leur apprend existe. On crée des barbares savants. Une fois diplômés, ils reviennent dans les villes en se croyant les maîtres, appliquant brutalement des dogmes. À bas HEC ! *(Bravos dans la salle.)* »

Les symboles des lieux ne sont représentatifs que d'eux-mêmes. Ils sont parfois même le contraire des lieux. La tour Eiffel est marron, Paris est grise. La tour Eiffel est haute, Paris est basse. La tour Eiffel est en fonte, Paris est en pierre. Et c'est peut-être parce qu'ils ne représentent qu'eux-mêmes, sont détachés de toute référence qui empèse, qu'ils sont purs, que ces monuments deviennent peu à peu des symboles. Pierre avait donné son désormais célèbre « traité des formes en neuf lignes » dans *Le Portail* :

Formes pétrifiées : danse, pierres, peinture.
Formes palpitantes : romans, bœufs.
Formes englobantes : crinolines, abat-jour, théâtre.
Formes frémissantes au bord d'expirer : poèmes, feuilles d'arbres.
Formes abandonnées : canapés, algues.
Formes épuisées : le *Coup de dés* de Mallarmé, sable.
Formes aspirantes : jupes, méduses.
Formes fourbes : kriss malais, rites.
Formes incendiaires : symphonies.

Le retrouvant sur sa rive gauche, Ginevra lui dit combien elle trouvait enchanteur de traverser la Seine. « À mon avis, un Parisien qui traverse la Seine n'est pas la même personne qu'un Parisien qui reste sur sa rive. Il s'est aéré, il a aspiré l'espace, il a pensé à la mer, il s'est apaisé par l'observation d'un mouvement très lent. Largeur et hauteur parfaites, ce fleuve. Ni trop large comme le Danube à Budapest, qui donne l'impression que l'autre rive est un pays étranger, ni trop profond comme la Tamise à

Londres, qui fait envisager des noyades pour dettes, ni trop invisible comme le Tibre à Rome, qui se venge par des débordements. Et puis il a des ponts, tellement de ponts... On dirait des sourcils, d'ailleurs Paris a la forme d'un œil. Pas besoin de faire des kilomètres pour traverser la Seine. Quelle obligeance ! Quelle variété : certains ponts sont brefs et d'autres longs, les uns clinquants et les autres sobres. C'est un jeu de traverser ce fleuve par conséquent si gai. Les hommes qui ont formé cette ville et ses ponts sont parmi les bienfaiteurs de l'humanité. » Et Pierre qui n'était pas aussi gai que la Seine répondit nonchalamment, sa bouteille en l'air : « La beauté a peut-être tué la France. Si, en 1940, au lieu de déclarer Paris ville ouverte, on l'avait laissé bombarder ? La simple destruction d'une cathédrale en 1914, celle de Chartres, avait beaucoup nui aux Allemands. Alors, l'obélisque de la Concorde et la colonne Vendôme tombés en allumettes, le Louvre crevé comme un panier d'osier, la place des Vosges flambant, qui sait si ça ne nous aurait pas galvanisés au lieu de nous laisser parmi nos bibelots, à pouvoir dîner en ville pendant quatre ans ? » Il abaissa la bouteille vers le verre de Ginevra qui répondit : « Vous autres Parisiens ! Trois cent mille vaches manifestent dans vos rues, et la France est morte. Vaniteux, va ! » Ils trinquèrent.

dénominations

énoncé des surnoms

Armand, artiste des dîners. Autant de soin dans ses invitations et ses menus que dans le choix des montages financiers de la CBIB. Fine orchestration de la conversation. Libéral dans l'ensemble, dirigiste au besoin. Décidant à l'avance du premier sujet qu'il lancerait, permettant à celui-ci d'être instructif, à celui-là, drôle, à tel timide de se dégauchir. Prohibition des sujets d'actualité. Sa table a été la seule de Paris où l'on n'a jamais parlé de l'affaire Strauss-Kahn. Il n'avait pas appris ça de ses parents, enfermés qui ne recevaient que le 31 décembre et de la famille, mais à son premier dîner à Paris. La maîtresse de maison n'avait d'abord parlé que d'elle, puis laissé faire ses invités, de sorte qu'une emmerdeuse avait assommé la table de ses anciens exploits de camée puis donné des leçons à chacun, on avait rêvé de canon. Armand s'était dit « plus jamais ». Deuxième leçon au dîner suivant, où les langues s'étaient d'autant plus déliées qu'il y avait très peu à manger ; la maîtresse de maison y avait gagné le surnom de « un poulet pour douze ».

La femme de l'ambassadeur Roland de Margerie, Jenny Fabre-Luce, était si pieuse qu'on la surnommait « Jenny du christianisme ».

George Cornwallis-West a épousé à vingt-six ans Jennie Churchill, la mère de Winston devenue veuve, qui avait vingt ans de plus que lui, puis une actrice de neuf ans plus âgée. On le surnommait « the old wives' tale[1] ».

Un ministre père de famille de la Cinquième République que flagornait le député Furnesse avait fait embaucher dans son cabinet un jeune amant qui se nommait Mouton. Lui, on l'appelait Saute-Mouton.

Dada d'Estrailles, chez qui Anne avait un peu travaillé, était surnommée Youki d'Estrailles. (Dada Louise Françoise Aréthuse de Thonon d'Estrailles, 1951-2012, créatrice de parfums.) Pourquoi surnommer Dada Youki ? Parce que le surnom est une guerre immédiate à la loi, sans doute.

1. Titre d'un roman d'Arnold Bennett, *Le Conte des vieilles femmes*, et jeu de mots sur *tale* qui se prononce comme *tail*, queue.

On n'est pas son nom. Seuls les faibles le croient. Je ne mets aucun jugement moral dans le mot « faible ». Il est bien normal que la faiblesse se cherche des protections. « Je suis un Anier ! », disait le père d'Armand, ce comptable pincé. Les gens au pouvoir changent de nom comme de religion, si ça leur permet de garder ce pouvoir. Un des intervenants des *Oracles de la Pythie* de Plutarque dit qu'on devient son surnom (ou c'est moi qui le résume ainsi) ; ce Sérapion mentionne plusieurs dieux dans ce cas. La religion grecque était un système de célébrité, où les dieux étaient espionnés, enviés, moqués, comme les stars dans notre monde.

Tartiflette, qui n'était pas qu'un peu snob, dit à l'apéritif du dîner du lampadaire (des manifestations contre le mariage gay mettaient des invités de la rive gauche en retard) : « Ce qui compte dans les vernissages, ce n'est pas ce qu'on montre, ce sont les gens qu'on y voit. » Aaron le tweeta aussitôt. Tartiflette était une vedette parmi les followers d'Aaron, qui avaient le plus retweeté :

> Le bon goût est le pire vice jamais inventé.
>
> Si on veut pouvoir dire du mal tranquille, il faut aller dans le XXe.
>
> Dieu ? J'adore !

Dans la cuisine, les huîtres snobaient les raviolis.

énoncé des mots qui manquent et des mots en trop

Le livre qu'il feuilletait contenait des mots en trop, au goût de Pierre. « Vis-à-vis d'un homme que j'aimais de tout mon cœur. » Une expression qui a l'air d'ajouter peut enlever, se dit-il. On aime moins quand on aime « de tout son cœur ». L'auteur avait dû vouloir se prouver qu'il aimait. Qui en est sûr ? Est-ce que j'aime Ginevra ? Peut-être que je l'aime de tout *son* cœur. À fouiller, ça. « Je t'aime de tout ton cœur. Les amours ne sont-elles pas des commerces inéquitables ?... » Il était presque en train de commencer un nouveau livre quand il se cogna contre une pancarte « Attention travaux ». Une passante pouffa de rire en le voyant dire pardon. La phrase qu'il tenta de former auprès du vendeur du BHV était informe à cause de son ignorance des termes. « Bonjour monsieur. Je cherche un de ces objets longs et fins, vous savez, qui servent à visser de toutes petites vis... » Le vendeur fronça les sourcils. (Un joli petit brun que Pierre pensa colombien. C'était un Juif canadien originaire de Pologne, c'était Aaron, et leur rencontre n'aura aucune conséquence, car les romans, qui sont des morceaux détachés de la vie, n'ont rien à voir avec les tragédies, ces féeries pour adultes qui veulent croire au destin. Il n'y a pas de coïncidences, il n'y a que des hasards, a écrit Pierre.) « Enfin, vous voyez... », poursuivit-il, pensant aussitôt : « "Vous voyez" est la formule qu'on espère magique pour ouvrir la porte de la compréhension de celui qui nous écoute. » « Des clefs à alêne ? — Des clefs à alêne ! Ça doit être ça. » Le vendeur conduisit Pierre au rayon, c'était ça. C'est en déballant le sac chez lui qu'il se rendit compte que sa mémoire (ce composé d'oublis) ayant vibré sous un son connu avait fait remonter le mot le plus proche. « Alêne », allons, s'il avait réfléchi, il le savait, c'est un poinçon pour coudre le cuir ; ce qu'il avait à la main était une « clef Allen ». Il était tout émerveillé d'avoir appris un mot. Le son connu revenu de sa mémoire lui avait rendu l'expression « clef à alêne » plausible. « Le plausible est le plus grand ennemi de l'exactitude », dit-il à Uriah Heep (son chien).

Ceux à qui il manque des mots dans le domaine pratique trouvent le plus facilement de l'aide ; ceux à qui ils manquent dans le domaine abstrait n'ont pas idée qu'ils leur manquent. Et toute une partie de l'humanité avance dans l'obscurité, malheureuse et mettant ce malheur sur le compte d'autre chose, car il est difficile de savoir que l'on ne sait pas.

Pomposus Sufferendus parle trop d'amour pour ne pas être plein de haine. Le mot « amour » est pour lui un fanion qu'il place à côté de ses œillères pour, cheval, mieux avancer en direction de la mare au Mal. Qu'il le fasse sincèrement ou avec ruse m'est égal, les raisons de la méchanceté ne l'excusent pas plus que celles de la bienveillance ne la diminuent. Les lecteurs hâtifs béent devant ce mot d'amour pour excuser Pomposus, qui est déjà devant la porte de chez Dracula.

Asinus Candidus parle trop de haine pour ne pas être un timide. Il rappelle Michael Jackson qui chantait « I'm bad ! » d'une voix de petite fille qui griffe sa poupée.

« Je suis profondément démocrate », dit le député Furnesse à la télévision. « Dommage, pensa Ferdinand. Le profond n'est pas durable. On s'en débarrasse pour ne pas y couler. Ce porc est superficiellement dictatorial, et c'est pour ça qu'il est toujours là. La surface est plus durable que la profondeur. Elle est légère, on la porte sans peine. » En présence de Ferdinand, le député Furnesse employait de plus en plus de vocabulaire dépréciatif. « Fiotte », « pédale » et tant d'autres mots tombaient de sa bouche comme les grenouilles du conte de fées, lui procurant une satisfaction amère. Il protestait contre le langage « politiquement correct », mais il n'était pas toujours contre les euphémismes ; toute son enfance, Ferdinand l'avait entendu répéter : « On ne dit pas vieux, mais *personnes âgées* ! » Ferdinand ne s'y opposait pas. L'euphémisme est la tendresse du monde, pensait-il. Tout le monde devrait être traité comme les vieux. Pour les gays, on les a tellement et depuis si longtemps méprisés que le lexique est plus long qu'une messe. Il avait trouvé une liste de synonymes anglais sur Internet :

Angelina ; bender ; bentwrist ; birdie ; birl ; bitch ; bunter ; buttercup ; butterfly ; camp bitch ; cissy ; cooch ; coolie ; cot betty ; cow ; cupcake ; daffodilly ; dainties dandy ; darling ; duchess ; duck ; fag ; faggot ; fairy ; fay ; fellow ; filly ; fish queen ; flame ; flamer ; flaming bitch ; flaming faggot ; flaming queen ; flapping fag ; flicker ; flit ; flower ; fluff ; flutterer ; flying faggot ; fruit ; fruitcake ; fu ; fuff ; gay girl ; giddy woman ; girl ; glitter girl ; hair fairy ; lacy lad ; laddie ; lily ; limpwrist ; lisper ; little dear ; mama's boy ; mavis ; milksop ; milquetoast ; min ; mince meat ; mintie ; miss boy ; mollycoddle ; muffie ; nance ; nancy boy ; nelly ; neon-sign ; neon-carrier ; niceling ; painted willy ; pansy ; panz ; pee willy ; Percy ; perthy ; petal ; pix ; pood ; poof ; poofter ; powder puff ; punta ; queen ; queenie ; quin ; quince ; red lip ; red one ; screamer ; screaming-bitch ; screaming-faggot ; screaming-fairy ; screaming-mimi ; screaming-queen ; screecher ; sis ; sissy ; sissy-queen ; sister boy ; squeaking fag ; squealer ; sugar sweet ; sweet boy ; sweetheart ; sweetie ; sweet William ; swish swisher ; tauatane ; tender lily ; tit-face ; toots ; torch ; tripper ; triss ; tweener ; twinkle-toes ; twit ; twixter ; uffimay ; waffle ; whoopsie boy ; winny ; yoo-hoo boy.

Si acharnée est la haine qu'elle devient géniale d'inventivité.

La chose qui n'a pas le nom qu'elle s'est choisi n'a pas l'autonomie. Ceux qui n'ont pas le nom veulent parfois ne pas l'avoir, estimant que l'anonymat les protège. Il les rend plus faciles à éliminer dans le silence. Un nom est un cri. Les cris sont mal élevés. La vie est un cri. La mort est calme.

La faiblesse qui n'a pas de nom est plus faible.
La force qui n'a pas de nom est plus forte.

Jusqu'au militantisme, il n'y avait pas un seul mot pour les non gays. Que « hétéro » eût été admis par l'usage enrageait un pamphlétaire que j'ai connu. Refusant que la majorité fût autre chose que la totalité, il trouvait scandaleux qu'un mot dispersât la brume de l'innommé qui lui permettait de croire que, partie, il était le tout. Le puissant qui n'a pas de nom est dieu. Le faible qui a mille noms est serf. À l'Assemblée nationale où les débats sur la loi du mariage se prolongeaient et fournissaient à la télévision un cirque de haine que certains commençaient à prendre au sérieux, ce même pamphlétaire fut cité par le député Furnesse qui ne l'avait pas lu, mais son neveu lui avait fait une fiche, comme un des modèles de la « saine lutte contre le politiquement correct ». La ministre, qui assistait aux débats, répliqua avec un dédain carnassier : « Je rappelle à M. le député que, défilant complaisamment dans des manifestations avec musique et pompons contre le mariage pour tous, il oublie que son modèle a été le plus grand contempteur de la Gay Pride. *[Huées à droite.]* Le député Furnesse et son clan, comme tous les forcenés, car ce sont des forcenés *[huées ; "démission !" ; rappel au règlement]*, rêvent de devenir leur ennemi. Le député Furnesse peut être content. Il a sa Haine Pride ! » Et, donnant une gifle au micro qui abaissa la tête, elle regagna le banc des ministres sous les bravos de son camp debout. Interviewé à la sortie des débats, le député Furnesse l'accusa de « mépris de la démocratie », assura qu'il n'avait que « compassion » pour « les homosexuels » et cita Freud comme preuve qu'« ils sont dans un état de sous-développement psychologique ». Ferdinand fut stupéfait. De sa vie, il n'avait cessé de l'entendre dire du mal des psychanalystes.

À quelqu'un qui trouvait qu'il parlait de plus en plus souvent de ces choses, Armand répondit : « Qui parle existe. Qui ne parle pas a tort. Où est la voix, où est donc l'existence de mes ancêtres qui louaient leurs bras sous l'Ancien Régime ? Le parleur est toujours vainqueur. Après la mort des gens, on va très rarement à la recherche de ce qui n'a pas été exprimé. On doit s'occuper des soucis présents, et puis ça a été englouti. Le fond de l'océan est peuplé des existences déçues de 90 % de l'humanité, et les vagues sont leurs regrets. On laisse trop parler les autres. »

Le nom s'oppose au nom. Le nom naissant de la minorité innommable, le nom inexistant de la majorité à penchant totalitaire. Un majoritaire m'a un jour dit cette phrase que j'ai longtemps crue, une phrase bien tournée me charmant au-delà de la raison : « Les langues ont été inventées par les anges. » L'angélisme est la tactique des cyniques. Les langues ont été inventées pour écraser les faibles.

L'étudiant en philosophie apprit à Ferdinand qu'il n'est pas exact de dire « Indiens » pour les populations autochtones d'Amérique du Sud. « Aborigènes, voilà ce qu'ils sont. "Indien" est une appellation apportée par les colonisateurs. Ce n'est pas parce qu'ils ont été des colonisateurs que l'appellation ne convenait pas, mais parce qu'elle perpétuait une ignorance. Ils avaient cru accoster en Inde. » La réponse de Ferdinand lui déplut : « Eh bien, tout groupe a raison de demander qu'on lui applique la dénomination qu'il veut. C'est ce qui enrage le conservatisme ; si on l'écoutait, nous nous appellerions encore Hgroumpf et Râgh, et pour les *homos*, comme tu dis, on en serait encore à tapettes. »

Il y a des verbes que l'on dit défectifs. Au dîner du lampadaire, époussetant des mies de pain sur le revers de sa veste, Tartiflette dit : « Je neige. »

énoncé des mots qui sont des chiens

À la télévision, le député Furnesse prononça le mot « lobby ». « Qui veut noyer son chien l'accuse d'appartenir à un lobby », dit Pierre qui gratta le crâne du sien. Regardant la même émission, Aaron dit, tout en piochant dans un saladier de chips de légumes posé sur son ventre : « Les mots des seaux de merde que les malhonnêtes jettent à la figure des braves gens. » Armand répondit que chaque milieu avait ses mots. À sa banque, c'était « synergie », « cohésion », tout ça. « Il s'agit, non pas de pousser les gens à faire la chose convenable selon la raison, mais de les conduire à obéir au moyen de coups de clairon. Ce qu'on appelle la civilisation n'est pas très différent d'une caserne. »

On croit que les notions que désignent les mots existent. Elles sont souvent une habitude que nous décidons d'avoir. L'humanité, par grandes périodes, chevauche un mot avec passion. Ou alors deux mots, et c'est avec violence. Une partie galope sur Progrès, l'autre sur Ordre : tueries semblables à l'arrivée. Les mots n'y sont pour rien. Le besoin irrépressible de fanatisme fait de ces chiffons des étendards.

GINEVRA : — Je compte sur les gens que j'aime dans la vie, pas au piteux royaume de ma mémoire.

Encore une épousaille en vue !, se dit Pierre.

Dans cent cafés de Paris, à cet instant, des êtres disaient toujours à des êtres, des êtres disaient jamais à des êtres. Les gens qui disent toujours mentent, et le savent. Les gens qui disent jamais se mentent, et le savent.

Ginevra continuait sur les nouveaux manifestants de Paris, se disant frappée de leur vindicte, ajoutant qu'elle ne s'était pas établie à Paris (« Voici trois fois sept ans ! ») pour y retrouver « l'arriération de l'Italie » :

— Les ennemis de Paris sont entrés dans Paris. C'est la suite de l'*Iliade*, Pierre. Que s'est-il passé entre le moment où le cheval est entré dans Troie et celui où Ulysse est parti ?

Pierre, tenant l'appareil entre l'oreille et l'épaule, se resservit de champagne et répondit :

— Ce sont des idéalistes, on ne peut pas le nier. Ils contestent au nom d'une idée. Le mot idéalisme est ambigu. Il transporte autour de lui un halo qui le fait regarder avec admiration. C'est oublier qu'il y a un idéalisme haineux. Les léninistes étaient idéalistes. Les nazis étaient idéalistes. Les fascistes sont idéalistes. L'ordre !, disent-ils. L'ordre ! Et leur ordre est une anarchie. Tout ce qu'ils proposent est contre, négatif, destructeur. Dans leur idéal, il n'y a plus de gêneurs.

Ayant raccroché, il remonta le son de la télévision. Le député Furnesse protestait contre « la culture de la pornographie qui a envahi la société ». Sa voisine, un sourire acide vissant ses lèvres, approuvait de la tête en fronçant les sourcils. Quand on lui donna la parole, elle fit un vaste sourire et employa plein de mots. Protectionpeurdangerperversion, ce n'est plus un être humain, c'est un vaporisateur, se dit Pierre, qui éteignit la télévision.

Armand militait. Cela datait de quelques semaines. « De tout cela je ne me serais pas mêlé si nos ennemis n'avaient pas poussé la bêtise jusqu'à l'insolence, la brutalité jusqu'à la vantardise. C'est l'homophobe qui fait le gay. Ma caractéristique n'est pas que je suis gay, mais cadre supérieur dans une banque, blond-gris aux sourcils noirs, amateur des Strokes, du mobilier de Gio Ponti, des installations de Danh Vo, des spaghettis à la tomate *et* du corps des hommes. Les haïsseurs de gays, *qui ne sont pas des haïsseurs d'Armand Anier*, m'ont poussé à prendre cette position. Sartre ne voulait pas dire autre chose en écrivant "c'est l'antisémite qui fait le Juif" : des Juifs laïques qui se fichaient de leur religion étaient obligés de prendre position contre les antisémites, afin de mieux reprendre leur place dans les autres choses qui les caractérisaient. Ils attaquaient le communautarisme de la haine. » Le samedi matin, il donnait quatre heures à une association secourant les enfants persécutés, tel cet adolescent ayant révélé son goût à ses parents adoptifs, de braves lecteurs d'un magazine culturel, qui l'avaient exclu des promenades du dimanche, puis des repas en famille, puis lui avaient demandé de laver son linge lui-même, puis lui avaient interdit de parler aux autres enfants, puis lui avaient dit d'aller se plaindre « à ses amis pédés si ça ne lui allait pas », puis l'avaient séquestré dans sa chambre en rationnant sa nourriture, puis l'avaient chassé. Des suprématistes noirs lui avaient cassé la figure lors d'une « expédition punitive » dans le Marais où il rôdait, cherchant à se prostituer pour payer une nuit d'hôtel.

À la télévision, le membre d'un clergé parlait de sexe. La publicité et le sexe. Internet et le sexe. La jeunesse et le sexe. Le sexe. Il accusait la société contemporaine d'obsession sexuelle.

Au café des Grands Hommes, Ferdinand achevait une démonstration à l'étudiant en philosophie, qui maintenait un rictus de chien prêt à mordre dans sa barbe éparse : « L'universalisme est un communautarisme français.

Quantité d'autres pays vivent sur l'idée de communautés, et vivent très bien, et ne sont pas moins nationalistes que la France, et ne tombent pas en morceaux. On tient plus à un fantasme qu'à son bonheur. » Et en effet l'étudiant mordit (Ferdinand éprouva son habituel déplaisir à la vue de ses grosses dents espacées) : « Tu crois que la vie peut être arrangée comme un appartement de décorateur pour le confort de bourgeois comme toi ? Le monde n'appartient pas aux tendres, mon cher. Branle-toi donc avec ton *bonheur* qui fait bander ta petite queue de droite ! » Ferdinand ravi se dirigea vers Jules qui venait d'arriver, oubliant son agacement de l'avoir attendu (lui qui le convoquait si souvent dans son imagination s'impatientait de ne jamais le voir à l'heure dans la vie matérielle) :

— Incroyable ! J'ai la preuve ! Tous les mêmes ! Il vient de me faire une sortie contre le mot bonheur dans la même tonalité que mon père m'en a fait une contre le mot amour ! "Amour ! *Ils* n'ont que ce mot à la bouche ! *Ils* croient qu'on fait avancer un pays avec de l'amour ? Ça fait baisser les charges sociales, l'amour ? *Ils* se croient nobles, supérieurs, élégants. Et nous, les mains dans le cambouis, on est des ploucs ? Elle est belle, l'élite, avec son amour qui n'est qu'un moyen de garder le pouvoir ! Ils disent amour, ça veut dire ministre ! Et ces manifestants pour le mariage, tous ces niais ! Un bon petit coup de haine dans le cul ne leur ferait pas de mal !" Remplace le mot "ministre" par n'importe quel autre mot d'envie, et tu as le fonctionnement de la haine, la mise en accusation par le cynisme.

— Tu veux que je te dise ?, répondit Jules indifférent (il tenait une fille par la taille). Dans les temps violents, l'amour se démode.

Les mots sont souvent une chose positive, surtout au début de leur existence, mais ils peuvent devenir des chiens. Dressés par des hommes, ils aboient après d'autres hommes pour les faire obéir.

liens naturels

microscope des mères

Mme Angeli avait dit à Armand la seule fois où il l'avait vue, de passage à Paris, Anne avait invité les garçons à dîner en sa compagnie : « Je voudrais mourir pour que mon fils lise *Le Livre de ma mère* et se sente coupable. » Aaron et Anne revenus de l'extérieur où ils étaient allés fumer trouvèrent Armand mutique. C'était le soir de la fermeture d'Anahi, non loin de chez eux (49, rue Volta, IIIe ; ils y allaient en coupant la rue de Bretagne, longeaient le square du Temple, la nuit noir comme un squale, contournaient l'église Sainte-Élisabeth, prenaient la rue du Vertbois avec arrêt devant le libraire d'art, entraient enfin dans la petite rue Volta qui avait l'air d'un décor abandonné de film 1950). Le restaurant, au rez-de-chaussée d'un immeuble en plâtre soutenu par des étais, dans une ancienne boucherie au plafond en céramique peinte, avait été un des endroits gais de Paris depuis les années 1980. Clientèle toujours inattendue, gens beaux, ou gens élégants, ou gens rigolos, et tous polis. On y mangeait toujours les mêmes bonnes choses, rafraîchissant ceviche, guacamole crémeux, ferme puis tendre cuisse de lapin en gelée, viande de bœuf trapue, Anahi était le nom d'une Indienne légendaire d'Argentine. Les propriétaires, deux Espagnoles, avaient vendu à un milliardaire de la téléphonie qui avait racheté tous les commerces de la rue pour la transformer en Paris factice. Les convives du dernier service s'en désolaient, où allaient-ils errer, fantômes d'anodins plaisirs, chassés par une population de mâles et de femelles sûrs d'eux et sans la moindre imagination qu'autre chose que l'argent ? À la fin du deuxième service, les propriétaires offrirent des caïpiroskas et du champagne. Il y avait de la clientèle Fashion Week, filles flasques sur hauts talons, Ukrainiens en chemises à motifs se prenant pour des dandys, un antiquaire de la rue de Beaune qui avait invité une tablée d'amis, un écrivain avec un ami chanteur qui regrettait qu'on ne dansât pas, et Mme Angeli qui n'aperçut pas la portée de la soirée pour la ville de Paris. Elle ne pensait pas que sa fille pouvait l'amener dans un endroit bien.

« Les enfants, à table ! », dit Médée.

« Ils se plaignent, ceux qui ont des mères atroces et vulgaires. Ils ne savent pas ce que c'est qu'une mère atroce et courtoise. Jules Renard avait bien de la chance », disait Armand en plaisantant, ou peut-être pas.

« Toujours dans mes pattes, celle-là », dit Emma Bovary en repoussant du pied sa fille qui s'approchait alors qu'elle embrassait son amant.

Anne se rappelait que, enfant, à la fin des vacances, sa mère lui disait : « Profites-en, car tu ne le reverras peut-être pas. » Mme Angeli qui appuyée à son bras retournait à son hôtel pensait pour la ixième fois : « Et moi aussi je suis comme Jacqueline Kennedy, un brave cheval dressé à des tours mondains qui a toujours admiré son père, Black Jack, un Irlandais fumeur de cigares, un mufle. Et elle est allée vers Kennedy, mufle, vers Onassis, mufle. Pauvres petites filles manipulées. » Et elle ajouta intérieurement, regardant Anne : « Et elles osent parfois mépriser leur mère. »

« Reprends donc de la cervelle de bébé », dit Lady Macbeth.

Ferdinand ne voyait pas sa mère plus d'une fois tous les six mois. Elle était partie depuis si longtemps, et il avait horreur des confidences. Un week-end qu'elle l'avait de garde, elle l'avait appelé dans sa chambre. Il avait quatorze ans et un corps bosselé d'où semblait vouloir sortir un autre corps. Dans son lit rose et aérien, en nuisette à peine fermée par deux rubans en satin crème, elle lui avait dit : « Viens sur le lit. » Il s'était assis au bord, s'orientant vers la porte, lui offrant un dos en cuirasse. « Tu me trouves toujours belle… ? Ton père disait que j'avais des jambes divines. Qu'en penses-tu ?… » Ferdinand avait marmonné des oui, tentant de s'arracher du lit. Avec une gourmandise rêveuse, elle lui avait parlé du « dilemme » qu'elle éprouvait entre l'homme qu'elle « voyait en ce moment » et un autre « qui a beaucoup de qualités, tu vois ce que je veux dire ». Le week-end de garde suivant, Ferdinand avait refusé de la voir ; elle ne l'avait pas réclamé.

« Rends-moi la fourchette », dit Folcoche qui venait d'en piquer son fils.

Et la mère d'Aaron, et la mère du bon étudiant musulman outé sur facebook qui de retour dans sa cité s'était fait bousculer par des prêcheurs de cage d'escalier d'autre part dealers et battre par son père qui l'aurait étranglé sans son interposition, et la délicate, modeste, jolie, généreuse mère de Pierre, morte depuis longtemps, il allait de plus en plus souvent se recueillir sur sa tombe. Banal caveau de famille, cimetière de Bercy, rue de Charenton, XIIe, qu'il remplacerait un jour. Jamais empereur romain n'aurait érigé mausolée aussi majestueux à sa mère ! Celui-ci stupéfierait les ignares qui avaient osé ne pas connaître et louer Marie-Hélène Hesse !

microscope des pères

Le député Furnesse aurait voulu que son fils écoute du hard rock, baise une cousine et rentre saoul tous les soirs. Il arrivait à Ferdinand de rentrer saoul, mais son père était à des réunions politiques, des dîners d'obligation, des soirées échangistes, et même quand il était à la maison c'était à l'autre bout de l'appartement, occupé, toujours occupé. Ferdinand enfant se précipitait sur lui : « Je suis occupé ! » Et il revenait, petit bélier réclamant caresses, se heurtant à : « Je suis occupé ! » Quand (au début même de la discussion de la loi sur le mariage gay dont le député était le plus flamboyant opposant !) Ferdinand avait fait une allusion à ses goûts, le député avait répondu : « Je suis occupé ! » Qu'il effectue ses dégueulasseries sans m'en parler. C'est à cause de sa salope de mère, elle l'a trop couvé. Bien fait pour elle, s'était-il dit en ricanant intérieurement. Elle m'a fait un pédé, cette pute !... Bien fait pour elle ! Si j'avais eu le temps de m'en occuper et de le sortir de ses jupes !... Mais voilà, ma circonscription, mes électeurs !... J'aime les gens, moi !... Salope ! Elle aura un bon petit pédé pour l'accompagner acheter des robes !... Un pédé, c'est un pékinois qui parle !... Et elle aura honte quand elle croisera ses amies avec des fils mariés, travaillant, pères de famille, normaux !... C'est à vous, cette tapette, madame ? Oh non, c'est mon toutou qui parle !... Ne tire pas sur ta laisse, Ferdinand (il s'appelle Ferdinand) !... Tu verras, salope !... Enculé !... Dès les premiers roulements de tambour des médias contre le mariage, le député avait surgi, affable, souriant, plein de verve, prévisible, utile, accumulant les injures d'un ton suave. Ferdinand s'était senti boxé. Il aurait peut-être pu répondre si son père l'avait visé personnellement, mais une guerre contre tout un peuple ? Convoqué dans son bureau pour donner des nouvelles de ses études (ça n'arrivait qu'une ou deux fois par an, et c'était rapide), il éclata d'un rire un peu aigu (jet de blond). « Sois viril ! », ordonna le député. Deux ou trois considérations morales générales que Ferdinand connaissait et écouta comme on attend que la pluie cesse, puis, reposant d'un coup sec le verre de whisky qu'il avait fini, son père dit « Je suis occupé », se leva, sortit du bureau en poussant Ferdinand et marmonnant assez fort pour qu'il l'entende : « Enculé. » Des sites Internet recommandaient des retraites religieuses, des cures de « ré-hétérosexualisation sous la conduite d'un ex-gay ». Rah ! Il alla dans un sauna de la gare de Lyon où il avait des habitudes avec une femme qui louchait et qu'il aimait battre.

Le père du producteur de télévision américain Roger Ailes tend les bras et lui dit de sauter hors de son lit superposé. L'enfant saute, il ne le rattrape pas. « Ne fais confiance à personne ! » « Et on ne fusille pas les gens pour ça ? », demanda Ginevra qui lisait cette histoire dans un magazine chez son coiffeur.

Herman Melville, gay dissimulé jusqu'à lui-même, homme prude, voulait à tout prix empêcher son fils d'avoir des relations sexuelles avant le mariage. Il est si obsédé qu'il confisque la clef de la maison. Malcolm Melville, à dix-huit ans, fait le mur et rentre en pleine nuit ; sa mère qui s'était rendu compte de son absence lui ouvre la porte. Le lendemain, le jeune garçon reste enfermé dans sa chambre, tourmenté à l'idée des représailles. Il se suicide.

Harold Nicolson dit à James Lees-Milne qu'il espère que son fils est amoureux d'un garçon qu'il a rencontré à Oxford (*Diaries 1946-1949*, 4 mai 1948). Ah le bon père. Je le dis sans la moindre ironie. Il espérait le meilleur amour pour son fils.

À treize ans, Lou Reed découvre qu'il aime les garçons. Sur les conseils d'un médecin, quel médecin, ses parents lui font donner des électrochocs. Que peut un être humain de treize ans, mesurant autour d'1,50 m et pesant environ quarante-cinq kilos, quand il est pédagogiquement persuadé par deux parents d'1,70 m et 1,85 m pesant soixante et quatre-vingt-quinze kilos, gentiment conduit dans une voiture en métal d'une tonne, tranquillement amené dans une salle d'attente remplie d'autres adultes de même corpulence et pour certains en uniforme, tous d'accord contre lui ? Vingt-quatre séances. Mémoire détériorée. Médicaments. Dépendance. Céphalées. Crises d'angoisse. Dépressions. Voilà ce que des parents gagnent quand ils haïssent leur enfant, car il faut que la haine se cache sous le nom d'amour pour commettre des actes pareils. Tout cela s'est transformé, entre autres, dans la chanson sur un travesti « Walk on the Wild Side ». Le détournement de la souffrance est une des formes du génie. Quant au mal, on ne s'en venge jamais.

Pierre découvrit qu'Albert Hammond Jr, dont il aimait les chansons, était le fils d'Albert Hammond, auteur d'un tube qu'il avait écouté bien souvent, « It Never Rains in Southern California ». Cela l'étonnait toujours de voir un artiste fils d'un autre. Il était si peu père et si peu fait pour l'être qu'il avait toujours réussi à échapper aux demandes d'enfants de ses femmes. Il considérait les artistes comme des stériles sublimes, donnant leur semence à leurs œuvres.

Ferdinand au café des Grands Hommes (tout le monde parle en même temps) : « Les fils ne devraient rien avoir à voir avec leurs pères, parce que leurs pères n'ont rien eu à voir avec eux. » Il dénigrait de plus en plus violemment le sien en public. « Quand on sort de son vocabulaire, on ment. Je viens de m'en rendre compte grâce à mon père qualifiant une députée de son parti de “délicieuse”. C'est un mot qu'il n'emploie jamais. Il la hait donc. Et sa rengaine de télévision, “j'aime les gens”, signifie tout le contraire. Il les déteste. D'ailleurs, “les gens”. Encore une entité qui n'existe pas et qu'il invente pour concentrer sa haine. » À l'étudiant en philosophie ayant objecté qu'on pouvait comprendre une opposition à l'embourgeoisement qu'est le mariage, il dit : « Quand vous aurez fini d'emmerder les gays ! » Les gays. Je me cache. Ils ne sauront pas. Tant qu'une chose n'est pas dite, elle n'existe pas.

nuisibles

traitement des arrogantes

Jeune bourgeoise de Cognac qui se rêvait en star de Paris, la chercheuse d'emploi dit de son maître de stage, ami d'Anne à qui elle devait beaucoup, qu'elle avait fait tel et tel travail à sa place. « Ne vous vantez pas », répondit Anne. Sa douceur n'inquiéta pas la fille, qui continua en racontant une chose aussi stupide que fausse. Anne, au lieu de la laisser s'enferrer, elle n'éprouvait aucun plaisir au spectacle de l'abaissement, lui dit : « Vous allez bientôt apprendre que tout se sait, et vous ne devriez pas dire des choses pareilles. » À ce deuxième coup de boutoir, la fille comprit et, rétrogradant d'un grand nombre de marches, changea de genre : « Moi qui ne suis rien, je me disais : "Quelle est ta légitimité, toi qui n'as que vingt et un ans et un petit diplôme, pour oser faire des observations à… ?" » La bêtise est une passion forte. Secouant ses cheveux en se tortillant sur sa chaise, comme si Anne fût un homme à séduire, elle se mit à lui poser des questions sur son travail, faisant la déesse qui condescend à s'intéresser et taillant ainsi une nouvelle facette de sa stupidité. D'un petit air entendu, elle conclut : « Vous avez *le bonjour de*... » C'était quelqu'un qu'Anne connaissait. Il y a une façon d'étaler des relations qu'on a à peine qui semble une menace. Anne n'embaucha pas la fille.

Le risible de l'arrogance vient de ce que nul homme n'a de raison d'être arrogant, et surtout pas ceux qui le sont, car c'est une manifestation de médiocrité. L'arrogant s'arroge une place prépondérante et hautaine que rien ne peut arrêter. L'arrogant est un Narcisse qui fait des figures d'haltérophilie avec son miroir. Quel niais, souvent. Ingrid Betancourt, candidate à l'élection présidentielle de Colombie en 2002, a été enlevée par des « terroristes », s'étant rendue contre tout avis dans un territoire qu'ils contrôlaient. Elle ne croyait pas qu'elle pourrait être autre chose que tranquille, cette fille de famille qui avait été l'amante d'un ministre français, et de plus été à l'université avec un chef des FARC.

(Sujet de thèse : l'arrogance naïve des philosophes envers la littérature, se dit Ferdinand en entendant pontifier l'étudiant en philosophie.)

Lors d'un comité stratégique, la sous-directrice Asie répondit : « C'est très intelligent » à une remarque d'Armand qui était l'homme le plus compétent de la table. Cette femme était devenue bête à force d'arrogance. Persuadée qu'elle savait tout, elle pilait comme un char d'assaut dès qu'on la contredisait et bombardait la position qu'elle croyait adverse de : « Non ! » « On ne peut plus parler à cette brute, dit Armand, mais on est obligé, car elle a un poste. La différence entre le capitalisme et le communisme est que le capitalisme est une bureaucratie par moments plus rentable. »

Xerxès fait fouetter la mer de rage. Hitler interdit qu'on bombarde Oxford, certain d'y être diplômé après la guerre. La plasticienne Orlan fait un procès à Lady Gaga au motif que celle-ci aurait plagié ses opérations de chirurgie esthétique. L'arrogance n'est pas la dernière manifestation de la bêtise.

Les ignares ont toujours l'avantage. Ils forcent les autres à parler du peu qu'*ils* savent. Pierre avait une sorte de consœur qui passait pour savante parce qu'elle était bavarde. Il la décrivit avec une verve qui sembla le réveiller. Ginevra demanda ce que voulait dire pimprenelle. Pierre lui expliqua que sortant tous les soirs, cette imposteuse, « il faut créer le mot, puisqu'elle veut qu'on l'appelle écrivaine », se disait retirée. « Ce qui m'a permis de comprendre ce trait des trafiquants : ils clament sans arrêt des choses sur eux-mêmes ; les gens honnêtes ne le font jamais. Et puis laissons, ajouta-t-il. Je ne voudrais pas devenir moraliste. »

Le peintre Pontormo est plus estimé en Italie que Bronzino, pris pour un artiste de cour, un mondain, un complaisant, alors que c'est un grand artiste. Pontormo passe pour un artiste d'avant-garde vivant hors des conventions bourgeoises dans une maison dont il avait enlevé l'escalier, ne voyant personne, etc. Légende. On voit dans ses carnets qu'il rencontrait tout ce qui était puissant et utile. Chaque société artistique est pleine de Pontormo qui intimident le critique corrompu et intransigeant et le mondain raffolant du sauvage.

On reconnaît l'arrogant à ce qu'il ne dit pas merci. Cela lui fait mal, le blesse, le fait souffrir. La sous-directrice à qui Armand venait de rendre un service raccrocha sans lui en avoir dit un mot. Tout lui était dû, elle ne pouvait pas devoir. Déboutonnant son manteau, Armand dit à Aaron : « Le comportement néfaste, la nullité au travail, la malveillance permanente d'elle ou d'un autre sont si connus qu'il m'arrive de te dire : “Tout le monde le sait, ce n'est qu'un cri.” Ce n'est qu'un cri, en effet, tout le monde le sait, en effet, mais ce cri n'est poussé qu'entre nous et il ne mène à rien. Ce n'est qu'un cri. Personne ne veut l'entendre. Je crois que les gens bien et les gens normaux savent toujours tout ce qui se passe, mais ils sont impuissants, ou lâches. Quant à la malfaisance, utile au pouvoir, elle est protégée par lui, et nous ne sommes pas près d'être débarrassés de cette harpie. »

Désignant du menton Ferdinand qui se dirigeait avec une timidité butée (selon lui) vers Jules, l'étudiant en philosophie dit à ses admirateurs du café des Grands Hommes : « La pensée du fils Furnesse, entourée du charme de Jules, met toujours plusieurs jours à retrouver son autonomie, mais il n'aime pas ça, et il revient ici pour écouter les paroles captivantes de son maître, et qui le captent en effet. » Le dieu Apollon qui passait au-dessus de Paris se posa d'un pied léger sur sa table en ralentissant d'un battement d'ailes (bruit froissé) et, d'une voix de cent mille tonnerres que seul l'étudiant en philosophie put entendre, dit : « Tu nous offenses, crétin ! Toute explication offense. Nous pouvons deviner par nous-mêmes. De plus, la tienne est à cause unique, et il n'y a jamais une seule cause aux choses. Ferdinand, pour autant que je le sache, car plusieurs dieux sont en concurrence au-dessus de sa tête comme sur tous les hommes au devenir intéressant, et Orphée le veut sans parler d'Aphrodite, Ferdinand revient au café pour être capté par Jules *et* parce que la bière y est bonne ; *et* parce qu'il aime la lumière qu'y fait le petit ciel bleu étriqué et frais de Paris au-dessus de la montagne Sainte-Geneviève à onze heures du matin ; *et* parce qu'à onze heures du matin il saute un cours ; *et* parce qu'il pense presque à chaque fois : "Que nous sommes marseillais, nous autres de la ville de Paris, pour appeler montagne un monticulet de deux pour cent de pente !" ; *et* bien d'autres choses poétiques que je ne révélerai pas à un vulgaire comme toi. » Nouveau bruit froissé, départ du dieu. L'étudiant en philosophie fut pris d'une violente migraine. Ses amis s'étonnèrent de le voir se lever brusquement et aller vomir dans la rue.

Dans le bourbier de son orgueil, l'orgueilleux souffre. Cambré sur le perchoir de son arrogance, l'arrogant méprise.

traitement des salauds

Sous les fenêtres de Ferdinand qui se rongeait le coin de la bouche avec une frénésie de lapin, hurlements, incendies de voitures, bris de vitrines par des hordes de casseurs. Il y avait eu des banderoles avec de nouveaux slogans. « Papa porte un pantalon » avait étonné Ferdinand, « Qui sème les pédés récolte la tempête » l'avait fait pouffer. Il avait pris un anxiolytique. À la télévision, derrière lui, ces slogans étaient sérieusement commentés, comme si les gays n'étaient pas dans la société, vivant parmi les autres et aussi honorables qu'eux, non, non, des assassins évadés, des bêtes féroces voulant sortir de leur cage, des enragés dévorant les enfants. Ces récents jours, son père avait déclaré à la télévision :

« L'homosexualité est inférieure à l'hétérosexualité. »

« L'homosexualité est un comportement sectaire. »

« L'homosexualité est une menace pour la survie de l'humanité. »

Au café des Grands Hommes, quelqu'un dit à Ferdinand : « Ton père exagère, mais, sur le principe, il n'a pas tort. » Ferdinand front contre front le traita de connard et rentra chez lui à pied, sourcils froncés, poings dans les poches, se rongeant les joues, rue Soufflot, Vaugirard, Rennes, Montparnasse, Invalides, barrages, montrer papiers, avenue Bosquet, policiers, hurlements, cris, Fabert, fenêtre, lit, il se coucha.

Il arrive un moment où il faut simplifier le salaud par un mot, un seul, celui-là. Salaud. Les raisons, les explications, la psychologie le protègent. En général, quand on s'y est résolu, il est trop tard. On lui a fait crédit, comme on fait crédit à toute l'humanité du bien qu'on espère qu'elle contient. Pendant ce temps-là, le salaud s'est installé.

La sous-directrice Asie, qu'on disait dissimulatrice, ne l'était pas tellement, puisqu'elle avait *confié* à un client d'Armand qu'il couchait avec un stagiaire, ce qui était faux. « La calomnie sexuelle est la plus bête, et, je dois dire, la plus inoffensive en France, dit Armand au client. Je la croyais plus fine. » Elle-même couchait avec un directeur, mais Armand ne voulut pas le révéler.

Si on appliquait aux salauds ce qu'ils réclament pour les autres, ils seraient morts. Louis-Ferdinand Céline aurait été envoyé dans un camp d'extermination, avec Leni Riefenstahl, Oswald Mosley, Louis Aragon, Hugh MacDiarmid, etc. Les salauds sont sauvés par la bonté qu'ils haïssent. On dit qu'ils sont réprouvés jusqu'après leur mort parce qu'ils ont commis des saloperies, loin de là, ils sont préservés par cette raison même et on continue à parler d'eux longtemps. C'est du pittoresque, c'est du voyant, et ça enchante la méchanceté qui n'ose pas.

Armand, à une réunion de son association : « Il y a des moments où il faut des positions absolues *contre*. Il y a des choses qui, dans l'absolu, sont inadmissibles. Cet absolu est l'humanité. »

traitement général

Anne voulait déménager ses bureaux du Haut Marais, qu'elle trouvait devenu trop « la fringue la mode », pour Jaurès, une rue vide, désolée, des réparateurs de voitures dans des échoppes aux vitres blanchies d'anciennes pluies. « Il faut les faire venir dans des quartiers isolés... abandonnés... un peu tristes... — "Les", c'est qui ? demanda Aaron. — Les clientes... Ce n'est pas tant qu'elles veulent avoir l'impression de *s'encanailler*, comme disent ceux qui... croient savoir... mais elles veulent ne pas avoir le moindre contact avec ce qui peut avoir l'air bourgeois. » Elle désigna une affiche de l'autre côté du café de Bretagne :

ANNE, *soufflant sur la mèche de cheveux tombée sur son œil* : — On relance le parfum "Air de Paris"...

AARON : — L'air de Paris, c'est la calomnie.

Et il rapporta une saleté commise par la sous-directrice Asie, à la méchanceté fascinante. Elle ressemblait à un oiseau, et oiseau elle avait été, piaillant et lacérant la jeune assistante qui l'accompagnait. Anne commenta : « C'est le signe d'une impuissance, aussi... »

AARON : — L'assistante ira mieux dans quelques jours. Le temps console. C'est ce qu'on peut lui reprocher, aussi.

La plupart des personnages de cette histoire excluaient le plus possible de leur vie :

Les mufles qui se croient spirituels.

Les serviles qui se croient seigneurs.

Les institutionnels qui se croient subversifs.

Les homophobes qui se croient dissimulés parce qu'ils disent « pédé » sans complexe.

Les connasses qui se croient fascinantes.

Les ignares qui se croient visés.

Les imbéciles qui se croient intelligents.

Tous ceux qui se croient.

une liste et deux tableaux

liste de choses…

… amusantes selon Aaron Alt

L'air distrait des salopes.

… étonnantes selon Pierre Hesse

Quelqu'un qui ne regarde pas le titre d'un livre posé près de lui.

… décevantes selon Anne Angeli

Quand le rideau se lève au deuxième acte sur un décor resté le même qu'au premier.

Une journée étouffante laissant espérer que le soir il va faire frais et il ne fait pas frais.

De la crème aux œufs insuffisamment sucrée.

L'espoir.

... cruelles selon divers personnages

Interdire les bouquets de fleurs dans les chambres d'hôpital. *(Armand Anier.)*

Aimer son père. *(Ferdinand Furnesse.)*

... rares selon Armand Anier

Parler au membre d'un clergé d'une autre religion que la sienne. Les nôtres nous tiennent captifs.

... menaçantes selon Anne Angeli

Trouver dans une pièce une plume d'oiseau arrivée par une fenêtre ouverte.

... impossibles selon Pierre Hesse

Un roman japonais tout gai.

... réjouissantes selon Pierre Hesse et Armand Anier

La stupéfaction d'un ignare quand, pour la première fois de sa vie, il entend mettre en doute la qualité d'une chose que son esprit stérile avait placée dans l'armoire « à vénérer ». Un monde va s'écrouler, il referme vite la porte d'un air buté. *(Pierre Hesse.)*

Le corps nu d'Aaron, avec ses yeux légèrement soufflés, sa bouche en sirène, son cou en colonne toscane, ses bras en moulins à poivre, son torse en bouclier romain, ses cuisses et ses mollets en signe « infini », ses pieds en collines plongeant dans une mer chaude, son sexe naïvement dressé, point d'exclamation sur son abdomen où une fine colonne de brindilles brunes semble son ombre. *(Armand Anier.)*

... impopulaires qu'Armand Anier aime bien

Un étudiant riche.

... ignobles selon Anne Angeli

La décoration des gares.
Les pantalons « dits moutarde ».

... intolérables selon Ginevra Ginevri

Le bruit d'un sèche-cheveux dans un salon de coiffure, d'autant plus intolérable qu'on se rend compte au moment où il s'arrête qu'on l'avait toléré.

Le bruit des pages d'un journal que son voisin ne finit pas de plier en avion.

... certaines selon le député Furnesse

Les homosexuels sont narcissiques.
Les homosexuels ont beaucoup de goût.
Les homosexuels sont malheureux.
Les homosexuels.

... oubliées par tous

Les prostrations quand on faisait le test du sida dans les vingt premières années de sa tournée mondiale. Messieurs et messieurs, bientôt dans votre ville, la Mort ! Elle s'annoncera par joues creuses, plaques violettes, membres branlants ! En raison du succès, prolongations ! On se croyait tué à coup sûr, on essayait de se préparer au pire en sachant que c'était vain, on observait les autres garçons attendant leurs résultats dans la salle d'attente, se demandant si ce maigre, là, l'avait, et si ça diminuerait nos chances ? On rangeait dans sa poche, sans avoir pu l'ouvrir, *À l'ami qui ne m'a pas sauvé la vie*, le livre d'Hervé Guibert sur son sida, par crainte de l'attraper. La superstition augmentait avec la peur.

Le romantisme désespéré de certains garçons dont le compagnon était atteint, et cela voulait dire mort un an après. Ils couchaient avec lui en disant : « Je veux mourir avec lui », et les deux mouraient, parfois le second avant le premier.

... à faire selon Aaron Alt et Armand Anier

« X..., figure du négationnisme, est mort. » Aller à son enterrement et crier : « C'est faux ! Il n'est pas mort ! La tombe est vide ! Il n'est pas mort ! Cet enterrement n'existe pas ! » *(Armand Anier.)*

Mettre une pelisse, un cache-nez, s'installer sous la coupole du palais Mazarin et prononcer le discours de réception à l'Académie française de Marcel Proust. *(Aaron Alt.)*

On dit, contre Daniel Cordier, Roger Stéphane, Jean Desbordes, Pierre Herbart et tant d'autres, que les gays étaient collaborateurs. Liste de collaborateurs : Pierre Drieu la Rochelle ; Paul Morand ; Jacques Chardonne ; Alphonse de Châteaubriant ; Lucien Rebatet ; Ramon

Fernandez ; Louis-Ferdinand Céline ; Louis Renault ; Fernand de Brinon ; Philippe Henriot ; Marcel Déat ; Pierre Laval ; Philippe Pétain ; Arletty ; Corinne Luchaire ; duchesse de Brissac ; Gabrielle Chanel. Tous hétérosexuels. Demander l'internement des hétérosexuels. *(Armand Anier.)*

... dégoûtantes selon Ferdinand Furnesse

La bouche à lèvres fines et gercées de son père.

Les cages d'escalier.

De prononcer le nom de certaines déchaînées des manifestations homophobes.

Les fiancées de Jules.

Les malins, les roublards, les rusés.

... proches dans l'absolu

L'angoisse et l'irritation.

L'orgueil et l'honnêteté.

La politesse et le silence.

La légèreté et la muflerie.

Le persiflage et la servilité.

Le cynisme et l'ingénuité.

La frivolité et la dureté.

tableau du genre génial et du génial

genre génial	*génial*
violon solo	orchestre
Jack Nicholson	Vittorio Gassman
Wagner	Satie dans la 3e Gnossienne
Emir Kusturica	Lars von Trier
Marc Chagall	Greco
Marguerite Duras	Virginia Woolf
Herman Melville	Herman Melville
David Foster Wallace	Pierre Hesse

tableau du pour et du contre

« *POUR*	*CONTRE*
L'affection	La consolation
Les démonstrations privées d'affection	Les démonstrations publiques d'affection
Les faits	Les réputations
Le spontané	Le naturel
L'amour	L'amitié
La tendresse	La douceur
La discrétion	La pudeur
Le gracieux	Le beau
L'élan	La posture
Le déraisonnable	La folie
La méfiance	La prudence
La confiance	La foi. »

PIERRE HESSE, *Tout en haut du toit*

angoisses et tristesses

examen de la tristesse

Pierre, tu te disais : « Se rappeler qu'il faut rire. » Quand on dit il faut, c'est qu'on ne peut pas. Alors, tu te protégeais par des amputations. Ça repousserait ailleurs, croyais-tu ; mais tu voyais de moins en moins de monde, tu n'aimais plus regarder les ciels de Paris, tu n'écrivais décidément plus rien. Pierre, tu es un fleuve qui va au désert.

Tu écoutes les messages de Ginevra et ne la rappelles pas. Voici plusieurs années, dans le volume de la tétralogie où tu décris la chambre du propriétaire absent (et à la fin de ce roman sans personnages on les a connus sans les avoir vus agir une seule fois) :

> Il ne faudrait pas avoir de gens qui nous aiment. Ils nous tuent. Se murer offre moins de surface aux blessures. Et on peut aimer, de l'intérieur.

Tu n'ouvres pas les volets de ton appartement quoiqu'il fasse jour. Tu songes que le carrosse moisi de la Tristesse s'est arrêté en bas. Tu l'imagines, contournant le kiosque à musique, avançant sous un parapluie noir à fanfreluches, prête à se glisser sous ta porte, plate comme une enveloppe, se redéployant de ton côté comme un iris. Tu l'attends dans ton fauteuil, poings serrés sur la poitrine, cette immondice ornée qui joue à la star. Tu la hais, tu l'espères. Tu la crois, tu l'admires. Tu la veux pareille au Gange, calme, odieusement calme, engloutissant tout sans se soucier de ce qu'il y a en dessous. Tu l'attends.

Ferdinand acheta un bonnet et le mit aussitôt. Il était en tricot, avec un large revers et un sommet mou comme une feuille d'épinard cuite. Se sentant protégé sous ce casque, il se répéta les paroles de son père, des autres politiciens, des prêtres de toutes les religions, des psychanalystes traditionalistes, de ceux-ci, de ceux-là, et d'autres encore, cent fois par jour, tous les jours depuis des centaines de jours, contre *eux*. Eux c'était lui. Lui pire qu'eux, du coup. Incarnation invisible et d'autant plus coupable. L'incarnation montre à l'homme la grandeur de sa misère, par la grandeur du remède qu'il a fallu. Voyez, Monsieur, comme la chaude flamme masculine du soleil engendre d'étranges créatures aux bords visqueux du Nil. C'est la dernière scène de ma pièce, ici le Ciel fixe les derniers mètres de mon pèlerinage. Moi je veux mourir sur scène. Que diras-tu, mon père, à ce spectacle horrible ? Pourri de malheur et de références, il but sept ou huit vodka-Red Bull et pensa se suicider comme le baron Gros, le peintre du Premier Empire dont on avait retrouvé, au bord de la Seine où il s'était noyé, sa canne plantée en terre avec son chapeau. J'ai un bonnet, c'est pareil qu'un chapeau. La Seine n'est pas loin. Il. Euh. Je. Pfff. Il s'endormit ivre sur la berge. Le lendemain matin, il rentra chez lui sans que son père se fût rendu compte de son absence.

Tristan Corbière en visite à Rome traîne en laisse un porc déguisé en évêque lors d'un carnaval auquel assiste le pape. Gérard de Nerval promène un homard au bout d'une ficelle dans les rues de Paris. Ils se croyaient peut-être drôles et ils étaient tristes. Ils finissaient par croire leurs actes raisonnables et c'était leur folie.

Ne donner aucune possibilité à la tristesse d'accrocher ses petites mains d'araignée à quelque désagrément que ce soit ; aussitôt elle grimpe et on a sa face grimaçante contre la nôtre. Quand on est triste, les autres prennent souvent la mine triste. Quand Armand était triste, Aaron se faisait graduellement gai, disant quelque chose de très intelligent avec imagination puis glissant la tête dans le congélateur en criant : « On conservera ce bon mot ! » Armand souriait, avec effort d'abord, puis sincèrement, enfin il riait. « Soyons pitres si c'est pour la consolation des autres, pensait Aaron. Soyons moins que nous pour qu'ils soient plus qu'eux. D'ailleurs, moins, plus. Quelle connerie d'avoir une haute idée de soi-même, quelle vanité de l'avoir basse. Pitre, tu es pitre, et sur cette pitrerie je bâtirai l'allégresse humaine. »

Ginevra dit à son amie, bah, elle devait en être une, si elle la voyait aussi souvent (Pierre lui avait dit : « L'amitié est le nom qu'on donne à une habitude de rencontres. Les deux chiens que leurs maîtresses font pisser tous les jours à la même heure dans mon square sont amis ») : « Je ne sais pas ce que je peux pour Pierre. Quoi qu'on fasse, quoi qu'on propose, il rentre chez lui flasquement, ça se dit, flasquement ? Il ne regarde que ce qui est triste. C'est un tournesol de la lune. Un tournelune. »

Toutes les chanteuses de variétés veulent jouer *Phèdre*. Toutes les actrices jouant *Phèdre* veulent enregistrer une chanson populaire. Tous les romanciers populaires veulent *Le Monde*. Tous les romanciers littéraires veulent 100 000. Les gens ne sont jamais contents de ce qu'ils ont, tant mieux. On a encore des rêves, on veut faire bien, être heureux. Ne pas être heureux est pour certains un moyen de l'être.

ARMAND : — On n'a qu'un devoir dans la vie, c'est d'être heureux. Là où la chose se complique, c'est qu'il faut savoir où réside notre bonheur. L'expérience n'y aide en rien. Cette vieille grincheuse à verrues qui sent le renfermé ne nous apporte que l'habitude des mauvaises choses ; les gracieuses sont si légères qu'elles passent comme ventelet.

AARON : — Le bonheur, idée de gauche au XVIIIe siècle (la droite avait le plaisir), est devenu une idée de droite dans la deuxième partie du XXe (la gauche avait la morale). Les romanciers de droite qui avaient débordé d'idées, pas toujours des meilleures, entre les deux guerres et pendant la deuxième, n'ont plus eu que le détachement et le bonheur à quoi se rattraper.

ARMAND : — Au XXIe siècle, la morale est passée à droite et la gauche a la gestion.

AARON : — On se poile.

ARMAND : — Julien Duvivier a filmé *Voici le temps des assassins* en 1956. Aujourd'hui, il appellerait son film : *Voici le temps des gestionnaires*.

La tristesse est une balançoire lente. Elle disparaît du champ, on l'oublie, elle revient. On ne peut la prévoir, car son rythme est inégal. Comme elle joue avec de fausses cartes !

Quand on est malheureux, ne pas prendre le bus.

examen de l'angoisse

Rue de Rivoli marchait un jeune homme serré. Vingt, vingt-deux ans, il avançait le torse tendu dans une veste très cintrée qui, retenue par le seul bouton du milieu, semblait prête à s'envoler en voile derrière lui, ce qui aurait transformé en cerf-volant un garçon aussi mince. Un bonnet en tricot enfoncé jusqu'aux sourcils d'où tentait de s'échapper, par la nuque, un nuage de cheveux blonds, il pompait avec méthode une cigarette qui semblait la cheminée de son moteur intérieur. Il avançait en la suivant, tout en étant rattrapé à la nuque par la fumée en crochet, qui le tirait un peu plus en avant. Pompant, pompant, il était entièrement concentré sur lui-même, avec ce regard de tueur que donne parfois la pensée. Il allait droit et vite à travers les passants qui s'écartaient. S'en rendant compte à retardement, il s'arrêta en plein milieu de la rue qu'il était en train de traverser et se dit : les villes sont des mers. Passants, bancs de poissons, taxis, requins, autobus, galions. L'un d'eux klaxonna avec un bruit de corne de brume. Ferdinand écarquilla les yeux et bondit de l'autre côté. Tout au bout de cette même rue qui avait traversé plusieurs places et portait sans avoir trop dévié le nom de Ledru-Rollin, Pierre recula devant une coulée de voitures, se faisant la même remarque et c'était bien normal, il l'avait écrite dans un livre où Ferdinand l'avait lue. Ferdinand l'avait reproduite en toute bonne foi, ayant oublié son origine. Un sac en plastique contenant une bouteille de champagne à la main, pardessus boutonné de travers, Pierre regardait passer les voitures et se disait : « Décidément, les villes sont des mers. M'y noierai-je ? »

Il existe en Dordogne une ville nommée Angoisse. C'est dans cette ville que sont nés tous les artistes, sans doute. La Dordogne est une région verte, grasse et solide. L'angoisse y fleurit d'autant mieux.

« Stanley Kubrick, qui était juif, disait : "Les gentils ne savent pas se faire du souci." On voit qu'il ne m'a pas connu, disait Pierre. Dans ces moments, le terrible est qu'on croit que les gens qui nous aiment nous oublient. Les déesses du fond de la mare nous en persuadent. La lumière revient. Elle n'est pas due au soleil, mais aux hommes. Un petit nombre éclaire. » Pierre regardait Ginevra. Elle venait de lui dire, à propos d'un écrivain très peu connu qu'il avait mentionné : « Il a une rue près de chez moi. — Il aurait mieux fait d'être heureux », avait-il répondu. Elle souriait, tournée vers lui, avec une bienveillance de Vierge de Raphaël. Derrière elle clignotait une grande croix verte. Pierre ricana intérieurement puis dit : « Il y a plus de croix de pharmacies dans les rues de notre ville que de croix d'églises. On y achète aussi de la consolation. » De sa voix grave et lente, roulant très légèrement les r, Ginevra répondit : « L'angoisse est une maladie de l'espoir. C'est un virus qui s'enclenche dès qu'il y a danger. Tout va bien, Pierre. »

Ferdinand ressemblait de plus en plus à un tac-tac, ces deux boules en plastique au bout de cordelettes qu'on fait claquer l'une contre l'autre, les boules se balancent, droite, gauche, droite, gauche, et crépitement affolé. Il ne lui restait qu'à se rouler en lui-même, réduit à une boule quelque part au-dessous du plexus qui remontait parfois à sa gorge, et à attendre, bras serrés sur le ventre. Tout augmentait sa noirceur, même ce qu'on lui apportait de rose. Il savait que le rose était là, il s'ouvrait à lui, mais le rose disparaissait dans le noir.

Un gouffre. Ça arrive pour rien, ces choses-là. Une réminiscence épaisse, un pressentiment qui poignarde, des certitudes lourdes, on se dit que l'on n'arrivera pas à sauver ce petit garçon qui coule en soi, et le lendemain ça va mieux. Il faut les lendemains. Qu'on ne nous console pas ! Rien que des choses gaies et des amis qui nous disent dans quelle circonstance nous sommes le mieux ! Nous entrerons dans ce costume. C'est ça, les lendemains ; entrer dans la meilleure idée que les autres se font de nous-mêmes.

« Il faudra que j'apprenne la nonchalance », s'était dit Pierre dans les moments d'héroïsme où il écrivait le dernier roman de sa tétralogie. Et comme, rejetant toute superstition, il lui en restait quand même, le levier étaient les mots : il élabora ces dentelles d'angoisse sur le mot « toit », avec le si poétique passage où il imagine le génie, le grand homme, le fondateur de la famille, le tyran par affection, l'affectueux par crainte de la mort, le tueur de tous les autres, « en train de glisser du toit, FIN ».

examen des dimanches

Le dimanche matin, le député Furnesse hurlait dans le couloir. « Je veux que mon fils déjeune avec moi le dimanche ! La famille est sacrée ! Je n'ai pas eu de père, mon fils doit profiter de moi ! » Il revenait de sa circonscription, où il avait reçu, écouté, questionné, conseillé, s'était montré au marché de neuf heures à midi et demi. Ferdinand devait assister à ce déjeuner de famille sans famille qui se composerait de députés, d'intermédiaires, de gens utiles, des hommes comme la plupart du temps et quand il y avait les épouses elles étaient, ou assommées d'antidépresseurs, ou plus hargneuses que leurs maris. Ils se flatteraient de ne pas faire partie de l'élite. Un chauffeur attendrait en bas le directeur général de l'entreprise de chauffage urbain qui subventionnait la section de son parti qu'avait fondée le député Furnesse, « LVG », « les vrais gens ». Quand Ferdinand était enfant, ils se moquaient du « Sentier » (blagues sur les marchands de tissu avec accent pied-noir), depuis quelques mois c'était « le Marais ». Le député Furnesse et ses amis aimaient résumer géographiquement leur mépris. On ferait des jeux de mots sur « la mare aux pédés », un cultivé rappellerait que le Marais avait été le parti centriste sous la Révolution (« Centriste, beuuuh ! », ferait une femme trapue et très décolorée qui aurait préalablement hurlé : « Les va-leurs, merde ! »). Il y aurait des histoires drôles. Le député Furnesse dirait : « Celle-là, les dames peuvent l'entendre ! C'est un pédé qui dit : "Moi, j'ai des couilles au cul… Mais c'est pas toujours les mêmes !" » Ferdinand à qui l'on n'adresserait pas la parole, sauf pour des jovialités reçues par ses marmonnements (« Alors, Féfé ? On t'oblige à déjeuner avec les vieux pour t'empêcher d'aller voir ta copine ? »), essaierait de ne pas entendre les histoires drôles. Elles aboutissaient toujours à : « Les gens ont besoin d'un chef. » Arriverait le poulet rôti. Poulet rôti, ô sacré poulet rôti, se dirait encore une fois Ferdinand parmi ces trognes, paupières tirées par un coup de griffe de chirurgie esthétique, lèvres au collagène nouées comme un ballon de baudruche, iris flottant dans des boules d'ivoires veinées de rouge, ventres de mappemonde tendant des vestes croisées avec une tache de sauce qui serait devenu le nombril de la scène s'il n'y avait eu le nez du député Furnesse, long, blême, tombant, une chaussette. Poulet rôti, armes de la bourgeoisie française quand les aristocrates avaient des lions ou des léopards ! Poulet rôti qui résistes aux déflations, aux coups d'État, aux invasions allemandes ! Ô Poulet rôti, blason des sans blason sur champ de fourchettes croisées ! Héraldique plus durable qu'aigles à deux têtes ! Hohenzollern tombés, Poulet rôti resté ! Reich de mille ans en dure dix, Poulet rôti reste éternel ! Poulet ! Poulet ! Poulet rôti ô mon Poulet rôti ! Le déjeuner passerait et Ferdinand n'aurait pas laissé leurs phrases pénétrer son intelligence. Muet, le cou bas, un regard torve posé sur son père, il serait surpris de voir le bras de la cuisinière débarrasser l'assiette à laquelle il n'aurait pas touché. Ses amis partis, son père somnolent brancherait la télévision. Qu'elle est moche. Cette tête de cul. Les bons vieux films. Ah ! Napoléon ! Ma première voiture. Je me suis fait tout seul. Ta pute de mère. La gouine du MEDEF. Encore deux mecs qui se roulent une pelle dans une série, c'est une invasion. Il s'endormirait en bavant sur le plastron de sa chemise.

Les angoisses de Pierre augmentaient les dimanches, surtout quand il faisait beau. Il avait l'impression que le soleil entrait par les fenêtres pour le poursuivre à coups de hache. « Dieu qui n'existe pas a inventé les dimanches pour mon mécontentement personnel », se disait-il en regardant par sa fenêtre le square Trousseau vide. Il ne faisait que répéter ce qu'il avait écrit dans un de ses livres :

> Dimanches, autels où l'on sacrifie la vie au rite, la fantaisie à l'obligation, la liberté aux chaînes, le talent à la télé. Le

dimanche, une humanité hébétée de messes, offices, déjeuners, télévision, sport, mâchouille l'assassinat de l'esprit qu'elle n'approuve ni ne désapprouve. Le calendrier de ma dictature sera purgé des dimanches.

« La race maudite c'est nous, pensa-t-il après avoir observé une femme qui était entrée dans le square en vrillant un homme de sa voix criarde. Toujours accablés des plaintes des *épouses*, de leurs récriminations, de leurs larmes, avec des enfants toujours décevants (heureusement, je n'en ai pas). Relations inégalitaires dans tous les cas car quand elles ne sont pas à l'avantage des femmes c'est au nôtre, où nous sommes écrasants, lointains, ronfleurs. L'absence d'embêtements et d'ennui qu'il me semble y avoir chez les autres me rendrait assez envieux. »

L'incarnation géographique du dimanche était pour Anne le XVIe arrondissement de Paris. Ayant un rendez-vous à La Muette, elle repartit sitôt entrée dans l'immeuble 1880 où un escalier à vagues tirait la langue entre deux colonnes de stuc verdâtre, enfin, ce style Louis XIV épaissi pour gros bourgeois lui avait donné un haut-le-cœur. Souriant, elle repassa la frontière de cet arrondissement qui était un temps, comme chacun. Le Ier serait assez Régence, se dit-elle, le IIIe, 1550. Paris serait-elle jamais du XXIe siècle ?

Lors de ce déjeuner du dimanche, le député Furnesse avait dit avec un grand sourire lent de jument : « Qu'ils couchent ensemble, je veux bien, mais qu'ils se marient, non. Tu les vois partager le poulet le dimanche ? En *famille* ? “Coupe-moi une aile, chéri. Moi ? oh ! je prendrai le croupion.” »

UN INVITÉ : — Qui sera le chef de famille ? Il ne peut pas plus y avoir d'égalité dans les familles que dans l'État. Il faut un chef, c'est la nature.

UN AUTRE : — Le mariage a toujours été…

UN AUTRE : — Et ils iront se promener au Jardin d'acclimatation en se tenant la main ? Ridicule.

UNE FEMME : — Avec un petit garçon préfabriqué dans le ventre d'une niakoué qu'ils auront tripoté avant de sortir…

TOUS : — On marche sur la tête !

Pierre laissait tomber des falaises de soupirs. Éteignant la radio d'un geste lent, comme s'il avait eu de la peine à soulever la télécommande, il dit à son chien : « L'éternité, mon cul. » Quittant son appartement, il pensa aux femmes qu'il avait fait venir chez lui. Celle-ci… Celle-là… Celle qui l'avait plaqué contre la cage d'ascenseur en lui donnant un baiser vorace qui voulait dire « pénètre-moi »… La mélancolie approchait, il s'efforça de la chasser. Il avait décidé très jeune que sa vie constituerait à tuer les dimanches. Il traverserait les uns à pied comme un champ de bataille, survolerait les autres en riant, et puis, un matin, le dimanche gagnerait. Il serait mort.

examen de la concorde avec soi-même

« À Paris, si on est malade, on est mort », dit Pierre à Ginevra. Il lui faisait une histoire de sa ville par la place de la Concorde, où elle l'avait prié de l'amener pour le sortir de son quartier, il y rétrécissait, trouvait-elle. Ils se trouvaient au milieu, contre la fontaine et son Zeus en bronze à la couronne redorée mais à la jupe verdie (« On n'a plus un rond dans ce pays »). « La fontaine comme les colonnes rostrales sont de Hittorff, Ignace Hittorff, architecte de la gare du Nord, la plus belle de Paris, et du Cirque d'hiver, à mon estime ce qui se rapproche le plus de ce que devait être un temple grec. Paris lui doit beaucoup et s'en fout. » Parmi les statues des villes de France aux quatre coins, « Strasbourg a été voilée de noir et fleurie tous les jours entre 1871 et 1918 » ; on prétendait, faussement sans doute mais cela montrait la popularité de Victor Hugo, qu'elle avait été modelée sur son amante Juliette Drouet. Hugo était deux fois à la Concorde, poursuivit Pierre. C'est sous la monarchie de Juillet que ces embellissements avaient eu lieu, c'est-à-dire sous le roi le plus intelligent et le plus cupide de France, Louis-Philippe ; « il y a un passage de Hugo où il le rencontre et montre ses grandes qualités ». Et comme rien ne revivifiait plus Pierre que les écrivains, il cita le poème de Théophile Gautier sur l'obélisque, où le vent fait une fellation à cette queue. Il qualifia l'obélisque de « crayon à papier de Paris » et broda une démonstration lyrico-comique et pourtant sérieuse : « L'obélisque est le monument symbolique à la Littérature de la capitale de la France ! Paris gouvernée par un objet écrivant aime les écrivains ! » Ginevra souriait en regardant moins la place que le guide. Pierre avait vu la pointe dorée de l'obélisque installée à la fin des années 1990, grâce à une vieille helléniste aveugle et magnifique, à la voix caillouteuse, qui avait engueulé quelques ministres et imposé une souscription nationale. « C'est alors que les Parisiens (dont moi) ont appris le mot pyramidion. » Il passa sur la décapitation de Louis XVI et évoqua le tableau de Tissot représentant *Le Cercle de la rue Royale* et ses membres, sur la terrasse à colonnes, là-bas, dans ce qui est aujourd'hui l'hôtel Crillon d'où ils venaient (« racheté par des Arabes qui s'achètent aussi des présidents de la République, mais bon »). Dans le tableau, parmi un vrac d'aristos, on voit la légitime fierté des Juifs de la Troisième République, Charles Haas, dont Proust s'est servi pour le personnage de Swann. « Paris... », dit Pierre. Il continua d'une voix plus lente. « Vers 86,

87, l'imitateur Thierry Le Luron atteint du sida a loué une suite au dernier étage du Crillon d'où il pouvait voir Paris. C'était la mort d'un provincial, quoiqu'il soit né à Paris. La ville éblouissante qu'il avait voulu conquérir, il a voulu la voir en partant. Quel hommage. Quelle ville. Quel théâtre. Tout rendez-vous, tout dîner, toute rencontre de Paris est une scène où l'on s'observe, se scrute, joue une comédie qui devient la chose même. Et de cette vie de théâtre si heureusement artificielle, la nature ne s'en approche que sous forme de la mort. Il n'y a pas d'herbe, n'est-ce pas, sur cette place qui est un résumé de Paris. Je rentre chez moi. »

AARON, *d'une voix collée* : — Je n'ai qu'un rhume. Ça n'est pas décent, un rhume. Ces bruits d'éléphant. Ces sécrétions d'égout. J'ai l'impression d'être tout en choses glaireuses et verdâtres. Mon intérieur, beuh ! Le vilain intérieur ! Je ne veux pas savoir comment je suis fait à l'intérieur, moi ! Toutes ces glaires, ce sang, ces tripes, cet humide ! Je suis un sec. Il me faudrait une maladie grave pour me faire plaindre. Je filmerais une vidéo que je posterais jour après jour sur Internet. Plaintive. Et méchante. Ça va souvent ensemble. Moi, ma maladie, moimoimoi. Elle deviendrait culte. Quel artiste mourrait en moi ! Le chantage est une des formes les plus abouties de l'art, surtout quand on n'a pas d'idées.

ARMAND : — Mon pauvre amour, reprends donc du bouillon.

AARON, *reniflant* : — La gentillesse est une très grande chose. Un homme gentil est un homme qui ne fait pas les choses en fonction de son pouvoir. Ce n'est pas tout à fait le cas d'un homme bon. La bonté se mêle de ce qui ne la regarde pas, dans le sens où elle peut vouloir le bien de qui elle aime contre son gré. La bonté peut se tromper, la gentillesse, jamais. Un homme bon et gentil serait peut-être l'idéal sur la terre. Armand, tu es cet homme.

ARMAND : — Bois.

Une capitale est une ville suffisamment géniale pour avoir attiré des génies. Ces esprits singuliers, végétant ou souffrant en dehors d'elles, ont trouvé les ressources de leur génie en y venant s'ils n'y étaient pas nés. Une capitale, c'est une ville qui donne du courage au talent. Victor Hugo a écrit dans la préface au guide de l'exposition universelle de 1867 : « Au xxe siècle, il y aura une nation extraordinaire. [...] Cette nation aura pour capitale Paris, et ne s'appellera point la France ; elle s'appellera l'Europe. Elle s'appellera l'Europe au xxe siècle, et, aux siècles suivants, plus transfigurée encore, elle s'appellera l'Humanité. » Nous n'y sommes pas encore. D'ailleurs, peu de temps après cette prophétie, il y a eu une guerre franco-allemande, et il en a fallu deux autres pour qu'on crée l'Europe. Pour l'Humanité, ce sera long. Hugo, qui est très intelligent, sait qu'en écrivant cela il ne décrit pas un rêve niais, mais qu'il assigne un idéal à Paris. Il lui donne une mission magnifique.

Assis sur son lit, bras croisés sur la poitrine, Ferdinand élaborait l'idée suivante : « Il y a des choses à ne surtout pas se dire à soi-même, particulièrement si elles expriment une vérité. Une vérité élève un mur qui a la prétention d'être infranchissable et par là même le devient. Je n'ai pas de vérité à exprimer. Je ne suis pas une vérité qui se limiterait à une préférence. » À la fin de la chanson « Les femmes ça fait pédé », de Serge Gainsbourg, qui passait à la radio, les présentateurs s'esclaffèrent, firent des blagues sur les gays en présence de l'un d'eux qui était gay et rit plus fort que les autres. « Qu'est-ce qui est pire ? Ce gras, ou le plomb des films, des romans et des débats à la télévision qui voudraient me ligoter au malheur ? Mon père a décrété son existence. "Les homosexuels sont malheureux." Le malheur remplace le vice dont ils nous accusaient jusque-là. Si le malheur passe, ils trouveront un autre mot. Bah, je m'en branle ! » Sur le manteau de la cheminée de sa chambre, une étroite cheminée de marbre blanc aux épaules serrées, il s'était créé un dieu de la masturbation que son père s'il venait fouiller ne pourrait pas deviner : une figurine de Napoléon qu'il lui avait offerte dans son enfance autour des yeux de laquelle Ferdinand avait dessiné des cernes. Décroisant les bras, il dit, à voix haute : « Je vais prendre des cours de boxe. »

L'idée de Paris, comme l'idée de toute chose, a été créée par les écrivains, Hugo, Balzac, Zola, Proust, tant d'autres et jusqu'à nos jours et il y en aura tant que la ville n'aura pas été reconquise par les chèvres. L'opéra, qui est assez bête, en a fixé une imagerie reprise par la comédie musicale, qui n'est pas audacieuse. Le *Louise* de Charpentier, *La Bohème* de Puccini ont inventé (d'après le mauvais roman *Scènes de la vie de bohème*, Henry Murger, 1851) le lieu commun de l'artiste sans le sou à qui il arrive quelque chose de malheureux dans l'opéra, d'heureux dans la comédie musicale. Les spectateurs à trois cents euros la place sont contents. Dans le film *Un Américain à Paris*, qui se passe après la Deuxième Guerre mondiale, on dit de l'héroïne que ses parents ont disparu en Europe centrale, sans que soient nommés les camps de la mort, puis entrechat ! Les clichés résistent aux guerres. Les peuples sont rassurés. Ils n'ont pas été mauvais. On peut revoir la carte postale des vacances anciennes, avec l'azalée retouchée en rose vif au premier plan. Tout cela avait été signalé par Pierre Hesse, un natif de Paris qui avait si bien été Paris dans *Il me faudrait un petit palais*, le fameux chapitre sur les bars d'hôtel, à vingt-huit ans il les aimait déjà, c'était alors moins pour le confort que parce que, désireux depuis son adolescence d'accéder au paradis de la littérature, il refaisait ce que des écrivains aînés avaient fait, on ne devient pas un écrivain sans se prendre pour un écrivain. Quant à devenir un génie si on ne se prend pas pour un génie c'était une question douloureuse qui revenait le piquer aléatoirement, douloureusement, comme quand, avant cette visite à la Concorde il attendait Ginevra et se disait :

Rempli de champagne je suis parcouru de guirlandes de bulles aigres avachi dans le fauteuil de ce bar d'hôtel où j'attends Ginevra que j'ai conduite à croire qu'elle me forçait à lui faire visiter la place de la Concorde alors que je l'ai voulu et ai voulu lui laisser croire le contraire ne tenant pas à rabaisser cette femme énergique qui fait déjà beaucoup ce que je veux je marmonne en moi-même tout en regardant droit devant et que te dis-tu ô grignoteur de tes propres souvenirs écureuil tenant entre ses pattes fébriles la petite boule d'angoisse de son passé grignote grignote grignote que ton prochain livre (ah ah ah) s'intitulera Paris à vendre *alors observant droit devant moi mon rêve sombre et séduisant je vais poursuivre lentement cette idée avec des plongées d'où je remonterai avec des pensées encore plus empesées et brillantes que je savourerai n'étant interrompu par personne il y a déjà bien assez de soi-même dans la vie* Paris à vendre Paris à vendre Paris à vendreparisàv Le Vendre de Paris bouarf bouarf bouarf *comme une vieille actrice comme un chevreuil quand le printemps détruit comme un vol de gerfauts sur le charnier natal comme un qui s'est perdu dans la forêt profonde c'est curieux ces poèmes commençant par « comme un » qui me reviennent sont tous sinistres mais « c'est curieux » n'est pas un raisonnement ils sont peut-être tout ce que les câbles noirs et luisants de ma triste mémoire acceptent de remonter comme une vieille actrice vendant aux enchères les robes où elle a chanté d'antiques succès Paris vend ses trésors aux barbares… Comment pense-t-on ? Quelle est la forme de mes pensers ? J'ai lu* Les lauriers sont coupés *de Dujardin et le monologue de Molly dans* Ulysse, *du coup je pense que je dois penser sans ponctuation. Au reste, si je m'en souviens bien, dans* Les lauriers sont coupés, *Dujardin fait penser son personnage en points de suspension, son livre y prend l'air d'une soupière de petits pois. Pour* Ulysse, *ce gros sudoku pour diplômés cherchant à s'occuper tous les week-ends de leur vie… Ah, il lui sera beaucoup reproché d'avoir été exagérément impoli avec le lecteur, lui demandant autant d'efforts pour parfois aussi peu de résultats ; mais bien sûr il faut prendre le tout, l'impression d'ensemble, encore qu'on ne juge pas un livre sur son intention, sans quoi tous seraient sublimes. Mon flux de conscience, comme ont dit les universitaires sur lesquels ce rusé de Joyce a placé son jeton, et il a touché trente-six fois la mise, ah ces paresseux aiment volontiers paître au même endroit, pour se rassurer sur l'utilité de leurs recherches, sans doute, et mettre des noms de notions sur ce que le génie a trouvé sans chercher, pour rabaisser sa part de légèreté, peut-être, voulant faire accroire que tout ce qu'il a écrit était planifié et voulu, pour suggérer que si eux-mêmes voulaient, ils pourraient, indubitablement (Joyce il est vrai y aide bien) (et pourtant je l'estime ce roman qui m'enrage, je l'emporterais en cas d'emprisonnement, ne serait-ce que pour avoir suffisamment de marges pour écrire un livre à moi tout autour)… Que disais-je ? mais je ne dis que disais-je que par politesse et mensonge, ne perdant jamais le fil de mes pensées, puisque d'ailleurs c'est un cliché et que j'en ai horreur. Je me rappelle très bien où je voulais en venir. Et où je voulais en venir, chère Mme Woolf sur qui* les fans d'Ulysse ont beau dire que vous l'avez méprisé parce que vous étiez en train d'écrire votre propre roman dans la tête d'un personnage, Mrs. Dalloway, cette explication me paraît surtout révéler la mesquinerie de qui la donne, et d'ailleurs vous êtes très rigolote, si je peux employer cet adjectif à propos d'un membre du vaporeux groupe de Bloomsbury, quand, dans votre Journal, vous dites d'Ulysse : « Quand on peut avoir la viande cuite, pourquoi l'avoir crue ? », je voulais donc ah que ce donc vous soulage mais ne soupirez pourtant pas trop tôt je voulais Virginia en venir à ceci : quand je réfléchis, je forme des phrases. Je pense en phrases. Je ne suis pas, ni personne je pense, un creuset où un magma de mots s'écoulerait pour être martelé par la suite. J'ai un très ordonné appartement intime, malgré ma mauvaise santé nerveuse. (Trois phrases d'affilée ayant commencé par « je ». J'ai ajouté la troisième parce que était arrivée la deuxième ; si j'avais écrit ceci au lieu de le penser, j'aurais peut-être supprimé la deuxième, et alors, pas de troisième. Dans mon esthétique, deux est une erreur, trois est une raison.) Pour moi, écrire ne consiste pas à faire des phrases, mais à faire une phrase. Un livre est une seule phrase. Une œuvre est une seule phrase. D'un écrivain il ne reste jamais, au mieux, qu'une phrase. La mienne ?... Il m'a semblé nouer quelque chose avec la dernière phrase de mon dernier livre. Tout ce que j'avais tenté de dire était enfin dit, par cette phrase, une phrase très simple mais d'une certaine forme, à l'assurance souple, si je puis dire, comme dans un dessin animé où aiguilles, ciseaux et tissus volètent pour que, vite et légèrement, la robe se mette en forme. Commencer un nouveau livre déséquilibrerait cela, m'obligerait à repartir dans une aventure de forme, si difficile, si difficile. À retourner à ce métier de forçat, où on dépense des millions d'imagination pour des centimes de récompense. Il y a plus de génie dans une phrase de Joyce que dans cinquante ans de slogans d'un publicitaire, et il ne gagnait pas de quoi s'offrir sept chemises par an. Les Qataris achètent les vieux palaces de ma ville et en font des trente-étoiles pour leurs semblables, les milliardaires de partout, et les Parisiens n'auront bientôt plus les moyens d'y boire un verre. Les Parisiens seront à Paris comme les Arabes et les Berbères à Alger avant 1962, à regarder avec haine les colons qui s'amusent dans les beaux quartiers qu'ils ne peuvent plus que traverser. Les Chinois achètent des hôtels particuliers qu'ils évident de leurs lambris et transportent dans des banlieues de Pékin où ont champignonné des centaines de palais copiés de Versailles. Les Français feront un jour comme les aborigènes, à réclamer qu'on leur rende des objets accaparés par des voyageurs ignares. Les Russes corrompent ma ville en y déversant des Volga de pognon, entre autres par le biais d'une église orthodoxe qu'on est en train de construire dans le VIIe. Ce sera bien joli, ces oignons dorés au pied de la tour Eiffel. On aura un arbre de Noël toute l'année. Les Français seront bientôt comme les pays satellites de l'URSS, obéissants en ayant l'air électoralement libres. Et c'est là que, si Ginevra était avec moi, je me demande comment elle prend le fait que nous ne couchions plus ensemble, ce n'est pas non plus qu'on l'ait fait si souvent, c'est là que Ginevra tournée vers moi mettrait un sourire fin sur son beau visage virilisé de grande femme ayant dépassé cinquante ans et répondrait que eh bien, les Français deviendront comme les Italiens, sceptiques, c'est-à-dire vaniteux, et fatalistes, c'est-à-dire amers, et débrouillards, *c'est-à-dire sans honneur, en un mot vivants, mais morts. Et une fois Paris éteinte, l'Europe sera morte, ayant elle-même apporté trop de finesse à un monde qui ne voulait plus en supporter le soin. Merci pour la consolation, dirais-je à Ginevra en souriant enfin, et... la voici. Allez ! mes reins, à la fontaine !*

haïr

pratique de l'admiration haineuse

— Au 12, elle habitait au 12. Elle était fauchée, enfin comme quelqu'un qui vit avenue Montaigne et a une gouvernante. C'est bien moche, ces cigarettes électroniques.

Et Pierre, qui se mettait à avoir des franchises offensantes (elles n'étaient que des esquives d'abeille rencontrant un obstacle), raconta la fin de la vie de Marlene Dietrich à Ginevra qui un peu cabrée écartait sa cigarette. Retirée à Paris, l'actrice reçut une lettre : « Madame, je vous admire depuis ma jeunesse. Dans *Le Jardin d'Allah*... *L'Entraîneuse fatale*... » Sans se décourager de l'absence de réponse, l'admirateur, qui se présentait comme un riche Californien de soixante ans, réécrivit. « Et vos chansons, madame ! Quel charme, quelle sensualité ! Marlene (vous permettez que je vous appelle comme je vous ai toujours appelée), comme j'aimerais venir vous voir ! » Lettre suivante : « Vous me déprimez tellement en ne me répondant pas que je consulte un analyste à quatre-vingt-dix dollars de l'heure. » À l'intérieur de la star fauchée, un comptable se réveilla : « Plutôt que de dépenser sottement votre argent, donnez-moi vingt mille dollars et je chanterai pour vous, pour vous seul », répondit-elle enfin. L'homme sonne au 12 de l'avenue Montaigne, petit immeuble ennuyeux, à droite quand on tourne le dos à la Seine. On l'installe dans un canapé en tissu un peu sale. Les stores sont baissés, la pièce ne sent pas très bon. Marlene Dietrich entre. Maltraitant ses articulations de quatre-vingt-cinq ans, elle a enfilé la robe à sequins qu'elle portait au Royal Albert Hall de Londres pour son dernier récital, bien des années auparavant, et qui lui fait encore, avec l'aide d'une gaine renforcée, un corps d'amphore. Un geste sec, elle commence. « Vor der Kaserne, vor dem grossen Tor… » À la troisième chanson elle reconnaît, après une certaine hésitation car elle n'a pas mis ses lunettes, les gestes bizarres du médecin. Il se masturbait. « Destin des stars, conclut Pierre en se resservant de champagne. Elles ont commencé comme ça, heureuses si elles finissent comme ça. Toute gloire est liquide. Stars : sperme. Hommes dits d'Etat : sang. Scribouillards… : champagne. »

Les peuples aiment si peu les artistes qu'ils en ont fait des stars. On peut les humilier par des ragots et des photos de leurs rides. Le grand public se console de son état qu'il ne trouve plus si piteux.

« Une des plus éclatantes preuves de la haine des artistes, disait Pierre : les toux dans les théâtres. Il n'y en a jamais au cinéma. »

La méchanceté provoque souvent l'admiration, à Paris. Aaron qui était spirituel et gentil laissait derrière lui des traînées de regards pointus, de bouches tordues, d'épaules ramassées, de paumes griffées, de teints pâlis. C'étaient les mêmes qui, quand ils avaient la possibilité de gâter quelque chose de beau, le faisaient. « Quel est l'homme qui a décidé de placer un arrêt de bus juste devant le monument à Barye, sur l'île Saint-Louis, près du pont de Sully ? Et je parle du pays qui a le plus grand sens de l'élégance au monde », disait ce natif étranger. Il savait que les calomnies qui rampaient sur lui au BHV avaient pour source un collègue, petit, l'œil trop franc, le menton pendant et du poil aux lobes de ses longues oreilles. Il était laid comme un fruit de mer, disait Aaron. La vengeance des laids est une des grandes causes d'action dans l'humanité.

Ginevra aurait bien voulu que Pierre fût plus menteur. Son besoin de mensonge était assouvi dans les interviews. Depuis qu'il avait cessé d'écrire, on l'interviewait de plus en plus et il inventait pour éviter l'ennui des répétitions. Cette création supplétive lui suffisait. Ginevra lui parla du « Nessun dorma », de *Turandot*, dans la version de Beniamino Gigli, ridicule et bouleversante ; ah, ce bel canto, tant aimé par nos grands-parents ! « Tout ce qui est bouleversant pour une génération devient ridicule pour la suivante, lui répondit Pierre. Il en faut encore une sinon deux pour que l'idée de ridicule soit éventuellement chassée. L'important est de se maintenir pendant disons, vingt-cinq ans, après sa mort. » Dans une interview du temps joyeusement fanfaron de ses premiers succès, il avait dit : « Le ridicule sauve. Je veux être ridicule. » Mais comment, avait répondu l'intervieweur, vous êtes un auteur respecté. « Précisément, dit Pierre sur qui le cameraman fait un gros plan. Le respect est une notion mortifère. Un auteur qu'on respecte, plus besoin de le lire. Le ridicule est l'étape à passer pour atteindre la gloire. Victor Hugo a été ridicule. Tout écrivain de talent qui prenait trop de place a été ridiculisé. Les gens nous haïssent, vous savez. »

Les vraies raisons de la haine sont toujours cachées, puisque c'est la haine. Visant à l'efficacité, elle se tait, inventant tout au plus des raisons latérales destinées à détourner l'attention. Au lieu de dire elle-même le mal qu'elle pense, elle le rapporte comme provenant d'autres. « Des collègues sont venus me dire de Alt : "Mais enfin, Aaron, c'est un sale con ?" » Le vendeur du BHV qui haïssait Aaron était toujours guilleret. Quand Aaron arrivait, il lui disait une saloperie joviale. « On rigole, eh ? » La vendeuse du rayon Électricité dit à Aaron : « En France, nous avons fait des blagues sur les Belges pendant quinze ans. Nous devrions leur demander pardon. C'était une espèce de pétomane qui racontait ces plaisanteries ineptes et on avait beau dire que, portant une salopette et un nez rouge, il se moquait aussi de ceux qui le disaient, *il le disait quand même*. Dire en riant empêche qu'on se révolte sans passer pour un qui ne comprend rien à l'humour. Le piège est parfait. »

Armand avait l'habitude de la haine, il travaillait dans une entreprise. « Elle est une émulation pour certains. Ils finissent avec des visages dévastés. Souvent, le haïsseur se hait. » Aaron : « Bien fait. » Armand reprit : « On croit que les brutes sont des velus qui grognent. Il y a des barbares à cravate, tu sais. Je me répète ? Ah ! ça ne cesse de me blesser. » Il serra le col de son manteau. Paris ce matin-là avait l'air d'une vieille pincée ayant mis un vilain chapeau par haine du soleil. Tout était aigre, soupçonneux. « Une bête à dos ondulant serpente dans la ville, dit-il. Il faut la nommer, la paralyser en lui donnant son nom. Jusque-là, il était politique de la contenir par une lutte discrète sans la nommer. C'était à cause de la masse, qu'on dit neutre mais dont la neutralité penche vers l'accommodement avec le mal. Maintenant qu'elle le voit défilant et pour ainsi dire légitimé, elle risque de lui donner son soutien hypocrite. Elle ne se retiendra que si on lui dit : masse, voici la haine. »

Gustave à qui il avait fait la même démonstration au bureau n'avait pas été convaincu : « Le peuple, j'en viens. Le peuple est aussi corrompu que l'élite, avec moins de talent. Il n'y a que la moyenne bourgeoisie qui soit honnête, en France. Un moyen bourgeois français, c'est un ange. » Armand ne fut pas surpris de cette intransigeance et ne songea pas à contester une pensée qui n'avait aucune influence sur le comportement de Gustave, si déférent avec le personnel, ni à dire que la moyenne bourgeoisie, qu'il connaissait mieux que lui… Il raconta une coupure d'électricité qui avait figé New York pendant trois jours : « Au bout d'une heure, des hordes armées de battes de base-ball pillaient les magasins. Les serial killers ont vu leur jour de naissance arrivé. Plus de métro. Le peuple était à nouveau piéton. Les ascenseurs restaient bloqués comme des pierres, les tours étaient devenues des stalagmites. Ce qu'on appelle la civilisation peut s'arrêter en une minute et la préhistoire revenir dans le même temps. Le mal s'installe beaucoup plus vite que le bien. Le bien disparaît sans résistance, il faut des guerres pour repousser le mal. »

Ah, la tirade du maréchal de *La Grande Fenêtre du premier*, comme elle a été lue, relue, soulignée, recopiée, bloggée, tweetée et reste adorée !

Avec l'intransigeance hautaine qui, selon certains, était la manifestation d'enthousiasme de ce timide, le maréchal se leva (léger à-coup au moment de déplier les reins) et, sa belle main bleuie tremblant sur sa canne, il se racla sa gorge avec un bruit de camion :

— L'humanité aime tellement les assassinats, ceux qu'elle commet et ceux qu'elle observe, qu'elle sait très bien et répète finement que le 21 janvier est le jour anniversaire de la mort de Louis XVI et de celle de Lénine. Elle aime tellement peu ce qui pourrait l'élever que, dans la bassesse où elle barbote avec bonheur, elle ignore que c'est le jour anniversaire de la mort d'un grand poète, Blaise Cendrars.

Et, s'étant rassis (à-coup, reins), il eut un sourire espiègle.

Chez certains, la haine est une rage de ne pas avoir obtenu ce qu'ils estiment leur être dû. Et ils crachent sur les statues, admettant leur divinité. Cette haine est de l'admiration.

« Ils ne savent pas haïr », dit un doux homme de pouvoir en regardant des émeutiers de fin de manifestation à la télévision. « Ils croient haïr », dit un assassin méthodique en entendant des adolescents en bande dire des atrocités naïves sur d'autres. « Quant au loup, ce n'est point par haine de l'agneau, mais par amour pour soi qu'il le déchire et le dévore », dit Marsile Ficin dans le *Commentaire sur* Le Banquet *de Platon*.

La cause suprême de la haine, c'est l'amour.

pratique de la rage

Jules entrant au café des Grands Hommes apprit au monde que, ce matin de printemps, l'amphithéâtre du droit civil à l'université Paris-Sorbonne avait hué son professeur. Il avait fait un commentaire méprisant sur le projet de loi ouvrant le mariage aux couples de personnes de même sexe. Comme il insistait, les huées s'étaient transformées en rires, sifflets, hou, hou, hou, joviale bronca qui l'avait fait blêmir. « Gloire aux étudiants en droit civil de l'université Paris-Sorbonne ! », clama Ferdinand. Jules précisa que, dans cette affaire, peu de métiers étaient plus réacs que les profs de droit. Dans les amphithéâtres, précisa-t-il, les étudiants religieux se plaçaient au premier rang, à commencer par les musulmanes en voile : « C'est la rage rentrée signalant qu'elle veut prendre le pouvoir. » L'étudiant en philosophie approcha, lent, calme, les mains derrière le dos comme un ministre ou un pigeon. « Islamophobie », dit-il. Il suivait les cours d'un professeur vénéré pour son inhumanisme. Ancien maoïste, pro-génocide au Cambodge, métaphysicien prêt à transformer en mystique toute idée politique, antisémite par insinuations et homophobe par paradoxes, il avait créé un fan-club par la séduction de son dogmatisme. L'étudiant poursuivit : il y avait « des nuances à établir sur la question de l'homosexualité ». « Quelle question ?, demanda Ferdinand. Qui la pose ? » L'étudiant dit : « Les nuances ! Les nuances ! », d'un air douloureux, comme si un grincement lui avait percé les oreilles. « Je suis contre les nuances, dit Ferdinand. Le chef d'orchestre Furtwängler a justifié dans une lettre pleine de nuances ses directions d'orchestre devant Hitler. Avec des nuances, on peut tout faire admettre. Toscanini lui a répondu avec simplicité : "Quiconque dirige sous les nazis est un nazi." C'est par ce genre de péremptoire qu'on se sauve. » Jules le regardait les yeux grands ouverts. « Tu trouves que *les homos* en font trop ? Eh bien je vais te dire une chose : ceux qui sont contre ce qui est contre le mal sont pour le mal. » L'étudiant ayant prononcé le mot « Heidegger », Jules sauta dans la conversation : « Voilà ce que c'est que la nuance, garçon : c'est Heidegger distinguant le "national-socialisme spirituel" du "national-socialisme vulgaire". Évidemment. Il s'agit de persuader que l'ignominie qu'on commet est distinguée. La nuance ? C'est dire : "Je ne suis pas homophobe, mais je refuse aux homos un droit qui ne m'affecte en rien." La nuance, c'est le scalpel du salaud ! La nuance… ? » À son tour, Ferdinand regardait Jules les yeux grands ouverts. Il l'avait *suivi* ! Il reprenait un de ses arguments, avec sa persuasion moqueusement virile ! Il l'adorait pour cela, bien plus encore que pour les flammèches de ses cheveux roux, ses longs bras maigres, sa peau trop pâle avec quelques trous. Ou ceci, et cela. Jules continuait à empêcher l'étudiant en philosophie d'émettre un son (bouche en O, dents comme des souches d'arbres) : « La nuance, c'est Pol Pot se mettant des faux cils ! » Haussant les épaules, l'étudiant marmonna : « Duo de pédés. » Il dut partir sous les « Connard ! ».

JULES : — Je suis pour la criminalisation des injures homophobes faites en présence de plus de deux personnes.

FERDINAND : — Je suis pour le poing dans la gueule de ces gorilles.

De vagues hordes demeuraient dans les rues une fois les manifestations terminées. Ces violents attirés par des sirènes à chant de mort arrivaient d'on ne savait quelles caches souterraines, on cassait la figure à celui-ci qui paraissait gay et ne l'était pas, à celui-là qui ne le paraissait pas et l'était. On brisa des vitrines jusque dans le XIXe arrondissement où les gays se seraient gardés de *provoquer* les cailleras souples parmi lesquels, aussi bien, on aurait trouvé des gays enterrés dans la terreur et d'autant plus prêts à « casser du pédé ». À Montparnasse, un garçon et son compagnon qui attendaient le bus se tenaient la main. Ô mon très cher amour, toi mon œuvre et que j'aime. « Vous êtes dégueulasses, bande de pédés ! », cria une espèce de géant qui voyait une bande dans deux personnes. Il donna un coup de poing à l'un, l'autre le repoussa et sortit son téléphone de sa poche. « T'appelles les flics ? Je vais te crever, pédé ! » Le valide tirant le blessé qui tenait une main en conque sur son œil, ils se réfugièrent dans une épicerie d'où, en hommage au bon temps de l'Occupation sans doute, le propriétaire les chassa, et ils se firent mieux tabasser à la sortie par le géant enragé, eux tentant de se défendre contre ses bras d'un mètre ; il s'enfuit après avoir pris leurs deux crânes par les cheveux et les avoir entrechoqués, jetant l'un des deux sur le trottoir. Un policier s'exclama : « Putain d'homophobe, on va pas le louper ! », courut trente mètres et le mit à terre, un genou dans les reins. « Âgé de vingt-deux ans, cet animateur d'un club de sport venu manifester avec des amis d'une banlieue élégante de l'Ouest parisien a assuré ne pas être homophobe mais n'avoir pas supporté que les deux hommes "s'exhibent" » (Agence France Presse). Un ami de première année de Ferdinand dont les parents avaient défilé dans toutes les manifestations antimariage sortit du centre de dépistage gratuit du Marais, c'est dans ce quartier qu'il avait voulu faire son premier test ; blessé, humilié, éperdu, il s'était précipité dans le sexe et plus ça avait été dangereux plus il avait eu l'impression de casser la prison où on voulait le faire rester. Il ouvrit l'enveloppe avec espoir : séropositif. À l'Assemblée, le député Furnesse se félicitait de la prise de position contre le mariage gay, dans les termes les plus intransigeants, de deux anciens Premiers ministres de gauche (qu'il avait jusqu'alors aspergés d'injures), au nom de la protection du couple traditionnel ; « et l'un cosigne sa tribune avec sa femme, philosophe de renom : elle confirme que la nature n'atteint son équilibre que si on est élevé par un papa et par une maman ». Ferdinand à qui un ami rapportait ce propos par SMS répondit ah merde, je ne suis donc pas équilibré ; SMS de l'ami : « Ces deux donneurs de leçons sont divorcés, l'un pas moins de trois fois, et l'autre a un enfant hors mariage. Que le sentiment de culpabilité peut rendre certains hommes fatigants ! »

« La cuisine, c'est bon parce que c'est de l'amour », dit Armand en décapitant une anguille. Aaron ferma son stylo et mit un index entre les pages de son livre. Le passage du dictionnaire de citations qu'il venait de lire disait :

> « Le contre aidé du moins part toujours en guerre et donne le signal des jours de haine. »

Suite de la conversation au café des Grands Hommes : « Bah, dit Jules, il y a une homophobie rigolarde qui n'est pas grave. — C'est l'humour de la nuance, répondit Ferdinand. Nuance, ô caresse de la haine ! — Tu as raison. *["Tu as raison !", répéta Ferdinand dans son for intérieur.]* Il n'y a pas d'homophobie rigolarde. Il n'y a pas de modération dans la haine. Toute expression de haine contre une minorité qui veut se faire passer pour légère est un désir de mort, et elle le sait bien. Merde ! » Son verre de bière gicla comme un geyser.

En traversant la Seine, Ferdinand passe devant Notre-Dame. Il se dit : « Tiens ? le pilier. » Après avoir patienté derrière des touristes sud-américains tout petits et tout ronds sous des ponchos en plastique puis passé entre deux vigiles, il cherche puis observe le pilier devant lequel Paul Claudel a eu ou prétendu avoir eu ou s'est créé une révélation. Ça ne lui a pas fait grand plaisir, se dit Ferdinand qui vient de parcourir son *Journal* : il y étale un ciment de haine sur tout et tous ; certains se procurent un Dieu comme on transforme un Boeing en bombe. La conversion serait-elle une hystérie ? Rêverie là-dessus. Une vieille dame admire ce beau jeune homme blond recueilli sur sa chaise, la tête penchée, comme un saint de tableau. « La piété revient. » Ferdinand se dit : « Mon père me hait. » Quel mystère. Mon père me hait. Levant les yeux, il aperçoit, vers la mi-hauteur du pilier, décalée, comme cherchant à se dissimuler à sa vue, une petite sculpture de deux personnages fesses en l'air, l'un cornu, qui, avec un grand rire, passe la main dans les cheveux de l'autre, plus jeune, un enfant. Je le connais, ce geste, pense Ferdinand. C'est le geste de la haine. Mon père l'a eu plusieurs fois et il y a déjà longtemps. Le dimanche, lorsque j'étais enfant et qu'il voulait persuader ses invités de son affection pour moi, il entrait dans la salle à manger en me frottant les cheveux avec le même rire tordu que ce démon. Cela m'irritait la peau du crâne. Je l'irritais. Mon existence même lui était une gêne. Il me haïssait déjà. La main dans les cheveux est le geste du pouvoir qui rêve de tuer. Et soudain, révélation : « Je le hais. » Ferdinand en est frappé. « Incroyable. Je n'osais pas me le dire. C'est pourtant simple. Il me hait, je le hais. Et l'un n'est pas la conséquence de l'autre. Il m'a haï d'abord, pour ce que j'étais, et je ne le haïssais pas. Maintenant je le hais, mais ce n'est pas parce qu'il me hait. Je le hais parce qu'il est haïssable. » La vieille dame qui s'était retournée avec un sourire est surprise par son regard dur, ses mâchoires qu'il serre. « Ma haine est raisonnable. Elle ne comporte aucune passion. Je le hais avec indifférence. » La vieille dame est effrayée par cette tête de fou. Serait-ce le diable ? « À coups de sous-entendus vulgaires, de menaces vagues et de paroles hétérosexualisantes, il tente à toute force de m'empêcher de sortir de ma cage. On se met dans des placards pour échapper au mépris. Hélas, tous les placards sont roses. On y reste. Dieux du désir et de l'angoisse, comme je suis heureux dans le mien. Il est mon armure intérieure. Il m'aide. Il me trompe. Il est mon armure extérieure. On ne peut m'approcher, mes élans sont bloqués. J'en sors. Je n'ai plus peur. Mon père est mon ennemi, je le sais maintenant. Je pourrai lui nuire. Si un jour paraît sur instagram une photo de lui avec une de ses escorts, elle aura été diffusée par mes soins. » La vieille dame tend le cou dans toutes les directions. Le jeune homme est parti. Il a laissé, sur le dossier de sa chaise, un blazer à boutons dorés.

facilités

mode d'emploi de la sympathie

La drag queen invitée au dîner du lampadaire avait l'air antipathique. Elle se tenait droit, vingt centimètres plus haut que les autres à cause de son faux cul et de sa perruque en cheveux blancs et perles, et se taisait, idole. Gustave était un des banquiers les plus sévères de la banque où travaillait Armand. Ne souriant pas quand on lui rapportait le mot de Bertolt Brecht : « Il y a pire que de voler une banque : c'est d'en fonder une », il répondait : « Il y a pire que le théâtre de boulevard, c'est le théâtre de boulevard communiste de Brecht. » Il n'était pas à gauche. « Ni gauche ! », disait Aaron qui a fait de meilleurs jeux de mots. Des heures de maquillage, d'apprêt, de corset, pour devenir cette forteresse. Aux phrases amusantes qu'on lançait à table, Queen et Tais-toi (son nom de créature) ne répondait rien.

À propos d'un homme mal élevé et puissant à qui quelqu'un avait envoyé un mail flatteur, la femme d'un architecte : — Il faut donc être un ours pour avoir du miel.

Impassibilité de la reine.

ANNE, *ayant regardé vivement en arrière et s'étant écartée sur sa chaise, mais non, personne ne passait de plat* : — Le peintre Bouguereau est surtout montré dans les musées américains. Il est si… lisse, si… brillant, si… parfait. C'est une… Cadillac.

Impassibilité de la reine.

L'ARCHITECTE : — Je ne veux plus aller avec ma femme dans les brocantes. Nous sommes si vieux qu'on nous garderait.

(Ils avaient trente-huit et vingt-six ans.) La reine leva un sourcil.

ARMAND : — Qui déjà a demandé à je ne sais plus quelle vaniteuse à particule qui ne parlait que d'elle depuis une heure si elle ne pourrait pas avoir des idées générales ?

AARON : — Jean Genet. Elle n'avait pas de particule. Sa misogynie était sans préjugés.

La reine éclata de rire. Ayant anéanti son sortilège, elle n'eut plus qu'à se mêler à la plèbe parlante. Elle le fit de très bonne grâce quoique sans se départir des obligations d'étiquette. Elle posa la main en lévrier couché sur la table, pinça les lèvres, et pour faire plaisir loucha deux fois. Elle s'exprimait dans un français excessivement correct, légèrement daté, spirituellement suave. Tout cela dénote une absence de naturel charmante, pensa l'architecte. En rapportant les verres à la cuisine, Armand, son collègue à la banque qui avait promis de ne pas le répéter, révéla que Gustave s'était modelé sur le personnage de Madame dans *Les Aristochats* de Walt Disney.

— Je voudrais des drag queens à mon enterrement, dit Aaron en rangeant les verres dans le lave-vaisselle. Ça et un bataillon de la Légion étrangère.

Ceux qui rencontraient le député Furnesse dans sa circonscription, dans les salles de maquillage de studios de télévision, dans toutes les circonstances publiques, revenaient charmés par cet homme qui souriait, posait des questions sur votre famille, offrait un verre. Certains en déduisaient que, s'il allait fort dans ses attaques, on voyait bien qu'il était sincère, il ne leur voulait pas de mal, et puis, il n'avait pas entièrement tort. « On sait bien que, de nos jours, la position la plus avantageuse n'est pas d'être hétérosexuel, blanc et chrétien ! »

Il faut parfois avoir eu besoin d'esprit pour en avoir. Aaron avait été un petit garçon boulot, à cheveux frisés, à gros nez rond, qui marchait la tête encadrée par les épaules relevées. Il était devenu cet homme d'esprit, et d'en avoir acquis lui avait donné une assurance qui l'avait physiquement modifié. On le voyait plus beau. Tartiflette avait été une quasi-naine à grosses lunettes ovales qui se faisait griffer par les méchantes de l'école. Elle était devenue cette femme d'esprit, et d'en avoir acquis lui avait donné une assurance qui l'avait physiquement modifiée. On la voyait plus grande. L'un des deux avait dit : « L'art de la conversation, c'est celui de me laisser parler. » Et l'un et l'autre l'avaient peut-être dit, car ils s'aimaient beaucoup et s'empruntaient des expressions. Et comme et l'un et l'autre aimaient aussi citer leurs lectures, Aaron, les moralistes et les humoristes français, Tartiflette, les excentriques et les humoristes anglais, leur conversation était un pop-corn de répliques où il n'y avait plus d'auteur, ni Aaron, ni Tartiflette, ni Nicolas Chamfort, ni Edith Sitwell, mais le chœur des réprouvés pour telle ou telle raison qui avaient vengé leur laideur, leur homosexualité, leur judéité, leur bâtardise, leur claudication, leur génie, par des phrases qui n'étaient pas des vengeances, mais des balles lancées pour rendre la vie supportable.

Histoire drôle racontée par le député Furnesse au maquillage d'une émission de débat (il est devant un grand miroir avec une serviette en papier en bavoir, sans ses lunettes on voit mieux ses yeux très pâles) : « Un homme se présente au domicile d'André Gide. Il sonne à la porte. Un maître d'hôtel ouvre. Le maître d'hôtel demande : "C'est pour le Maître ?" Et le visiteur répond : "Non, c'est pour le voir !" » La maquilleuse ne sourit pas, soit qu'elle fût concentrée sur son travail, soit qu'elle eût un frère gay, mais l'homme qu'on maquillait à côté du député, un chroniqueur qui devait lui poser des questions, éclata de rire. En arrivant sur le plateau, il

dit à la productrice : « Il est vraiment sympa, Furnesse.
– Très sympa. Et en plus, bon client. Chauffe-le-nous un peu, chéri. »

Queen et Tais-toi s'était laissée aller à permettre une brève apparition de Gustave en elle, trouvant un peu fort que, alors que tant d'immigrés illégaux réussissent à travailler sans être inquiétés, il avait fallu deux ans d'« impedimenta » (son mot) et toutes les relations d'Armand pour qu'Aaron obtienne un permis de travail. « Ils réussissent à travailler, mais dans quels pénibles métiers ?... », dit Aaron, remarque dont personne ne tint compte. On raillait une mégère connue. Cela dura, et dura, et dura.

TARTIFLETTE : — Dans les dîners de Paris, on ne mange pas, on déchiquette.

ARMAND : — Les Français ont tellement peur de ne pas avoir l'air spirituel qu'ils ont fait du mot "gentil" une injure. Ça nous juge.

AARON : — Ne croyez pas que j'ai la langue aiguisée de nature. Enfant, je n'aimais que rire entre mes peurs. J'ai constaté que j'étais haï pour ce que j'étais, et je me suis défendu. La langue devient lame. Si on s'en sert pour se défendre, les méchants vous accusent d'être méchant. "Il est dangereux, ce canasson", dit-on du cheval à qui on vient de donner un coup de pied et qui rue.

La table était couverte d'une nappe blanche à broderie blanche qu'Armand tenait de sa grand-mère, avec des assiettes blanches et des couverts en argent, l'éclat venant des verres, deux devant chaque assiette, à facettes de couleur, topaze, grenat, bleu velours, menthe, vitrail sur un champ de neige. Queen et Tais-toi caressait le tissu du bout des doigts (au majeur, gros cabochon en plastique).

L'ARCHITECTE : — Furnesse tient des discours extrémistes par cynisme, il y renifle un intérêt électoral. Il pourrait dire exactement le contraire.

AARON : — Oui, mais il le dit. Et je le crois. Notre défense vis-à-vis des puissants, c'est de les croire. Tu as dit cette énormité ? Je te crois. Je te la rappelle. Justifie-la. Tu esquives ? J'y reviens. Il faut toujours croire à la sincérité des gens. D'abord, hélas, elle peut être authentique.

Étant d'accord, ils discutèrent longtemps et fructueusement.

Parmi les bons amis du député Furnesse se trouvait un couple de trentenaires, sympathiques, souriants, elle notaire, lui lobbyiste pour une entreprise multinationale de services informatiques. Très libéraux du point de vue de l'argent, ils l'étaient très peu du point de vue de ce qu'ils appelaient « les mœurs ». Ils les appelaient d'ailleurs peu, étant de l'espèce écouteuse. Jamais un avis franc, jamais une opinion opposée, ils iraient loin, disait Furnesse. Il fallait vraiment qu'à la fin d'un déjeuner du dimanche particulièrement entre soi il fût question d'un gay célèbre ayant protesté contre telle ou telle déclaration (comme celui qui avait répliqué : « L'homosexualité n'est pas une opinion » quand on lui avait montré, en direct, la banderole ouvrant une nouvelle manifestation hostile au mariage : « La France a besoin d'enfants, pas d'homosexuels »), pour que, d'un ton subitement pincé, elle dît : « Il nous fatigue avec son prosélytisme. » Et c'est le plus loin qu'elle irait. Son mari ajouterait : « Tu remarqueras d'ailleurs qu'il a dit ça dans cette émission de Canal + dont le présentateur est gay. Surprise-surprise ! » Et, plus avant-gardiste dans la répartition des mouvements de troupe de cette petite armée de deux qui manœuvrait pour conquérir Paris, il démontrerait très calmement, très doucement, en l'inventant aussi bien (ce que fantasme veut, rhéteur peut), qu'une société secrète à but sexuel tentait de « s'infiltrer aux postes de commande ». « Lobby », dirait ce lobbyiste, et elle, assise bien droite sur sa chaise, allaitant leur dernier-né devant tout le monde, relèverait la tête et commenterait, feignant d'entendre ce raisonnement pour la première fois : « Tu n'as pas tort. L'anti-homophobie est une bien-pensance. A-t-on seulement le droit d'être contre le contre ? — Le terrorisme intellectuel l'interdit, conclurait le député Furnesse ; c'est comme ça que les antiracistes des années 80 ont fait carrière. Tous ministres. »

Ce sympa est très méchant. Il vous sourit et vous fait toutes les saletés possibles, calomniant, insinuant, tentant de vous nuire en faisant agir à sa place un essaim d'obligés obscurs, et toujours exquis quand il vous croise. Cet escroc est sympathique. C'est même la condition préalable à son activité. Pendant qu'il nous subjugue par son sourire, il met la main dans notre poche. Cette vorace veut tout, le réclame avec passion et le prend parfois, écartant tout ce qui la gêne. Excessivement sympathique, elle arracherait son écuelle d'eau à un voyageur sauvé du Sahara. Mussolini était sympa, Staline était sympa, Mao était sympa, Castro était sympa, Chávez était sympa. La sympathie n'est la preuve que de la sympathie.

Armand, posant sur la table basse son verre en bulbe d'église vidé de son armagnac, marmonna : « Enfant, j'ai refusé de capituler. » Aaron fit glisser un verre d'eau devant lui. On ne l'avait pas entendu, car on était dans des exclamations rieuses sur la mégère connue.

L'ARCHITECTE : — Je l'aime beaucoup…

UN INVITÉ : — Piqûre d'anesthésiant avant le coup de hache !

L'ARCHITECTE : — … Mais c'est une bourgeoise qui s'imagine révoltée parce qu'elle parle fort. Elle est amusante, je dois dire, avec sa façon de se décorer elle-même de tous les ordres de la révolte certifiée depuis cinquante ans, Lautréamont, Artaud, Sade, John Cage, vite un café, je m'endors.

UN AUTRE INVITÉ : — Elle met une robe du soir pour acheter du pain. Sauf qu'elle n'achète pas de pain.

L'ARCHITECTE : — Elle se croit snob, mais elle parle la bouche pleine. C'est d'argent, la plupart du temps, tout en clamant qu'elle ne vit que dans l'intellect. Pas regardante du reste, elle fait des ménages dans des conventions d'entreprises multinationales que le reste du temps elle fait profession de mépriser. La Pasionaria passe au guichet de la Sécu.

L'INVITÉ : — Elle porte un beau nom, mais elle est née Roulure, non ?

L'ARCHITECTE : — Caniveau, je crois.

L'AUTRE INVITÉ : — Au moins on peut dire qu'elle a travaillé et que ce n'est pas une femme qui s'est économisée.

L'ARCHITECTE : — Déjà, elle est héroïquement passée de la station couchée à la station debout.

SA FEMME : — Elle est tellement laide que, l'autre jour, comme elle passait devant le banc de fruits de mer d'une brasserie, les huîtres ont tourné.

TARTIFLETTE : — Il paraît qu'elle a passé ses vacances dans le désert de Chihuahua. Les serpents s'enfuyaient.

AARON : — Un miroir a crié en la voyant.

Certains invités partirent. Anne se faufila dans sa chambre, elle s'endormit en boule, le lac de ses cheveux étalé sur son oreiller. On parla encore, de livres qu'on avait lus, de films qu'on voulait voir, d'acteurs dont on était sûrs qu'ils étaient gay (et on en rêvait peut-être), d'un qui avait fait son coming out et dont la cote de sexyness s'était aussitôt effondrée (il n'est pas bien de supprimer à des hommes leur espoir de révéler le bonheur), d'un autre, très gay-friendly, en faisant même tellement dans les œillades qu'on devinait le marketing et qu'on ne voulait plus de lui (une pute qui allume sans consommer perd sa clientèle), de la réouverture des placards qui serait bien utile pour qu'y fassent leur coming in les fatigants aboyeurs déchaînés défilant rues Paris et vomissant radios télés twitter Internet depuis des mois, d'une très belle installation dans une galerie du quartier avec un rectangle d'ampoules électriques au sol et des cordons en laine tressée tombant du plafond, de la beauté de l'architecture brutaliste qui n'a été nommée ainsi que pour l'avilir, nous connaissons ça, et ayant manqué à récupérer l'injure pour en faire un drapeau elle continue à être haïe, de celui des deux garçons agressés par l'animateur sportif qui venait de mourir des suites d'un traumatisme crânien, mais comme c'était huit jours après cela avait à peine été signalé, suivant la loi de la société médiatique où seul le premier jour compte (qui fait le premier a raison, tous les démentis et protestations des jours suivants étant submergés par une nouvelle histoire), de l'éclairage de Paris qu'on avait diminué par économie à moins que ce ne fût par écologisme, pauvre Paris, on dirait qu'on veut qu'elle ressemble à Concarneau, de l'opinion misérable qu'on avait du président de la République en exercice, du précédent qui, durant la dernière campagne électorale, avait prononcé des discours ouvertement homophobes et quand on en donnait des exemples à des non gays *aucun ne l'avait remarqué*, or on n'a pas besoin d'être noir pour remarquer les discours racistes, du *Requiem* d'Anna Akhmatova où l'on trouve le vers : « Dans les rues d'une capitale devenue sauvage » (brève parenthèse à points de suspension de tous les convives), de Paris qui reste la ville des librairies, des bons cinémas et des fleuristes, pour le théâtre ça devenait piteux, et d'une certaine librairie qui était bonne parce qu'on y trouvait ce qu'on ne cherchait pas (à côté de la boutique où on vend de jolis foulards), de l'astuce pour le riz au lait qui consiste à préalablement rincer puis ébouillanter le riz, ça chasse l'amidon, d'un danseur qu'on pouvait voir à Chaillot et dont était sûr qu'il avait du génie parce qu'il restait bon de dos, d'une chanson intitulée « Dans le noir » qui fut écoutée et trouvée si bonne qu'il y eut deux achats immédiats sur iTunes, d'un mannequin disparu qui avait été la plus belle femme du monde pendant au moins un an, plus belle qu'Anne ?, ne posez pas de questions pareilles, maquignon, métreur, enfant !, des films de James Bond si hétéros que jamais, à l'exception de Daniel Craig dans la scène de sortie de la mer et celle où il marche en jean sable dans *Casino Royale*, le pantalon de l'acteur reste exclusivement plat, la bite étant l'organe maudit dans la représentation artistique comme nous le savons depuis que Daniele da Volterra a gagné le surnom d'il Braghettone en recouvrant, en 1565, celles de la chapelle Sixtine dénoncées comme immorales par l'Arétin, un écrivain érotique pourtant, mais voilà, hétéro, et il haïssait Michel-Ange qui s'était si peu caché de ne pas l'être, d'un certain pâtissier qui passait pour en avoir une énorme, dites vous allez continuer longtemps avec l'adoration de votre déesse, d'un ami qui allait se marier pour la quatrième fois et de ce que, à l'invitation pour la cérémonie, un des convives lui avait répondu : « Je passe mon tour, je viendrai au prochain », des choses les plus rares du monde qui sont, dans l'ordre décroissant : l'intelligence, les idées, l'esprit, la tendresse, le génie (qui contient toutes les précédentes), d'un excellent roman français qui se trouvait avoir du succès, des gens qui prennent l'air suprême et qui sont toujours très cons, des religions revenues sur le monde comme des tempêtes, des hommes qui croient qu'ils connaissent le peuple parce qu'ils parlent en rigolant avec l'électricien, s'il vous plaît ne me parlez pas du peuple, cet amas aléatoire de gens qui ne s'intéressent qu'à l'argent, de ce qu'on peut ou non répondre aux reines, l'étiquette spécifiant que, si elles s'adressent à nous, on n'a pas le droit de s'adresser à elles, des deux types de personnes dans la vie, le type Élisabeth Ire et le type Marie Stuart, celles qui font sans se plaindre et celles qui se plaignent sans faire, tu connais l'histoire de la princesse anglaise qui déplorait d'avoir à inaugurer sans cesse des hôpitaux et à qui la reine Mary, femme de George V, répondit d'un ton altier : « We are the royal family, we love hospitals », de la jalousie qui est un petit dieu pervers nous faisant regarder où il n'y a rien à voir en nous persuadant qu'il y a à voir, de Proust qui est une mère, comment as-tu dit ?, Proust est une mère, ah oui comme c'est vrai Proust est une mère Proust est une mère Proust est une mère Proust est *ma* mère, je vais en faire un pin's et fortune (enfin !), des circuits Raidd-Duplex-CUD ou Souffleurs-Quetzal-Freedj, les derniers s'en allèrent, les deux garçons précédant dans l'escalier Queen et Tais-toi qui, l'air prodigieusement rêveur, tenait dans un bras plié le bouillon de sa robe en brocart, eux chuchotant : « Les dîners d'Armand et d'Aaron sont enchanteurs ; ils font jouer un *fa* ici, un *mi* là, car une conversation à dix étant très différente d'un tête-à-tête, et ce n'est pas toi avec moi ni lui puis lui puis lui (ou vous, chère amie), c'est nous, un concert, et si leurs dîners n'ont jamais eu d'exemple et n'auront point d'imitateurs, c'est qu'ils les composent comme une partition avec tels et tels invités qui ont tels et tels talents, tu sais ce que c'est, pour moi, ces soirées ? des dîners de romantiques comme j'en rêvais adolescent lorsque je lisais les contes d'Alfred de Musset ; une tentative de féerie dans l'existence matérielle », Queen et Tais-toi eut un sourire excessivement bienveillant, dit : « Bonne nuit, chers », se plia dans le taxi en baissant la tête et disparut dans le Marais, agitant une main gantée par la portière.

mode d'emploi de la coutume

Le député Furnesse se trouvait à l'Assemblée nationale avec le plus jeune député de la législature, de son parti, gay et qui ne s'en cachait pas, et un journaliste. Le journaliste demanda à Furnesse : « Pourquoi êtes-vous si préoccupé par les gays ? » Et Furnesse, avec des regards de côté : « Vous ne vous rendez pas compte !... Ils sont partout !... Lobby très puissant !... Cherchent à prendre le contrôle du pays !... Ils vont le ruiner !... Au fait, pourquoi me demandez-vous ça ? » Le journaliste : « Eh bien, voyez-vous, je suis gay. Je ne vous aurais jamais posé la question si vous n'attaquiez pas en permanence ce que je suis. » Le député Furnesse ne fut pas un instant embarrassé. Prenant le député par le coude, il ajouta en riant : « Les pédés, vous êtes partout !... » Le jeune député le regarda comme un héron. Riant plus fort, le député Furnesse se dirigea vers un confrère qui le secondait pour les incidents de séances repris par la télévision (celui qui avait clamé : « Il faut les stériliser ! » – *Journal officiel de la République française*, Déb. Parl., A.N., n° 99 [3], p. 8536). Jamais il n'était aussi souvent passé à la télévision, à la radio, dans les réseaux sociaux. Tous les twitters antimariage avaient diffusé sa photo au premier rang de la manifestation de la veille, où il avait réussi à faire défiler une ancienne et très populaire ministre qui, quarante ans auparavant, avait fait voter la loi autorisant l'avortement. Elle avait perdu la mémoire et le raisonnement, son beau regard bleu s'était vidé, mais le grand public l'ignorait. « Quel bon coup ! », avait dit Furnesse à Ferdinand, qui passait en bonnet dans le couloir. « Un bonnet, maintenant ! Il ne te manque qu'un capuchon de racaille ! » Ferdinand avait enlevé le bonnet et, décoiffé, l'avait regardé droit dans les yeux. Le député haussa les épaules, se retira dans sa chambre. « Il s'est passé quelque chose, là », se dit Ferdinand, donnant le bonnet à un clochard. Comme, au café des Grands Hommes, quelqu'un comparait la période qu'on vivait avec « les années 30 », il lui coupa la parole : « De croire que l'histoire se répète de la même façon est le meilleur moyen d'arriver différemment à la défaite. Ce qui se passe est bien différent. Les années 10, mes amis ! »

Définition des minoritaires coupables du XXIe siècle en 344 avant notre ère : « Car je vois trop que, d'ordinaire, certains hommes passent leur colère, non sur les coupables, mais sur ce qu'ils ont sous la main. » (Démosthène, *Deuxième Philippique.*)

Définition de la télévision en 1603 : « Il est adoré de la multitude distraite, qui aime non d'après son jugement mais d'après ses yeux. » (Le roi parlant de Hamlet dans *Hamlet*, IV, 3.)

Définition de certains intellectuels en 1604 : « Simple piapia sans pratique. » (Iago sur Cassio dans *Othello*, I, 1.)

Définition involontaire de certains universitaires : « Des considérations lourdes sur des sujets délicats. » (*Lucien Leuwen*, posth., 1894 ; c'est ce que Lucien se dit qu'il faut avoir avec Mme Grandet que son père lui propose comme maîtresse.)

Joseph Conrad donne une des meilleures définitions de la jeunesse de certains : « Nous évoluions entre un désir involontaire de vertu et la crainte du ridicule » (*Le Nègre du Narcisse*, 1897). Ce soir-là, à son père qui disait : « C'est-la-na-ture ! » Ferdinand avait osé répondre : « C'est le terrorisme de la coutume. La coutume dit : "Je suis la nature." Tu m'entends, connard ? » Il avait le cou tendu et la bouche ouverte devant l'écran de son ordinateur.

poison, contrepoison

dosage de la virilité et de la féminité

Le député Furnesse, si raide, si acier, quand il croisait le président de son parti laissait tomber les épaules, baissait la tête, prenait un sourire tremblant. Le président se cambrait davantage et tapait sur l'épaule de Furnesse, reconnaissant sa soumission et confirmant sa suzeraineté ; il ne manquait pas de se pencher sur lui et de lui donner un ordre humiliant. Le député, ces soirs-là, était très dur avec Ferdinand. « Tu me dois le respect. » « Tu feras ce que tu voudras quand je ne serai plus là. J'ai obéi à mon père jusqu'à sa mort. » « Quand tu gagneras ta vie, tu auras la parole. » « Sois viril ! » Il haïssait que l'on puisse vivre suivant un autre comportement social que le sien. L'égalité, le rire, ironiser des vulgarités, ne prendre au sérieux que ce qui est grave, hausser les épaules devant les mouvements d'intimidation des buffles, « cache-toi, guerre » (Lautréamont, *Poésies II*), tout ça ne lui allait pas du tout.

« La virilité est une des plaies du monde. Je ne vois d'aussi nocif que la féminité », dit Tartiflette au dîner du lampadaire.

Il fallait une détermination absolue à Gustave pour être drag queen. Personne n'était plus solide que lui, qui avait résisté à tous les persiflages et à tous les regards. L'architecte qui avait trébuché dans l'escalier en arrivant au dîner du lampadaire s'était rattrapé à son bras et avait été surpris par la fermeté de la main qui l'avait empêché de tomber.

— J'aimerais bien lire un *In Defence of Effeminacy*, dit Aaron à Armand qui trouvait que le serveur du café en faisait beaucoup dans le déhanchement. Quel est le mot en français ?

— La chose n'a pas de nom, répondit Armand en se lissant le sourcil droit, geste qui n'avait aucune signification chez lui. Pas de nom se dit "innommable", "innommable" veut dire répugnant. Quelquefois, l'absence de nom veut dire un très grand pouvoir qui se dissimule, mais les dieux des faux cils savent que ce n'est pas le cas ici !

Ayant réfléchi un instant, il ajouta :

— "Efféminement". Je propose efféminement.

Lui-même avait des gestes lents, virils et léonins. Les nouveaux à la banque étaient stupéfiés d'apprendre son goût : « Il n'en a pas l'air ! » Adolescent, pour prouver qu'il était « comme les autres », il avait repoussé des gestes, des intonations, des démarches, avec une application de chasseur contre lui-même.

« Efféminé » est un mot qui procède de la misogynie (on n'a pas d'équivalent pour les femmes à gestes virils, parce que la virilité est louable pour tous les sexes), et peut-être aussi de la peur. L'effémination est une frontière troublée, et l'être humain est rassuré par les frontières.

Au dîner du lampadaire, il avait été question des « mâles dominants » que seraient les « hommes d'État », suivant des expressions qui avaient fait sourire tous les invités, à commencer celui qui les avait prononcées (l'architecte, je crois) :

— Goût des scènes. Dramatisation du moindre événement. Succession de dépressions et d'exaltations. Plaisir de l'uniforme. Il y avait à l'intérieur du général de Gaulle une drama queen. En mai 68, affolé, il se réfugie chez Renato à Baden-Baden, qui y dirigeait les troupes françaises sous le nom de général Massu. Renato lui dit : "Beurre ta biscotte comme un homme !" Tout requinqué, notre Zaza Napoli recoud les deux étoiles sur son képi sans pleurer quand il se pique le bout du doigt, reprend son hélicoptère et, sitôt à Paris, va à la télévision faire aux Français une imitation de dur façon Jean Gabin. Quel succès ! Défilé des fans sur les Champs-Élysées, dissolution de l'Assemblée nationale, élection de 60 % de zazaïstes.

— Avec lui, crise, crise, tout devait être crise, dit un second invité, je n'ai pas su lequel. "Je vous ai compris" au balcon d'Alger, c'était "Va, je ne te hais point", "Vive le Québec libre" au balcon de Montréal, "Madame se meurt, Madame est morte". Il y avait dans ce grand corps d'éléphant de mer une rose battant des cils.

Or battant des cils, et lentement, et langoureusement, un troisième invité, cela devait être Queen et Tais-toi, conclut :

— On ne dira jamais assez les rapports des grands militaires et des grands chichis.

À la terrasse du café de Bretagne, Armand disait à Aaron : « Quand j'étais en école de commerce, une amie avait un frère archifolle, délicieux. Il nous ouvrait la porte de leur appartement dans un peignoir de soie à motifs de cigognes, cambré, sourcils levés et nous toisant sous des paupières fardées, disant avec un geste dédaigneux de son fume-cigarette : "Elle est là." Et il ne faisait rien, ce pauvre garçon, il n'osait pas en draguer d'autres. Il s'enfermait dans un rêve avec lui-même. La follitude serait-elle une compensation de la chasteté ? » Au café des Grands Hommes où il n'était pas officiellement gay même si les ragots y couraient comme des blattes, Ferdinand disait : « Je hais les folles. Ils donnent une mauvaise image de l'homosexualité. — Peut t'foutre ? » demanda un costaud obscur qui ne disait jamais un mot. Ferdinand rougit. Armand regarda passer un mastard kabyle ou turc à la mâchoire mal rasée qui avançait comme un tiroir, col chemise très ouvert sur broussaille poils, cuisses archi-musclées serrées dans jean noir, et dit, en posant la main sur la bouche d'Aaron : « L'ostentation de virilité est une féminité. »

dosage du sarcasme

Au BHV, devant un panneau de pommeaux de douche, Aaron dit à sa copine du rayon Électricité (épaules levées, mains dans les poches du pantalon) : « Une drag queen, c'est une caryatide. Un travesti, c'est une mémère. — À mon avis les travestis baisent plus », répondit la fille. Elle était en train de lire les souvenirs d'un travesti qui donnait selon elle LA meilleure définition de son état. « Son livre s'appelle, pas d'embrouille, *Travesti*. À crever de plaisir, poursuivit-elle impassible : il raconte qu'il se tape des intégristes musulmans qui viennent chez lui en cachant leur barbe sous un col roulé. — Tu me le prêteras ? — Tu me prêteras ta brosse à dents ? — Et la définition, alors ? — "Je n'ai jamais désiré être une diva pour mon pays. J'aurais seulement aimé être une femme un peu conne." »

Le sarcasme est le réflexe du sentimental attaqué. Il laisse sur son visage le sourire ricanant de la douleur. Avaient tordu le cœur d'Armand, le lendemain matin du dîner du lampadaire, les chansons du film *Cabaret* qu'Aaron avait mises hurlant dans l'appartement. « Que plus jamais nous n'ayons pour nous défendre ces piteuses vengeances, avait-il dit en changeant de playlist. Pendant que le perdant lance son rire sous l'approbation muette d'autres blessés, les vainqueurs avancent, indifférents, intacts. »

Au restaurant de l'Assemblée nationale, voyant passer le plus jeune député de la législature, le député Furnesse le désigna du menton et, se penchant sur la table, dit à son convive : « Il est allé chez son médecin hier. Le médecin a écouté son cœur au stéthoscope en lui demandant de dire 33. Il a répondu : "33." Le médecin a écouté les poumons au stéthoscope. "Dites 33." Il a répondu : "33." Le médecin l'a installé pour un toucher rectal, lui a mis un doigt et lui a de nouveau demandé : "Dites 33." Il a répondu : "1, 2, 3, 4..." ! »

Rien ne nous venge. Seul nous console de rencontrer des semblables. Ferdinand prenait garde à ne pas avoir les yeux fixés sur Jules à la bande de qui il essayait de s'agglomérer, tous ces garçons à filles, cordiaux et à gros rire, qui ne lui posaient pas de questions. Ils l'amenaient à des soirées dans de grands appartements laissés libres par les parents, et quand, tard dans la nuit, ils se retiraient dans les pièces vides avec une fille, Ferdinand rentrait chez lui saoul, à pied, fumant, furieux, cherchant querelle aux rares passants.

dosage de l'hypocrisie

Un journaliste interviewait le député Furnesse. Travaillant pour une chaîne qui, le jour de la marche en faveur du mariage, avait diffusé des images d'une régate en Bretagne, il était lui-même opposé à cette loi, mais devait à la comédie médiatique de taquiner le député, il l'en avait averti.

L'INTERVIEWEUR : — Jean Furnesse, on vous dit homophobe.

LE DÉPUTÉ FURNESSE : — Hun ! Homophobe ! Mais je n'ai que compassion pour la souffrance des homosexuels ! Je ne veux simplement pas que la haine de l'hétérosexualité, car c'est de cela qu'il s'agit, vienne nous priver d'une institution qui a été créée pour nous. Le mariage est entre-un-homme-et-u-ne-femme. Si on traite d'homophobe quelqu'un qui défend le simple bon sens ! Hun !

L'INTERVIEWEUR : — Il ne…

LE DÉPUTÉ FURNESSE : — Car enfin, Nicolas Martin, il y a une chose qu'on ne rappelle jamais dans cette affaire, hun, hun, où le gouvernement nous a précipités sans débat, c'est le courage, oui, j'ose le mot, le courage de l'Église (qu'on se rappelle les prières ordonnées dans tout le pays pour la protection des enfants), qui bien sûr ne lui a valu que dénigrement. Et, et, et ! Nicolas Martin, le courage de toutes les autres religions. Je me permets de rappeler hun, que, pour la première fois dans l'histoire de France, les chefs de tous, de tous les cultes ont publié une tribune commune dénonçant cette loi liberticide. Le cardinal-archevêque de Paris, le grand rabbin de France, le président de la Fédération protestante de France, un pasteur de l'église luthérienne, un prêtre orthodoxe grec, un ministre anglican, un évêque de l'Église arménienne, tous vous dis-je nous ont rappelés aux vraies valeurs. Sans oublier l'Union des Organisations islamiques de France, qui n'a pas hésité à redire que, si le mariage entre deux personnes du même sexe devenait une norme, on pourrait légitimer un jour la polyandrie ou la zoophilie au nom du sacro-saint amour. Ce qui se passe, Nicolas Martin, hun, hun, c'est que les homosexuels veulent entrer dans la norme pour la subvertir.

L'INTERVIEWEUR : — Vous parlez des relations instables chez les homosexuels, mais ils cherchent la stabilité par le mariage.

LE DÉPUTÉ FURNESSE : — Oui, mais ils ont inventé les backrooms. Enfin, Nicolas Martin ! Ce qui est extraordinaire, c'est que, depuis six mois que cette loi est en discussion, hun, hun, il faut sans arrêt rappeler les choses les plus élémentaires. Il y a une nature. La nature veut que l'homme se marie avec la femme pour perpétuer l'espèce, hun.

L'INTERVIEWEUR : — Un activiste a déclaré, je cite : "Le député Furnesse disant qu'il n'est pas homophobe, c'est Mengele disant : 'Je ne suis pas antisémite.'" Que pensez-vous de cette observation pour le moins agressive ?

LE DÉPUTÉ FURNESSE : — Hun ! Hun ! Mon père a été résistant, Nicolas Martin ! Cette basse attaque est une atteinte à la mémoire de ma famille, à tout ce que je suis et tout ce que j'ai toujours fait ! Je me réserve le droit d'agir en justice pour défendre mon honneur, Nicolas Martin. Je défends les traditions de mon pays. Nous n'allons pas nous laisser imposer sa loi par un lobby qui veut *contaminer* la société. Nous allons gagner et donner un exemple au monde. Je vous rappelle que nous sommes des millions, Nicolas Martin. Des millions de personnes dans les rues de Paris, et on ne les écoute pas ? Le peuple a parlé !

L'INTERVIEWEUR : — Il ne suffit peut-être pas de dire qu'on n'est pas une chose pour ne pas l'être. Si c'était le cas, on libérerait tous les voyous qui se proclament innocents, et les prisons seraient vides ! Vous avez défilé dans chaque manifestation contre le mariage, jusqu'à celle où on a crié des slogans comme, je cite, "mariage homo, mariage d'anormaux !".

LE DÉPUTÉ FURNESSE : — Je ne suis pas responsable de ce que les autres disent, Nicolas Martin ! Puisque je vous dis !... Hun ! Hun ! Je-ne-suis-pas-homo-phobe ! Je-ne-suis-pas-ho-mo-phobe ! JE-NE-SUIS-PAS-HO-MO-PHOBE !

L'INTERVIEWEUR : — Et quand le même activiste déclare que, je cite : "Si j'étais les ennemis du mariage gay, je serais gêné par mes témoins de moralité : une alcoolique qui danse sans culotte dans les bars ; un chroniqueur de télévision parlant sans arrêt de la protection de la famille française traditionnelle qui fréquente une boîte à partouzes où il couche avec des prostituées africaines ; un prêtre mondain qui fulmine à la télévision que 'le mariage c'est entre un homme et une femme' et convoque de jeunes garçons pieux à des retraites dans sa luxueuse campagne où il les incite à coucher avec lui, humiliant ceux qui refusent devant ceux qui ont accepté ; ses camarades les archevêques de Paris et de Lyon couvrant les scandales pédophiles de leur église ; le grand rabbin de France *[que vous mentionniez il y a un instant, Jean Furnesse]*, auteur d'une plaquette d'une haute moralité contre l'homosexualité, obligé de démissionner pour avoir plagié un philosophe célèbre et menti sur ses diplômes ; l'obscur député Furnesse, qui a un taux de popularité de 12 %, tandis que celui du mariage gay est de 60 % ; il est jaloux !"

LE DÉPUTÉ FURNESSE : — Eh bien voilà. Hun. Il y a chez ces gens une haine des plus hautes institutions de l'État et de la morale qui montre leur désir d'anarchie. Il faut protéger les familles de France contre cette menace, Nicolas Martin.

D'un air anodin, le journaliste sortit un papier de sous son pupitre :

L'INTERVIEWEUR : — Qu'avez-vous à dire, M. Furnesse, de cette information d'un site Internet, mise en ligne il y a quelques minutes, au moment même où notre émission commençait, selon laquelle vous avez créé une société de conseil avec votre épouse, séparée de vous mais dont vous n'avez pas divorcé, société à laquelle vous avez fait passer des marchés par votre parti ? Les factures s'élèveraient à plusieurs centaines de milliers d'euros.

Le député Furnesse sourit, ferma les paupières un peu plus longuement qu'il ne les aurait normalement fermées, puis les rouvrit en même temps qu'il faisait un sourire hautain : « Restons sur les sujets sérieux. Je suis là pour la tâche qui m'incombe, protéger la France du rejet permanent des valeurs, même si c'est au prix des injures et de la calomnie. Je suis prêt à souffrir ces stigmates pour mon pays. » L'intervieweur insista, Furnesse devint sec : « J'oppose le démenti le plus formel. » Au démaquillage, il hurla : « Vous avez agi contre toute déontologie ! Vous auriez dû me prévenir ! Je vais vous casser ! Vous casser ! Vous m'entendez ? Vous casser ! Vous pensez que je ne sais pas tout sur vous ? Je vais vous écraser ! Vous êtes une merde ! Une merde ! »

Aux mots « rejet permanent des valeurs », Pierre soupira et dit à son chien :

— Les valeurs sont proclamées par des voleurs.

Il se resservit de champagne, leva son verre en direction du poste où le député Furnesse serrait les dents et, faisant sursauter son chien, dit d'un ton solennel : « Plus un homme proclame la morale, plus on peut être sûr qu'il bafoue la vertu. Grande morale, petite vertu ! », puis but cul sec.

L'inconvénient de l'homme est la part d'humanité qui réside en lui et peut le conduire à s'indigner. Et voilà comment les salauds annoncent les saloperies qu'ils s'apprêtent à commettre avec une promesse de bonté. En 1810, en Autriche, est édictée une ordonnance de censure selon laquelle « la censure doit être, d'une façon générale, plus sévère avec les écrits populaires, en particulier les romans, les ouvrages humoristiques et les œuvres de poésie », son préambule déclarant qu'elle est destinée à « favoriser la liberté de la lecture ». En 1826, en France, le comte de Peyronnet, ministre de la Justice de Charles X, présente un projet de loi de censure de la presse et des livres sous le nom de « loi de justice et d'amour ». Cent quatre-vingt-huit ans plus tard, en Turquie, le gouvernement islamique décide de construire des prisons spéciales pour homosexuels. C'est bien entendu pour les protéger.

Il y a une hypocrisie haïssable, celle du pouvoir, et une hypocrisie légitime, celle de la faiblesse. La première est toujours louée, la seconde, toujours condamnée. On ne demande de la vertu qu'aux faibles. Les forts font trop peur pour qu'on n'en admette pas tout. Aaron exposa cette théorie à Armand. Il avait dû ruser avec le BHV, n'ayant pas réussi à se faire à ce qu'il appelait « le dressage par l'entreprise ». Armand savait tout ça, et qu'Aaron, moins paresseux qu'il ne le disait, inventait des maladies pour ne pas aller au travail, non pas les jours où il se sentait mal, ça n'arrivait du reste jamais, *mais pour ceux où il était heureux*. Et alors, fleurs dans l'appartement, pizzas décongelées et Anne envoyée au cinéma. Armand raconta que la banque venait d'engager un jeune associé de talent. « Maintenant, il lui faut de la haine. On ne réussit bien dans un milieu que si on le hait et qu'on veut le conquérir. Sinon, il nous séduit et nous contamine de ce qu'il a de plus bas. » C'est à cette période-là qu'il se brouilla avec des gays bienséants (son expression) qui laissaient dire des stupidités dans les dîners et lui objectaient, le lendemain, au téléphone : « Ça ne sert à rien de répondre. Et puis, si on s'y met, ils vont encore dire "la mafia", "le lobby"... » Armand répondait sèchement : « Tout est lobby. L'Angleterre est un lobby. L'Église catholique est un lobby. La connerie est un lobby. La haine est un lobby. La vie est un lobby. Il faudrait davantage de lobbies. C'est lorsqu'il n'y a pas de lobby, qu'on est bien poli, bien discret, bien pas gênant, que les brutes se sentent libres de casser des figures et des vitrines. »

Pierre raconta à son chien que l'écrivain Pierre Louÿs (1870-1925), érotomane, coucheur invétéré, voleur des femmes des autres, avait osé faire des remontrances à Oscar Wilde sur la façon dont il traitait la sienne. Comme nœud de ruban, il était allé le raconter à Henri de Régnier, qu'il faisait cocu. On espère que cette hypocrisie s'accompagnait d'aveuglement. Pierre disait que les pires moments de l'histoire avaient toujours commencé par la politisation des mœurs.

En mai 2009, le Conseil municipal de la ville de Washington autorise le mariage gay par 12 voix contre 1. L'irréductible moral ayant voté contre (« Politicians ought to be moral », les politiciens doivent être moraux, a déclaré cet homme) est un ancien maire qui avait dû démissionner pour avoir été surpris fumant du crack avec sa maîtresse. On dira : c'est du passé, mauvais procès, il a pu changer. Le 4 juillet suivant, il était arrêté pour avoir sexuellement harcelé une femme dans un parc de Washington.

Les incapables et les corrompus divertissent l'attention du public en le déchaînant sur les « mœurs ». Le code Hays de moralisation du cinéma aux États-Unis a été édicté par ce Hays qui venait de l'administration Harding, le président le plus corrompu du XXe siècle. « "Mœurs", "mœurs", on ne sait pas ce que ça signifie, disait Armand, sinon que ça sert à enclencher le soupçon. Ah, cet ignoble mot, ignoblement utilisé. Peut-on laver un mot, le rendre à nouveau neutre, comme tout mot devrait être ? "Mœurs" dit le mépris poli de la société qui se croit civilisée. »

« Faites ce que je dis, ne faites pas ce que je fais », même si cela veut dire que Jésus se sent pêcheur, est une phrase répugnante. On n'a pas à suivre un hypocrite. La différence entre le dire et le faire est la première ignominie du monde. Elle est si répandue et on en a tant d'exemples qu'on peut être presque sûr de ne pas se tromper quand on applique la formule de Pierre Hesse : grande morale, petite vertu.

Dans sa chambre, Ferdinand scotcha une nouvelle citation en bannière. Elle l'enchantait, l'enchantait. Il l'avait prise dans une lettre de Jean Genet. Elle disait, cette bannière, balançant sous l'effet de la porte qu'il venait de claquer sur une remarque acerbe de son père :

LES MECS JE LES EMMERDE.

Les mecs je les emmerde. Les mecs, le pouvoir, la majorité qui se prend pour la totalité, les épais, son père, sa bande. Les mecs je les emmerde. Il se répétait la phrase avec un sourire de quartier d'orange. Les mecs je les emmerde. Elle le faisait danser, cette phrase. Elle l'enchantait, l'enchantait. Les mecs je les emmerde. Il la regardait assis en tailleur sur son lit, bras serrant l'oreiller qu'il pressait contre son ventre, avec un sourire sardonique.

rêves tyranniques
autour des hommes

informations sur la colère

Au sujet du maréchal de la tétralogie, Pierre a écrit : « La colère a bonne réputation parce que son nom ouvre le plus illustre poème de l'Occident. "Colère..." (*ménis*), commence l'*Iliade*. En français où nous faisons tout révérence, menuet, babiole, nous traduisons : "Je chante la colère d'Achille." Cela rend aimable cette colère d'un furieux qui a engendré une guerre de dix ans, des tartares de cadavres, la ruine d'une ville. Depuis sa naissance, le monde est malade de la colère des furieux qu'on n'a pas arrêtés à temps. » Une nouvelle manifestation à laquelle participa le député Furnesse s'était donné le nom : « Manif de la colère. » Crânes rasés à bombers kaki, barbus musulmans intégristes suivis de femmes voilées avec six enfants, jeunes prêtres en soutane et croquenots, ils se haïssaient mais étaient prêts à s'entendre pour la circonstance, avec leurs pancartes : « Les pédés au bûcher » et : « Europe pédo criminelle sioniste satanique. » On ne l'avait pas interdite.

Rue Fabert, croisant Ferdinand à la cuisine, son père hurla à propos d'un pot de café mal remis en place. « Mon existence l'exaspère à un tel point, pensa Ferdinand, qu'une broutille ouvre la porte à sa haine. » La télévision montrait le député se mettant en colère. « Allégations douteuses. » « Jeter des boules puantes. » « Je n'admettrai pas ! » « Mon honneur. » « La France. » Une émission de marionnettes satiriques introduisit la sienne, sorte de long légume pelé avec des lunettes à monture invisible. Une autre marionnette : « Les infirmiers grévistes ont repris le travail… » La sienne : « Oui, mais ils ont inventé les backrooms ! » Cela revint cinq fois. « La conférence des évêques de France a de nouveau condamné le mariage gay. — Oui, mais ils ont inventé les backrooms ! — Les OGM… — Oui, mais ils ont inventé les backrooms ! »

Détruire autre chose que l'objet de sa colère n'est pas une mauvaise méthode. Abattage des arbres par Roland fou de jalousie de voir les initiales d'Angélique et de Médor dans le *Roland furieux* de l'Arioste. Abattage des chevaux par Ajax enragé de ne pas avoir reçu les armes d'Achille dans Sophocle. L'enfant donnant un coup de pied à la table où il s'est fait mal n'est pas si déraisonnable. Qui a dit que la colère était bête ?

Une heure cinq du matin, île Saint-Louis. Un tout petit chat maigre était allongé sur la pierre fraîche d'un perron. Anne marcha sur sa queue. Se plantant en arceau, il miaula comme un bateau dont on fait démarrer le moteur. Anne mit la main sur la bouche en écarquillant les yeux. Un chat servirait-il de charnière à mes nuits ? se demanda-t-elle en repartant dans la direction de la rue Debelleyme.

Une heure et demie du matin, rue des Archives, Marais, Ferdinand y était allé avec la bande de Jules. Deux garçons efféminés étaient en train d'ouvrir la portière d'un taxi. « Allez vous faire mettre, sales fiottes ! », hurla le chauffeur la bouche ouverte en four, se penchant pour refermer la portière de l'intérieur. Ferdinand donne un coup de pied dans l'aile. Le chauffeur descend. Ferdinand colle son front contre le sien. Le chauffeur déblatère, remue les bras, Ferdinand lassé de cette comédie lui donne un coup de tête. Ah qu'il était content. Ce taxi est les salauds ! Ce taxi est mon père ! Il trépigna de joie, sous le regard indécis de Jules et de ses amis. Titubant, le chauffeur s'éloignait avec des menaces. La rue applaudit. Passants, clients des cafés, les folles adorables adorant leur sauveur, leurs ennemis marchant dans Paris bouillaient contre eux, il leur fallait un héros. On en parla longtemps sur le trottoir, se remémorant l'épisode en s'interrompant, reprenant du début, rattrapant un détail, le reprécisant, l'ornant, le mythifiant déjà. « Je n'aime pas ces comportements », dit Jules à Ferdinand. Ferdinand haussa les épaules. « Ces deux garçons font partie de l'ensemble gay, comme les roux font partie des hommes, dit-il à Jules, puis il ajouta en riant : Allez, on va casser de l'homophobe ! » Jules et ses amis changèrent de quartier, les deux rescapés rentrèrent chez eux dans un taxi dont Ferdinand contrôla la civilité, il resta dans le Marais. Dans un bar de nuit, il offrit des verres et fit le récit de son aventure. Un homme d'une cinquantaine d'années lui dit : « On ne t'aurait pas applaudi à Saint-Germain-des-Prés. On t'aurait désapprouvé à Passy. On t'aurait pris à partie à Barbès. On t'aurait poignardé aux Buttes-Chaumont. » Un autre : « Vous buvez comme si rien ne se passait ? Cette ville est hallucinée de haine. Si la crise économique continue, on nous défoncera la gueule sur les places publiques pendant que les braves gens danseront tout autour. » Ferdinand : « T'inquiète, pépète, je suis là ! Je vous défendrai tous ! Je suis champion de boxe ! » Lui parlant fort à l'oreille (le brouhaha, la musique), un nouveau garçon exposa une théorie sur la différence entre les folles et les tantes. Ferdinand trouva ça génial, regrettant bientôt d'avoir tout oublié à cause de six conversations croisées et de presque autant de vodka-Red Bull. Il portait un blouson fauve et un T-shirt à poche brodée qu'il avait achetés le matin même.

Rien n'est plus délicieux que le triomphe de ce qu'on aime. La défaite de ses ennemis n'est pas sans qualités non plus.

informations sur les assassinats

Dans son association (une petite salle municipale dans le XIe arrondissement, une table et deux chaises regardant une quarantaine de places toutes occupées), Armand prononça le discours suivant :

« Je parle pour ceux qui ont subi les persiflages, les quolibets, les injures, les menaces, les mails anonymes, les pneus crevés, les crachats, les coups, les balafres, les jambes cassées, les traumatismes crâniens, les yeux crevés, les assassinats.

Je parle pour Matthew Shepard, étudiant de vingt et un ans, torturé parce qu'il était gay, attaché à une barrière et abandonné là le 12 octobre 1998, à Laramie, Wyoming ; il est mort de ses blessures.

Je parle pour les trois morts et soixante-dix blessés d'un attentat à la bombe contre le pub gay Admiral

Duncan, à Soho, Londres, le 30 avril 1999. L'auteur de l'attentat, néonazi homophobe, était si bête qu'il pensait n'exterminer que des gays, mais parmi les morts se trouvait une femme enceinte.

Je parle pour Aaron Webster, tué à coups de batte de base-ball à Vancouver le 17 novembre 2001.

Je parle pour François Chenu, battu et noyé par des skinheads le 13 septembre 2002 à Reims.

Je parle pour Julio Anderson Luciano et Isaac Ali Dani Peréz Triviño, poignardés à mort à Vigo, en Espagne, le 13 janvier 2006.

Je parle pour les gays tués semaine après semaine en Jamaïque, la si cool Jamaïque qui condamne l'homosexualité à dix ans de travaux forcés. Brian Williamson, tué à coups de poignard au visage et au cou le 9 juin 2004 ; Victor Jarrett, battu à mort pour avoir regardé passer un garçon avec un peu d'insistance le 18 juin 2004 ; l'activiste antisida Steve Harvey tué par balles le 30 novembre 2005 ; Candice Williams et Phoebe Myrie, lesbiennes noyées dans une fosse septique le 29 juin 2006 ; Michael Kleiman, décapité le 25 juin 2008 ; etc., etc., etc.

Je parle pour les deux morts, Nir Katz (vingt-six ans) et Liz Trobishi (seize ans), et les treize blessés lors d'un attentat à l'arme automatique contre les locaux de l'association gay et lesbienne Aguda à Tel Aviv le 1er août 2009. L'assassin n'a pas été retrouvé.

Je parle pour Vladislav Tornovoï, vingt-trois ans, assassiné à Volgograd en mai 2013. Soupçonné d'être gay, il a été attaqué, on lui a brisé les côtes et cassé la tête à coups de pierre. Je parle pour Oleg Serdiouk, assassiné au Kamtchatka. Âgé de trente-neuf ans, il a été tué à coups de couteaux par trois hommes qui ont ensuite brûlé son corps. La Russie est le pays dont le président, Vladimir Poutine, attaque les gays comme naguère les Russes attaquaient les Juifs. L'un de ses arguments est que l'homosexualité ne serait pas "naturelle". Voici la tête de Vladimir Poutine après ses opérations de chirurgie esthétique :

La Russie est aussi le pays du patriarche orthodoxe Cyrille, selon qui le mariage homosexuel annonce l'Apocalypse. La

Russie est de plus le pays d'Oleg Betin, gouverneur de la région de Tambov, qui a appelé à "découper les pédés en morceaux". La Russie est encore le pays de Dmitri Kisselev, journaliste de la Première chaîne, qui a réclamé qu'on "enterre ou brûle les cœurs des homosexuels décédés" puisqu'ils sont "incapables de transmettre la vie". La Russie est enfin le pays de la députée Elena Mizoulina qui a demandé que les services sociaux confisquent les enfants élevés par des couples de même sexe. La Russie est, j'oubliais, le pays de l'acteur populaire Ivan Okhlobystine, lequel, en décembre 2013, s'est proposé de brûler les gays vivants dans un four. La Russie…

Je parle pour Eric Lembembe, journaliste et militant des droits des homosexuels, torturé à mort à Yaoundé le 14 juillet 2013. Son cou et ses pieds ont été brisés et son visage, ses mains et ses pieds, brûlés au fer à repasser.

Je parle pour Osvan Inácio dos Santos, dix-neuf ans, mort le crâne fracassé à Batingas en septembre 2007, et pour les 312 gays tués parce qu'ils l'étaient au Brésil en 2013.

Je parle pour Gabriel Fernandez, huit ans, que ses parents Isauro Aguirre et Pearl Fernandez ont torturé, le forçant à manger ses excréments, l'enfermant ligoté avec une chaussette dans la bouche et le frappant à coups de ceinture et de batte de base-ball pendant plusieurs mois jusqu'à sa mort, à Los Angeles, il y a quelques jours, tout cela parce qu'il jouait avec des poupées et qu'ils l'avaient jugé gay ; un enfant gay, comme il y en a évidemment dans les défilés homophobes de Paris, et qui marchent en entendant résonner dans leur tête les injures de leurs géniteurs.

Je parle parce que, comme dit le tragédien grec Euripide, le contre aidé du moins est parti en guerre et a donné le signal des jours de haine. Les paroles engendrent des actes. Les paroles *sont* des actes. Les troupes de l'esprit sournois, entêté, mesquin, réaliste, ont fait des incursions dans Paris pour s'associer aux brutes. Si nous n'agissons pas, l'homophobie deviendra une carrière. Les ambitieux incompétents sauront qu'il suffira de grimper sur le dos de cette bête pour avancer vers l'élection et, qui sait ? le pouvoir. »

Il posa l'index sur le pont de ses lunettes. Elles n'avaient pas glissé. Il avala lentement. Se gratta la joue. Puis, ayant rangé ses papiers :

« Je parle parce que je n'ai jamais parlé. Je vivais ma vie tranquille, n'embêtant personne, ne demandant rien à personne. Je parle pour les autres qui sont plus à plaindre, qui ont plus à craindre que moi. On ne dit rien contre moi en particulier, mais on injurie ce que je suis. Je parle pour moi. Je parle parce que je ne veux pas que mon cadavre soit mangé par les remords en plus des vers. »

informations sur le légendaire

Au premier rang d'une mer de manifestants attendant le départ, en costume barré de bleu, blanc, rouge, le député Furnesse répondait en parlant fort à des caméras de télévision. Un couple de touristes anglais à la terrasse d'un café dont les garçons rentraient tables et chaises à l'intérieur observait la scène avec un étonnement qui se marquait par de la raideur. Ils avaient pensé que la France voterait sa loi en un jour, après quoi l'Angleterre honteuse ravalerait son moralisme et voterait la sienne. Une population inconnue se déversait dans cette ville qu'elle semblait haïr, et l'arpentait pour priver des hommes d'un droit qui ne la concernait en rien avec des slogans qu'aurait enviés le Ku Klux Klan, se disaient ces natifs de Sheringham. (Le père de l'un des deux, qui y tenait un pub durant la Deuxième Guerre mondiale, avait été si choqué par la ségrégation appliquée par les officiers américains stationnant dans la région qu'il avait placardé à sa porte : « Réservé aux Britanniques et aux Américains de couleur. ») Ferdinand, assis dans le canapé du salon de la rue Fabert, coudes sur les genoux et visage dans les poings fermés, regardait à la télévision ces gens pour l'instant à Denfert-Rochereau mais qui comme depuis des mois finiraient sous ses fenêtres. Il avait fermé les volets pour leur signifier que son appartement ne voulait pas voir ça. « Nous sommes attaqués, nous devons nous défendre, disait le député Furnesse. Il en va de l'âme du pays ! Que devient la France en crise, la France harcelée par Bruxelles, la France souffrante ? Écoutez le peuple ! » Un porte-voix faisant des essais, il dut parler plus fort. « Au nom du peuple de France, je réclame la démission du président de la République ! » On entendit une corne de brume. Les corps se serrèrent et la marée monta, obligeant le député à marcher.

Ferdinand s'est couché. Les cris de la manifestation, filtrés par l'imagination de son corps endormi, deviennent un félin dont les oreilles sont des papillons et qui mange une petite fille. Elle ouvre la fermeture Éclair du ventre de l'animal et sort tranquillement sous les traits de Jules jouant du pipeau. Qu'il est gros, ce pipeau, dit Ferdinand dans son rêve ; tu me le montres ? Le félin, se plantant les griffes dans la poitrine comme une chanteuse d'opéra, sanglote. Des pétales de sirop d'orgeat giclent de ses yeux. Le visage de Ferdinand tout habillé sur son lit, veillé par les anges gardiens de son mur d'images, a un rictus. L'image du cuirassier de Géricault se décolle et se penche : « Ferdinand… Ferdinand… » Impossible d'entrer, dit-il en reprenant sa place à côté de son voisin Alexander Skarsgard. Ferdinand rêve.

Une légende est une histoire arrangée en vue de créer un mythe fondateur. La démocratie athénienne prétendait s'être créée sur un tyrannicide, celui d'Hippias, fils du Pisistrate qui aurait fondé la première bibliothèque publique afin d'y recueillir l'œuvre d'Homère. C'est le contraire qui s'est produit ; Hippias a été déposé par une famille d'aristocrates soutenue par Sparte, dictature oligarchique. Son frère Hipparque a été assassiné (c'est lui que la légende a transformé en tyran) pour une affaire de garçons. Il avait fait des avances à Harmodios. Celui-ci le rapporte à son aimé Aristogiton, et assassinat. Marchant, un soldat romain approche sa cuisse musclée du fils du député Furnesse. Ferdinand rêve.

On sait si peu les choses que, en 1947, quand Churchill écrit ses mémoires, il croit que Hitler a été peintre en bâtiment. (Il peignait des peintures au format carte postale après avoir été refusé aux Beaux-Arts pour paresse.) Même un Premier ministre, même un homme renseigné, est la proie de la légende. Un éléphant de mer à molaires en cubes de sucre bâille en lisant *Les Mots et les Choses*. Ferdinand rêve.

Juste avant les manifestations antigays, tout le monde parlait d'une nouvelle drogue qui rendait les gens fous. La police de Californie passait pour avoir arrêté un homme en train de manger les joues d'un SDF. Les gens à qui on le racontait disaient : « Inconcevable ! », puis le répétaient en disant : « Ça paraît inconcevable, mais... » Les légendes vivent du manque de conversation des hommes. Les papillons des oreilles du félin se décollent et se posent sur les pectoraux nus de Jules sorti de la mer sur une coquille Saint-Jacques, lui faisant de jolis tatouages. Ferdinand rêve.

« La France, pays de la liberté, ha ha ha !, dit le garçon de café aux Anglais. Les Français n'aiment pas la liberté, ils aiment la contestation. Ah non, vous n'avez pas le droit de fumer ici. Vous n'avez pas le droit de vous garer là. Vous n'avez pas le droit de vous marier comme vous voulez. La France, pays de la liberté où tout est interdit. » Une voix lointaine crie : « Je cite ! », suivie par celle de France Gall qui récite en chantant un passage de Pierre Hesse : « Et cet homme qu'ils avaient tellement aimé, qui les avait tellement tyrannisés, les sermonnant par amour et leur donnant des conseils par crainte, leur ayant mille fois répété l'histoire du fondateur de la famille mort en glissant du toit en chaume de sa masure et laissant sa femme élever son fils unique, un blond émotif frissonnant comme un champ de coquelicots dont on n'aurait jamais deviné qu'il deviendrait un grand capitaine, cet homme, ce vieux tyran barbu et charmant vêtu d'un costume croisé à larges revers était en train de glisser du toit du château. » Ferdinand rêve.

Ferdinand sort de l'Océan du sommeil. Une autre forme de lui-même était en train de vénérer le pagne en palmes du soldat romain (ô palmes en langues de cuir, langues sous ma langue !). Érections du réveil, êtes-vous les conséquences des rêves ? Du dos de la main, il frotte son œil, réticent à remonter des songes. Il s'étire pour repousser le monde matériel, cet entourage de dur qui l'investit par le truchement de la couette, du poids pourtant infime de laquelle son épiderme prend conscience. Et du pied, et des coudes, il dit : « Vie quotidienne, laisse-moi ! » Il serre sur son ventre l'enfant de son imagination ; oreiller, tu es le poème de Ferdinand qui s'éveille. Dans le couloir menant à la cuisine il heurte une photo encadrée où il est avec son père. Le verre s'est brisé. Il ne la ramasse pas. « Je décide que c'était un symbole », dit-il à voix haute. Ferdinand est éveillé.

commandement de la vie

tu vénéreras les drôles

Ayant raccroché, Aaron réfléchit. Il avait fait rire Armand. Comment, rire ? Éclater, exploser, gicler de rire. Armand n'avait pu ni d'ailleurs voulu se retenir et avait ri, ri, ri, avec des descentes qui auraient pu faire croire le rire expirant, mais non, il avait retenu la corde et le seau en train de descendre, pas question que tant de plaisir s'arrête ; remonte, motif de mon rire, je te repasse devant moi, tu n'iras pas de sitôt dans l'oubli de la mémoire, et il riait de plus belle. Aaron qui en avait pourtant l'habitude se demanda comment cela s'était fait. Il n'avait pas cherché à être drôle, il ne le cherchait jamais. Il était ce qu'il disait et comme il le disait. « Je le fais rire, pensa-t-il. Quel mystère. Qu'est-ce qui l'a fait rire exactement ? Mettons que je le comprenne : quelle est la signification de ce rire, au-delà de l'amusement ? Y en a-t-il une ? » Armand lui envoya un SMS : « Il n'y a que toi pour voir les choses comme tu les vois. Tu ouvres la porte de la prison de la banalité. On est si heureux ! Le ciel existe ! »

Le rire peut être une forme d'abandon. Il n'y a pas en lui que l'élément de vengeance qu'on relève si souvent, le : je ris de la rupture de l'ordre ou de la monotonie. Le rire comporte un élément de découverte du monde d'autrui. Une clairière inconnue ! Que c'est gai ! Je m'y abandonne et m'y abandonnant j'y éprouve du plaisir et ce plaisir m'élargit, m'épanouit, me fait rire. Celui qui l'a provoqué est très étonné de cet éclat du visage accompagnant le rire, car il ne sait pas jusqu'à quel point l'autre, grâce à lui, est ailleurs.

Armand, passant prendre Aaron à la maison : « Je suis mort. » Aaron : « Ça va passer. » Il ajouta : « Humour juif. » Comme l'humour anglais, et il n'est pas si différent, il est très conscient d'appliquer une rhétorique, d'être une certaine attitude, l'humour juif est l'idée qu'on a de l'humour. La différence est que l'humour juif est généralement un sarcasme envers sa faiblesse, l'humour anglais, une conscience de sa force. « Une chose est sûre, dit Armand en levant le col de son manteau (avril n'était pas plus chaud que chaleureux, des milliers d'enragés continuaient à manifester alors que le vote de la loi sur le mariage approchait), l'humour français n'existe pas. Qui a jamais entendu parler d'humour français ? »

Ayant fermé la porte du taxi, Aaron se boucha le nez, Armand fronça les sourcils, Aaron dit : « Dès qu'on parle des femmes, on est misogyne. Dès qu'on parle des Juifs, on est antisémite. Dès qu'on parle des gays, on est homophobe. "Les femmes", ça n'existe pas. Il y a des femmes. J'en connais de misogynes. "Les Juifs", ça n'existe pas. J'en connais d'antisémites. "Les gays", ça n'existe pas. J'en connais d'homophobes. Les Noirs, les Roms, les jeunes, les Américains, les hommes, les tout. En revanche… Je ne sais plus ce que je voulais dire. » Cela lui revint comme ils arrivaient devant le restaurant où ils allaient retrouver des amis : « L'homme a inventé les nations pour qu'il puisse constater le mal sans s'en accuser. On dit : les Écossais sont avares, les Espagnols sont orgueilleux, et ça permet de diviser les torts. »

Je connais gens de toutes sortes, disait Apollinaire. Je connais gays de toutes sortes. Je connais Asiatiques de toutes sortes. Je connais jeunes de toutes sortes. Je connais gros de toutes sortes. Je connais Argentins de toutes sortes. Je connais même un Français qui a de la fantaisie. Tous les gays n'ont pas d'humour, mais quand ils décident d'en avoir, ils le placent dans un immémorial ou dans un stéréotype. L'immémorial protège, le stéréotype se moque. L'immémorial s'adresse aux autres, le stéréotype aux siens. Un gay prendra le stéréotype gay pour se moquer des maladresses où peuvent se laisser aller certains gays ; le faire entre soi empêche que ça porte préjudice. Il est malhonnête de reprendre la critique du membre d'un groupe à son groupe quand on n'en fait pas partie. Ça a un très douteux côté : « Hein ! Même *eux* le disent ! » Qu'un gay fasse la folle devant des homophobes, c'est une désolante acceptation de la domination. Envers ceux-là, un gay aura de l'humour immémorial, lequel comporte des finesses signalant à l'ennemi : tu ne me fais pas peur.

Au restaurant, un des amis d'Armand et d'Aaron, un habitué, dit, à la fin du service, la salle s'étant vidée : « C'était pas frais ! » Le serveur, caricature de joli garçon se donnant le genre ignare, posa les poings sur les hanches et dit : « Depuis qu'il n'a plus ses dents, il n'aime plus rien ! » Aaron éclata de rire. Ah, pensa-t-il, la drôlerie est la chose la plus rare du monde. Voilà pourquoi l'homme l'adore. Il ne l'a pas. Enfin, c'est aussi parce que c'est une qualité inoffensive et qui ne coûte rien, à son idée. Il n'a pas non plus de bonté, mais il n'en voudrait pas.

Pour mesurer la quantité d'humour dans le monde, il suffit de compter autour de soi. 1… 2… 3… 4… 5… 5… 5. Je connais cinq personnes qui ont de l'humour. Au reste, l'humour. L'humour n'est rien, la drôlerie est tout. Je connais des gens qui ont de l'humour et ne sont pas drôles. Il est rare d'avoir de l'humour, il l'est encore plus d'avoir de la drôlerie. La drôlerie est la poétisation de la vie. Comme se l'était dit Ferdinand après avoir vu un film de Laurel et Hardy sur youtube, les gens drôles sont les anges de la terre. Ein jeder Engel ist tröstlich. « Un drôle », dit-on pour désigner un insolent. La drôlerie est la liberté suprême, libérée même de l'humour et de son poison social. La drôlerie, ce sont des guirlandes de bébés joufflus qui se jettent des nuages cul par-dessus tête, et rient, rient, rient, et se laissent tomber vers nous pour nous attraper de leur petite main et nous voilà en haut, avec eux, loin du routinier, du terne, de l'étriqué, de la colle, de notre ennemie éternelle, enfin, la vie pratique.

gaietés

exercice du triomphe

Témoignage d'Armand Anier sur son après-midi du 23 avril :

« À la banque, 16 h 30, je ferme la porte de mon bureau et branche la télévision sur Internet, son coupé. J'ai été ému quand le vote a été annoncé. Par 331 voix contre 225, le mariage entre personnes du même sexe devient légal en France. Les députés de la droite menés par Furnesse ont quitté la salle. Quitter la salle ! Furnesse ! Pour aller dans un trou cacher sa honte, sans doute ? J'ai envoyé un message à Aaron et à quelques amis, passé la tête dans le bureau de Gustave, en réunion mais qui m'a lancé un regard très dense, puis j'ai couru vers un taxi. Aaron m'a appelé, il m'a dit : "Allons bon, on ne va plus pouvoir dire 'mon mari' à la place de 'l'homme avec qui je vis' pour emmerder les coincés". Je regardais la Seine, je n'avais pas trop envie de mots d'esprit à ce moment-là. Devant la mairie du IVe, cette petite place formée d'un côté par la mairie, de l'autre par une ancienne caserne servant de bâtiments administratifs et du troisième par les grands immeubles classiques et tristes où a vécu l'organiste de Louis XIV François Couperin (quatrième côté : la rue de Rivoli), je retrouve Philippe que je serre fortement dans mes bras. "J'ai éclaté en sanglots quand on a annoncé le vote", me dit-il. Il avait assisté aux débats à l'Assemblée. Antoine me dit par SMS : "Je te vois" et vient m'embrasser, il y a des amis de Philippe, Guillaume l'organisateur de soirées, peu de gens connus, un écrivain, un journaliste. Les célébrités ont eu peur, dans cette affaire. De passer pour les pédés qu'elles étaient parfois, d'exciter les haineux, comme s'ils n'étaient pas déjà excités. On a vu bien des lâchetés au nom de la bienséance et du bon goût, cette année. Il faisait beau. On s'embrassait, on souriait, on était paisibles et heureux. Le maire du IVe est apparu au balcon, a fait un discours que nous n'avons pas bien entendu, nous buvions du champagne apporté par les uns et les autres. Des nouvelles circulaient, qui nous vengeaient des méchants en révélant leur stupidité. Un député allié de Furnesse, que quelqu'un avait qualifié de "Dr Folamour de la sexualité française", a donné raison à son moqueur en se trompant au moment du vote et en appuyant sur le bouton "oui". Il venait de révéler qu'il avait des "ambitions pour la présidence". Le bouton atomique ? Oups ! Je me suis trompé. Un comique haineux a qualifié le mariage de "projet sioniste qui vise à diviser les gens". On ne pouvait pas espérer mieux. Toute cette connerie va exploser à la gueule de ces porcs. Ils s'en remettront très bien. Leur métier est d'avancer couvert de boue, couinant. Aaron est arrivé : "Un copain a accepté de me remplacer une heure au BHV. Tu m'épouses ?" L'idée de mariage m'est étrangère, pour les uns comme pour les autres, mais pour le symbole, j'ai dit oui. Ah. Nous portions tous des pivoines à la boutonnière. »

Le député Furnesse assista à l'opéra (il avait pour principe que, quand on est attaqué, il faut se montrer) à une de ces premières préparées par une bonne campagne d'intimidation auxquelles le public fait un triomphe, s'admirant d'avoir du goût. La présidente du patronat et la présidente du groupe de presse s'étaient elles-mêmes levées et, lèvres serrées, regards sévères, tapaient franchement dans leurs mains. « Les plus grands succès à Paris sont ceux où le public s'applaudit lui-même », dit Ginevra à l'oreille de son amie. (Pierre n'avait pas donné suite à sa proposition de l'accompagner.) Cette amie, moqueuse comme elle et ne jugeant ses plaisirs que d'après elle-même, italienne comme elle, en un mot, répondit à l'oreille de Ginevra : « Quand on parle d'un spectacle expérimental, bien souvent c'est le spectateur la grenouille. » Ces deux coups ayant été tirés, elles se retrouvèrent comme les autres, loin de tout endroit décent pour souper dans le quartier. Le député Furnesse se faufila près d'elles pour se glisser dans la voiture avec chauffeur que lui avait allouée le parti depuis que les marionnettes l'avaient rendu célèbre. Les énormités qu'elles lui faisaient dire d'un air connaud l'avaient transformé en pote. Juste avant l'opéra, il avait répondu à la radio que les accusations contre lui allaient « faire game over ». Oh, game over ! il a dit game over ! Les journalistes en faisaient un sujet, les réseaux sociaux donnaient leur avis. Un député français doit-il parler anglais ? « Furnesse a-t-il tilté ? » Etc. Que les diversions sont faciles, se dit-il, il suffit de donner des flocons lexicaux aux poissons. Cela s'ajouterait à sa marionnette. Le scandale l'avait grandi. Il avait ajouté que « si des négligences avaient été commises », les responsables seraient « châtiés », et qu'à cet effet, « par mesure de précaution morale, il avait révoqué son attaché parlementaire ». De la voiture, il téléphona à un confrère de l'Assemblée : « J'ai réfléchi à ce complot contre moi. Aucun doute, il y a derrière tout ça ce pédé de... *[le plus jeune député de la législature]*. Leur petit lobby de merde. Je vais la casser, cette pédale. J'ai des copains flics qui le haïssent. Ils sont sur le dossier. Ah, une bonne photo compromettante d'enculade !... »

Le triomphe n'est pas un stade supérieur du succès. Il peut advenir après un échec. Il n'a pas la teinte de vulgarité de la réussite. Celle-ci peut néanmoins être souhaitable quand on n'a aucun avantage de naissance. « Je n'ai pas les moyens de l'élégance », disait Pierre Hesse, fils de moyens bourgeois du XIIe arrondissement. Il avait écrit :

> Il y a trop d'amertume dans le monde de la création. Outre de mettre de bonne humeur, le succès a ce grand avantage : il permet de passer à autre chose.
>
> *Le Portail*

On a les pensées de notre désir de traitement : Pierre avait effacé de sa mémoire tel et tel grincheux qui, malgré leur succès, continuaient à grincher. Ils étaient amoureux de leur grincherie. Cette maîtresse osseuse les poussait à être mécontents de tout, même de ce qui aurait dû leur faire plaisir. À leur naissance, ils avaient désigné de leur minuscule index potelé le sein de leur mère en disant, le nez tordu, la bouche pincée : « Ce sein est politiquement correct ! Ce sein est antifrançais ! Ce sein n'est pas écologique ! Ce sein est capitaliste ! Ignoble sein, beuh, beuh, beuh ! » Comme la main aimante venue caresser leur front bombé de pensées fétides aurait dû s'orienter plus bas et leur donner une fessée ! Bah ! Ils auraient trouvé le moyen d'en tirer un argument.

À quelques rues de l'Opéra Bastille, dans son fauteuil, une bouteille de champagne posée sur le parquet, Pierre disait à son chien : « Penser que je suis l'idéal de certains, leur modèle, leur admiration et leur objet d'analyse ! Ils prennent une ruine pour le Parthénon. » Il aurait dû mieux croire à l'amour que de grands lecteurs lui portaient, au lieu de se méfier de leur admiration.

Ferdinand, enivré de la façon dont il le faisait danser dans ses livres, avait compris que toute sa tétralogie était en germe dans son premier livre qui avait été un insuccès, et, avec la passion injuste des amoureux, mettait *Il me faudrait un petit palais* au-dessus du *Portail*, du *Fronton*, de *La Grande Fenêtre du premier* et de *Tout en haut du toit*, précisément parce qu'il avait été un insuccès. Il ne s'était pas mis à aimer Hesse en même temps que la foule, lui ; il avait lu le *Petit Palais* par hasard et sans avoir entendu parler de la tétralogie, l'avait tout de suite adoré sans partage et sans suivre les trompettes de la gloire qu'il n'avait découverte qu'ensuite, lui ; il aurait préféré que l'insuccès eût continué pour être le seul à l'aimer, à le cajoler, à le bercer, au lieu de cette vulgarité qui avait posé ses sales pattes sur ces merveilleux ouvrages.

C'est par les grands succès vulgaires qu'on triomphe. Sarah Bernhardt le savait bien, qui a fait sa gloire en jouant des *Cléopâtre* de Victorien Sardou. Elle n'aurait jamais été aussi célèbre si elle était restée tout en haut avec Racine.

Ferdinand revoyait *Harvey Milk*, le film de Gus Van Sant, sur le premier élu de San Francisco qui l'avait été en tant que gay. Ça le faisait pleurer, ces triomphes de la faiblesse. (Milk avait été assassiné, mais avant l'assassinat il y avait eu triomphe.) Harvey Milk dans ce film ; George VI le roi bégayeur réussissant à prononcer le discours d'entrée en guerre en 1939 dans *Le Discours d'un roi* ; les onze cents

Juifs sauvés à la fin de *La Liste de Schindler* ; *La Marseillaise* chantée dans le bar de *Casablanca*. Dans *Harvey Milk*, on entendait l'expression splendide de stupidité d'Anita Bryant, la mégère morale du temps, « the normal majority », la majorité normale. Elle faisait cela sans hystérie, avec douceur. Chaque époque crée de nouveaux types de talent et reproduit le type éternel de la vulgarité, se dit Ferdinand. Le député Furnesse était très doux quand il disait, pas du tout hystérique, très Bryant : « L'homosexualité est une déviation morale, l'homosexualité est une déviation sociale. » FIN, disait l'écran. DÉBUT, se dit Ferdinand en souriant d'un sourire qui lui tirait les joues vers les oreilles et remplissait son corps d'aise. Un sourire de triomphe, c'est charmant.

exercice des saunas

Les saunas intriguaient Ferdinand. Quelles choses délicieuses, puisqu'elles étaient réprouvées par les moralistes, se passaient derrière ces vitrines opaques ? Quel monde sinueux, humide, fluide, y palpitait ? De peur qu'on le reconnaisse sur le trottoir où il hésitait, il finit par pousser la porte de celui du boulevard de Sébastopol[1]. À l'intérieur,

---

1. Aucun cerveau n'est exclusivement concentré sur son objet lorsqu'il se trouve dans un environnement mouvant. Tout en ayant la pensée hélée par le sexe, Ferdinand en fut distrait par le bruit d'une camionnette ; il se dit : « Le boulevard de Sébastopol est pliable dans le sens de la hauteur ; dans la moitié basse, de la Seine à ce sauna, commerces petits bourgeois, magasins de sport, supérettes, téléphonie ; dans la moitié supérieure, quand, jusqu'à la gare de l'Est, il prend le nom de boulevard de Strasbourg, coiffeurs africains spécialisés dans le défrisage. » Que ce boulevard à double nom soit dans les IVe et Xe arrondissements, il le savait désormais. Quelqu'un lui avait offert un mécanisme débloquant : « La numérotation des arrondissements est faite en escargot. » C'était son père. Ferdinand lui avait exceptionnellement posé une question.

il se figea. Le jeune caissier dont les biceps tendaient les manches d'un T-shirt à l'enseigne du lieu lui dit, derrière le comptoir : « C'est vingt euros. » Comme Ferdinand restait raide quand il lui tendit une serviette-éponge et un bracelet à scratch, il lui expliqua tout, patiemment, clairement[1]. Portant sa serviette comme une offrande sur ses deux avant-bras tendus, Ferdinand avança dans un long couloir, croisé par deux jeunes garçons qui le remontaient en courant et en pouffant, l'un serrant le poignet de l'autre qui tenait une main devant la bouche, et tous les deux nus à l'exception d'une serviette autour de la taille. En bas de l'escalier, gardant les règles de la civilité extérieure, il prit soin de ne pas observer autour de lui. Des torses, des mollets passaient devant ses yeux. À force de zigzaguer dans les travées des vestiaires, il trouva un casier libre, il était passé devant plusieurs autres sans les voir. Assis sur la banquette, à côté d'un grand Noir musculeux qui se rhabillait, il enleva son blouson, ses souliers (parfaitement cirés), son jean, enfin le voilà nu avec la serviette-éponge râpeuse autour de la taille. Il a vite dissimulé son sexe dont la taille le préoccupe soudain, mais on devine au galbe de la serviette qu'il a des fesses aussi rebondies que le Noir, qui s'éloigne en costume en rêvant à la queue de ce beau blond, large, pâle, soyeuse, avec une légère décoloration en forme de Sicile à la racine, qu'il a eu le temps d'apercevoir. Ses jambes, chevilles fines, mollets longs, cuisses

1. Il se rappelait combien il avait été désemparé la première fois qu'il était entré dans un sauna, et qu'on l'avait aidé, patiemment, clairement.

bombées, sont couvertes de poils blonds ; son ventre plat et musclé est glabre, tandis que son large torse porte un pelage du même blond déployé de part et d'autre du sternum, semblable à une tête de renard ; du cou fin, des poils de barbe non rasés remontent vers les guillemets des fossettes et les pattes frisées ; épaules rondes et lisses, peau lumineuse, tétons caramel, ce qui va bien avec le blond des cheveux. Que… ? Ah oui. Le code pour la porte du casier, puis la clef ici, dans la poche à scratch du bracelet de cheville contenant un préservatif[1]. Il visita. Dans une grotte imitant la pierre, des douches ; derrière une porte en plastique souple, une pièce blanche de vapeur. Plus loin, dans une piscine, un garçon nageait nu, le corps divisé en mille sangsues par les mouvements de l'eau. Tout autour, entre des colonnes cannelées, des hommes assis par terre discutaient nonchalamment, Ferdinand détourna le regard quand, dans un jacuzzi, il vit deux garçons se caressant le sexe contemplés par trois ou quatre autres. En haut d'un escalier en colimaçon (la rampe en ciment peint imitait-elle le bois ?), il y avait une salle de télévision où des hommes dormaient, puis une salle de sport, vide, à l'exception d'un petit homme trop musclé qu'il reconnut pour être un acteur porno. Au dernier étage, couloirs, couloirs, couloirs. Ayant tendu le cou et lentement avancé le torse, il se

1. Le papier argenté est dentelé en haut et en bas ; se rappelant une rengaine de Jules et de lui quand ils avaient douze ans, il se dit sur une musique de publicité ancienne : « Le préservatif est un mammifère stérile… de la famille des raviolis ! »

décida à entrer dans une salle sombre. Il sursauta, comprit qu'une main avait effleuré sa hanche. Serrant les épaules, il continua. Une autre main lui caressa le bras. Une autre se posa sur son cou. Plus il avançait, plus il y avait de mains. C'était une salle de mains. Elles semblaient sortir des murs. Les murs désirant ferme rendraient-ils Ferdinand mûr ? Plusieurs mains se posèrent ensemble sur son sexe, une autre tenta de dénouer sa serviette. Il sentit des peaux contre la sienne, une odeur d'acétone ou de poivre, il ne savait pas. Quelques halètements. Une main se glissa entre sa serviette et sa taille, une autre arracha la serviette, des doigts groupés tentèrent de passer entre ses fesses qu'il tint très serrées, il ramassa la serviette, dit « pardon, pardon » et, à demi accroupi, sortit. Il hésita à courir au vestiaire et à partir. Mais avoir peur ! Et puis vingt euros, merde ! Reprenant les couloirs où des hommes de tous âges et de toutes ethnies s'observaient en se croisant, il marcha les sourcils froncés. Il vit un fumoir, un autre sauna, des salles avec des sortes de balançoires en skaï noir. Des hommes dormaient, allongés sur des banquettes. À l'entrée d'une cabine, une grappe d'hommes lorgnait à l'intérieur. Il tendit le cou, en vit quatre en train de faire l'amour avec des lenteurs de couleuvre puis des brusqueries de fauve. Ah, on peut faire ça ? Et ça ? Incroyable. Un jeune Arabe lui adressa un regard avec un signe du menton en direction d'une cabine libre. Comme il reculait, on lui marcha sur le pied : « Oh pardon ! Je vous ai fait mal ? », demanda l'homme. Ferdinand se trouve dans un labyrinthe obscur, haletant et grognant, qu'il traverse comme une ordalie.

Quelle est l'épreuve à emporter ? Il lève la main et rencontre ce qui lui semble un torse dont les poils rasés de quelques jours lui piquent la paume ; une pression se fait sur son épaule afin dirait-on de le mettre à genoux ; un coude le repousse sèchement ; ses mains cherchant à éviter tout contact frôlent une bite, des couilles, des hanches, un nez s'appuie sur sa nuque ; il se tortille et sort à reculons. Il semblait se passer toujours les mêmes choses dans les couloirs, pourtant il y resta, revenant sur ses pas, arpentant, revenant encore, pour revoir, savoir si elles avaient progressé. Leur staticité ne le dérangea pas. C'était lancinant et apaisant. Il n'y avait plus d'espoir. La paix était là. C'était ça, la vie après la mort ? Un sauna où des muets en pagne marchent en se jaugeant rapidement du regard ? Il ne baissait plus les yeux ; il suffisait de ne leur communiquer aucune intention pour que les hommes en face continuent leur chemin. Boulevard de Sébastopol, Ferdinand s'assied sur un banc en face de la porte et, ne pensant plus qu'on pourrait le reconnaître, griffonne à toute vitesse et en langage codé dans son journal intime[1] :

---

1. Il dissimule ce minuscule carnet à l'intérieur d'un portefeuille à élastique bouffi de cartes et de papiers divers. Il y a des tickets de cinéma de films qui lui ont plu, le poème du ver à soie de Michel-Ange recopié avec une faute d'orthographe sur une feuille pliée en huit, une photo de Jules imprimée à partir de son iPhone, une carte d'entrée journalière à la Bodleian Library d'Oxford dont il est très fier, une brève de journal avec une photo de son père à qui il a dessiné une moustache à la Hitler, la carte d'une boîte de nuit de vacances, un préservatif, le même depuis des mois, très peu d'argent.

Généralisations à partir d'une fois, de ces généralisations qu'on n'a que sous l'effet de l'amour ou de la haine : les hétéros contribuent, par leur littéralité, à écraser l'insolence et la gentillesse des gays. Ils n'imaginent pas la courtoisie infinie qui se rencontre entre nous. Cette déférence vient de l'esprit d'égalité. Chez les gays, pas de député, pas de prof de fac, pas de commerçant, pas de prolo : des hommes. Moi qui ne connaissais que la suante jouée des coudes dans les boîtes hétéros, je me suis vu céder, dans le bar de nuit d'où je sors, une place au comptoir : « Je vais danser, si tu veux mon tabouret... » Chez les gorilles, on barricade son whisky-coca et on revient enragé de la piste dès qu'on a vu quelqu'un s'en approcher. Chez les gays on se dit pardon, excusez-moi, je ne vous ai pas fait mal ? Le dénominateur commun chez les gays c'est la gentillesse et la cause de ce qu'on veut les tuer. Nous contredisons la marche utilitaire du monde.

Pierre avait la mélancolie de l'homosexualité qu'il ne connaîtrait jamais. Les femmes l'avaient amusé, accablé, abattu, rendu mélancolique. Pendant longtemps il avait trouvé ça joyeux, parce qu'il se plaisait aux escarmouches et, surtout, qu'il gagnait. Xu l'avait harcelé de querelles et de plaintes. De bêtise, aussi. Il appelait bêtise cette mauvaise foi perpétuelle servant à toujours se mettre dans une position supérieure de persécutée et qui est un moyen de prendre le pouvoir contre la raison. Elle m'a châtré, écervelé, tué, pensait-il. Je suis devenu ce fantôme qui picole. Y a-t-il du Roederer au bar du

Lutetia[1] ? En passant la porte à tourniquet de l'hôtel, il se rappela que, en fac, il avait couché avec un garçon. Ils avaient vécu quatre mois ensemble. Bah, trop tard.

Bien des hommes sont faits pour les hommes, et les femmes le savent parfois mieux qu'eux.

LAUREL, *parlant de la femme de Hardy* : — Qu'est-ce qui lui prend ?

HARDY : — Oh, je ne sais pas. Elle dit que je tiens plus à toi qu'à elle.

LAUREL : — C'est vrai, non ?

HARDY : — Ne parlons pas de ça.

LAUREL : — Tu sais ce qui ne va pas ?

HARDY : — Quoi ?

LAUREL : — Il te faut un enfant à la maison.

HARDY : — Quel rapport ?

LAUREL : — Eh bien, si tu avais un enfant, ça occuperait ta femme. Tu pourrais sortir le soir avec moi et elle n'y penserait plus.

Le film a commencé par l'observation :

M. Hardy était marié. M. Laurel était lui aussi malheureux,

puis, après la scène d'ouverture où la femme de Hardy bat les deux hommes qui s'échappent, non seulement ils se disent ce qui précède, mais ils le font sur un lit où

---

1. Vu de la rue de Sèvres, dos au Lutetia, le square Boucicaut a un air de colonie indochinoise. Les arbres sont très hauts et mal rangés, le lampadaire semble imiter Paris plutôt qu'en être, l'entrée du métro est d'un inhabituel style 1930. « C'est très bien, ces endroits où les villes sont autre chose qu'elles-mêmes ; des échappées », se dit-il en regardant ça.

Laurel se roule comme un ourson tout en polissant ses chaussures. Et non seulement cela, mais Hardy se lève :

LAUREL : — Où vas-tu ?
HARDY : — Nous allons adopter un enfant.

Et non seulement cela mais, quand ils reviennent avec le nouveau-né dans ses langes, un voisin de palier les félicite. Un huissier sonne qui tend une poursuite en divorce à Hardy, et :

HUISSIER : — Vous vous appelez Laurel ?
LAUREL : — Oui madame, monsieur.
HUISSIER : — On vous fait un procès pour détournement de l'affection de M. Hardy.

Et non seulement ça, mais ils passent la nuit au lit ensemble, avec l'enfant, et Hardy ensommeillé donne le biberon à Laurel endormi. Fin[1].

Ferdinand qui avait vu ce film sur youtube les avait surnommés « les anges de la fanfare ». Il les aimait mieux que les anges de malheur qu'on lui avait donnés en exemple. Pour le mot « fanfare », il ignorait qu'il venait de l'écrivain croisé par Armand à la célébration du vote de la loi sur le mariage. Un de ses amis le lui avait pris, qui l'avait répété à une autre, qui l'avait dit à un journaliste, qui l'avait imprimé sans citer sa source dans un article où Ferdinand l'avait lu. Restant accroupi, il écarta son ordinateur, tendit un bras, gratta du bout de l'index un livre en

1. *Their First Mistake*, 1932, réal. George Marshall.

haut d'une pile, le livre tomba sur la couette, Ferdinand s'avachit en écartant les bras, je suis un héros, je suis un héros, puis s'allongeant sur le côté ouvrit ce manuel de boxe et alluma une cigarette. (Il est de profil, appuyé sur un coude, son nez plat dans le prolongement du front et qui s'évase aux narines se découpant devant une photo en noir et blanc qu'il a ajoutée à son mur d'images, quand, je ne sais pas. Lorsque nous étions en compagnie d'autres personnages, sans doute. Personnages ! Vous n'êtes pas des personnages, vous êtes des personnes ! Sur vous je ne sais pas plus, disons plutôt que j'ai autant d'ignorance que sur les personnes du monde matériel, lesquelles ne me montrent qu'un aspect d'elles-mêmes. Les autres ne m'intéressent pas ! N'existent pas ! On n'existe que par interaction de la lumière sur la matière, des regards sur les corps, de l'un sur l'autre ! On n'est pas l'un sans l'autre ! Le plus intransigeant et malodorant stylite sur sa colonne du mont Sinaï, méprisant le monde et ruminant une morale austère, n'est connu que parce qu'on l'a vu ! Personnages, je vous aime ! Personnages, quand je ne vous aime pas, à l'image d'un ou deux de ce livre, je ne vous hais pas, je vous déplore ! Très 1970 tout ça. Eh ! On expose bien une statue primitive dans un appartement de verre. La photo, imprimée sur une feuille A4, représente un Noir d'une quarantaine d'années, petit, en costume, qu'on dirait laid si un sourire éclatant et des dents de devant écartées ne révélaient un enfant apparemment sans défense. Il y a une tonalité de panique dans son regard. C'est nous qui l'apportons. Ce maigre négrillon n'avait peur de rien. James Baldwin était héroïque. Ferdinand, sur les sites Internet qu'il fouille à la recherche de semblables, a découvert son existence, sa biographie et ses livres, et en tout cas, puisqu'il l'a imprimée et scotchée contre la photo, on l'aperçoit qui semble prolonger son menton, une phrase écrite par lui en 1960, comme les Américains tranquilles se demandaient ce qui se passait avec ces Noirs se révoltant contre les brutalités de la police : « WHAT HAPPENED IS THAT NEGROES WANT TO BE TREATED LIKE MEN. » Ce qui s'est passé est que les nègres veulent être traités comme des hommes. Derrière le profil de Ferdinand et derrière la photo, dans un carré de vitre, tout petit, à la façon d'un tableau de la Renaissance dans ce quartier qui ne l'est pas plus que le Marais n'est abstrait, un ciel bleu vif bosselé de nuages blancs et ronds comme des croupes de chevaux de trait.) Ferdinand sourit en lisant que les règles modernes de la boxe ont été fixées par l'aristocrate anglais à qui Oscar Wilde avait fait son procès fatal pour l'avoir traité de sodomite. Où étais-tu ma sœur je tuais un porc. C'est bien ça il ne faut rien céder sur la vengeance, ou plutôt sur la rétribution. Ne pas se venger, acte mesquin, faire sentir aux porcs que leurs actes ont des conséquences, pure mathémathique. Tchac, tchac, tchac, Super Ferdinand !, se dit-il en s'allongeant d'un coup sur le dos, yeux grands ouverts sur le plafond.

commandements de la mort

tu ne te laisseras pas impressionner par les ironies de la mort

Pierre appréciait les enterrements convenables, c'est-à-dire bien réglés et avec du monde. « Les enterrements, c'est pour rendre hommage à un mort mais aussi pour montrer que ceux de son milieu sont bien vivants en tant que milieu. Regardez, indifférents, regardez, ennemis, regarde, mort, nous sommes là, cent, deux cents, trois cents : notre groupe est nombreux et uni, pour cet acte doublement symbolique. » Et voilà pourquoi il lui était arrivé d'aller à des enterrements d'écrivains qu'il avait méprisés.

La Grande Peste du Moyen Âge est arrivée en Europe par un crétin. Les Génois qui tenaient le comptoir de Caffa en Crimée sont attaqués par les Tartares du khan Djanisberg. Ils repoussent l'attaque, les Tartares capitulent.

Djanisberg a la fine idée de se venger en faisant catapulter des cadavres pestiférés par-dessus les murailles de la ville. Les Génois l'abandonnent aussitôt, mais trop tard ; et à chaque étape, Constantinople, Messine, Chypre, Venise, Naples, jusqu'à Gênes enfin, ils déposent de petits paquets de mort. Cette peste a tué vingt-cinq millions de personnes en quatre ans, le tiers de la population de l'Europe. C'est comme si on en tuait aujourd'hui deux cent cinquante millions. (Année 1347.)

La seule fois où ce bossu chétif presque aveugle et génial de Leopardi a pris un moment de plaisir c'est le jour de sa mort, à Naples : il serait mort d'une indigestion de glace au citron. (Année 1837.)

Pendant la guerre franco-prussienne, Napoléon III part en campagne. Sa femme lui envoie des lettres froidement hystériques : « Faites-vous tuer sous les bombes, mon ami ! » Et il y va, et les bombes refusent de le tuer. Il meurt en Bonaparte, piteusement. (Année 1873.)

Rupert Brooke, poète patriotique anglais, avec ce que la littérature patriotique a de forcé, comme si l'auteur voulait se convaincre lui-même, est recruté comme sous-lieutenant de réserve de la Marine sur intervention de Winston Churchill alors ministre de la Marine. Parti avec la Force expéditionnaire en Méditerranée, lui qui aurait tellement préféré être tué d'une balle de fusil et s'était cuirassé de postures « je suis sûr que je vais mourir » meurt d'une piqûre d'insecte. (Année 1915.)

Une femme ayant manqué un avion d'Air France qui s'est échoué entre Rio et Paris, et s'étant montrée à toutes les télévisions du monde, se tue dans un accident de voiture. « J'ai raté l'avion ! J'ai raté l'avion ! », chantonnait-elle, et elle entre dans un platane. (Année 2009.)

Les gens meurent et on les oublie. C'est la chose la plus triste du monde. Il devrait y avoir un mausolée universel du souvenir des hommes, au lieu de cette fuite comme du vent, ou, pire, du seul souvenir des violents. À Armand lui ayant demandé le nom des trois vaisseaux de Christophe Colomb, Aaron répondit sans attendre : « La *Pinta*, la *Niña*, la *Santa Maria*. » Lui aussi, il avait appris cela, sur son continent, et dans cet ordre, se dit Armand ; tous les petits enfants d'Occident l'ont appris. Et il fut ému par cette chose commune et ancienne, ce ruisselet d'esprit. Il déplora qu'il n'en existe pas d'universelle, Occident et Orient réunis, que le seul lien universel soit le meurtre ; plus d'hommes dans le monde connaissaient Mao que Birbillaz. « Tu aimes trop ton pessimisme, dit Aaron. Ils connaissent autant Picasso que Hitler. Je dirais même qu'il apparaît régulièrement des Picasso pour déséquilibrer les Hitler. » (Toutes années.)

Les gens naissent et on n'y pense pas. C'est peut-être plus triste encore. Une fois qu'ils sont nés, ils sont nés, rien de plus. Insérés dans un circuit. L'humanité est une industrie. (Toutes années.)

Tant qu'on vit, on est immortel. L'homme est immortel. (Toutes années.)

tu cesseras de vivre

Il y en avait des plinthes au plafond, de la même couleur, donnant à la pièce l'air d'un dortoir de papillons. L'homme gisait par terre, les membres écartés, comme écrasé par les tâches qu'il s'était assignées toute sa vie et n'avait pas accomplies. « Vider penderie. » « Déclarer traduction Japon. » « Réapprendre le grec. » « Faire repeindre les volets. » (Ils étaient tous tirés.) « Payer vétérinaire. » « Lire Dostoïevski » (trois fois). L'un des plus singuliers de ces post-it était : « Tomber amoureux (et m'en relever). » Il était beau, très beau. Une soixantaine d'années, courts cheveux blancs, visage aux joues creuses, mains larges et longues, long corps mince allongé sur le matelas posé à même le sol, au centre de la chambre. Au plafond, le pistil du macaron de plâtre en forme de fleur qui dissimulait un ancien crochet de lustre (la lumière provenait de tubes dissimulés dans la corniche) semblait viser son cœur. Sans doute était-il mort depuis quelques jours quand l'inspecteur ouvrit la porte, car il avait une poudre de barbe aux joues. Le chien allongé à son côté en posture de sphinx roula un œil vers lui, il fallut deux hommes pour le tirer, geignant, hors de la pièce. L'inspecteur tenta de trouver une logique aux post-it ; tous à l'encre noire, tous en minuscules, sans plus d'urgence apparente pour l'un que pour l'autre ; l'amour était avec l'argent, l'argent avec la nourriture, le rangement avec les prénoms. Les prénoms, si on examinait bien, se trouvaient exclusivement sur les plinthes et sur la corniche. La vie de ce mort semblait avoir été délimitée, du sol au plafond, du début à la fin (de l'espoir à la réalisation, du rejet à la jouissance, du rêve au renoncement, de quoi à quoi ?) par ces « Francisca », « Hanne-lise », « Xu », « Jane », « Jane 2 », « Marta », « Yaël », « Makuko ». Que des prénoms étrangers, se dit l'inspecteur, qui pour finir trouva une « Ginevra ».

Des pensées, aussi. L'inspecteur les scanna, envoya quelques textes sur Google, ce n'étaient pas des citations.

L'adversité n'apprend rien.

On se cache la tyrannie qu'on subit, en inventant une autre pour rendre la première plus supportable.

L'esprit c'est du vent. En grec, pneuma veut dire « vent » autant qu'« esprit ». Quand on naît on inspire, vent. Quand on meurt on expire, vent. La vie n'a été qu'un souffle.

La vie est un blanc d'œuf.

Mourir en souliers vernis.

L'inspecteur en conçut un net mépris. Il écrivait, sous pseudonyme, des polars pour une petite maison d'édition. Tous portaient en épigraphe une phrase de John Fante, le romancier américain qui racontait ses soucis de loyer. Un journal lui avait consacré un portrait de dernière page. Les ventes n'avaient pas « explosé », et il avait gardé son métier. Pierre Hesse gisait, là, près de son lit, sous lequel avait glissé une lettre marquée « NON ENVOYÉ » où il déclarait son amour à cette Ginevra qu'il demandait en mariage, cela ne pouvait qu'être la même que celle qui les avait prévenus. L'inspecteur était en train de trouver à cet ordonnancement bizarre une explication raisonnable, convaincante et aussi bien fausse. Ayant trouvé une boîte intacte de médicaments contre l'hypertension, il conclut à une crise cardiaque.

Ferdinand avait connu plusieurs suicidés. Il avait été frappé par l'étudiante de deuxième année qui, sans laisser un mot, s'était habillée et allongée sur son lit, pareille à un gisant, comme si elle allait rejoindre le peuple des morts dont elle avait depuis toujours pensé faire partie.

Le père de l'architecte invité au dîner du lampadaire s'était suicidé d'un coup de fusil, sa mère, d'alcoolisme, un de ses grands-pères s'était pendu. Les suicides sont parfois une torpeur familiale qui entoure les gens sans qu'on le voie. Ça a quelque chose de mythologique, le suicide.

La défenestration est un suicide différent : il est comique. Il y a dans cet acte un grotesque qui semble au-dessous de la mort. On se jette comme une ordure. Et c'est donc le suicide le plus dédaigneux pour la vie, tandis que le suicide par pendaison, le plus calculé en outre du plus déterminé (il faut prendre garde au poids du corps relativement au meuble où on l'attache), est le plus déférent. Qui se pend aime la vie qu'il quitte, qui se jette la méprise.

Akutagawa, l'auteur de *Rashomon*, s'est suicidé en 1927 en laissant pour toute explication les mots : « Vague inquiétude. » Le vague est le danger. Sur le vague on flotte incertain, rien n'est arrêté et bientôt tout se vaut, le vivre comme le non-vivre.

Il y a eu dans la Grèce antique un suicide célèbre, celui de Cléombrotos. Voici la version de Callimaque : « "Adieu, soleil", dit Cléombrotos d'Ambracie : et du haut du toit il se précipite dans l'Hadès. Il n'avait, de mourir, aucun motif ; il avait lu, de Platon, un écrit, un seul, celui sur l'âme. » Il avait cru en avoir une, peut-être.

Certains suicides sont une tentative de forme. C'est une sorte d'espoir. Les suicidés peuvent être des espérant de l'après.

Derrière un post-it qui contenait une recette très simple de poison, l'inspecteur trouva cette phrase de Pierre Hesse : « Pour mon lit de mort : "Je peux le dire maintenant, les Rolling Stones m'ont toujours emmerdé." »

tu souscriras au Monument aux Vivants

Armand organisa une pétition, un concours et une souscription pour un nouvel arc de triomphe à Paris. L'emplacement serait devant la poste de la rue des Archives, pour le moment encombré de choses urbaines : un conteneur vert pour le verre ; une poubelle grise ; des bornes beiges de Vélib ; un horodateur ocre ; un panneau « Parking » bleu et des panneaux touristiques marron ; des motos broutant au pied des arbres ; j'ai mal à l'estomac, dit Anne (c'est près de la rue Debelleyme). Le beau petit arc de triomphe qui remplacerait cette pollution réglementaire porterait les noms des héros et des martyrs de la fanfare. (Aaron s'était lui aussi mis à dire « la fanfare ». Il avait pris ce mot à un ami drôle qu'il ne voyait jamais et le voyait désormais souvent, chaque fois qu'il le prononçait.) Les héros en premier. « Que nos victoires les stupéfient ! » Sur un pilier, en bas relief, le roi Henri III qui avait fait la fête avec ses amis dans le quartier, comme si Paris accomplissait les mêmes choses aux mêmes endroits depuis six cents ans, Alexandre le Grand, Richard Cœur de Lion, Louis XIII, le prince Youssoupof dont les mémoires portent l'épigraphe la plus comique et la plus véridique du monde, « À ma femme », le général de Lattre de Tassigny, Michel Platini, le sultan Qabous d'Oman et le roi Mohammed VI du Maroc (tant pis pour les incidents diplomatiques), Albrecht Dürer, Michel-Ange, Walt Whitman, Benjamin Britten, Cary Grant, Charles Trenet, Frank Ocean tendraient la main à, sur l'autre pilier, Federico García Lorca, Matthew Shepard, Hervé Guibert et quelques souffrant mais peu nombreux. Au sommet de ce monument, on verrait, comme volant, des shakos, des boas, des hauts-de-forme, des casquettes, des kippas, des keffiehs, des mitres saluant l'entente retrouvée des humains. Au sol, sous une trappe marron, une sculpture du député Furnesse en plastique sale… ou glauque… ou jaunâtre… couleur pipi, voilà, couleur pipi. En se penchant, on percevrait des couinements où, avec attention, on reconnaîtrait les mots : « Inférieurs… Génétique… Lobby… Nature… » On amènerait les écoles. Et les collégiens du futur, avec la magnanimité des temps apaisés, lèveraient des cheminées d'index pour dire : « M'sieur ! M'sieur ! Cet homme avait fait un pacte avec le Mal dans l'espoir de la vie éternelle. Il l'a obtenue : il est la risée de la raison et la honte de la tendresse. M'sieur ! M'sieur ! Ne pourrait-on pas condamner la trappe en lui souhaitant une courte vie, suivant la phrase du duc de Bourbon dans le *Henry V* de

Shakespeare que vous nous avez apprise : “Que la vie soit courte, car sans cela la honte serait trop longue” ? » Et le professeur, qui aurait subi dans sa jeunesse persiflages et avanies, répondrait : « La honte est de son côté ? Qu’elle y reste. Les meilleures choses que j’ai faites, je les ai faites par haine, celle des salauds. Elle est tout à fait recommandable, car elle permet d’organiser leur punition. Assez de la vertu du repentir ! Vous pouvez, mes enfants, pisser sur cette statuette immonde. » Trente zizis, trente pipis. Un jet d’eau automatique nettoierait la statuette pour les écoles suivantes. « Nous allons maintenant fleurir cet arc de l’enfin triomphe, les enfants. C’est un monument qui a été imaginé par Armand Anier, ce bienfaiteur, ce grand homme. » Rêvait Armand en frottant vivement son large nez, il venait d’éternuer. Paris, mai, pollen, vent frais. Il regardait avec Aaron et Anne (qui avait mis ses lunettes) cet emplacement moche où il espérait ériger le Monument aux Vivants.

Les gays n’ont pas de lieux de mémoire, n’ayant pas pensé qu’il leur était permis d’en avoir une. Et puis ils ont voulu oublier leurs souffrances et ne pas leur donner de prestige en les regardant ; c’est leur politesse, cette légèreté, une politesse fatale. La démémorisation est utile à la société. Elle ne veut pas qu’on lui rappelle les malheurs qu’elle a organisés contre certains des siens.

Les lieux de mémoire, les autres en ont, et tant mieux ; il en manque même ; laisser la majorité à sa digestion perpétuelle n'est pas bon pour sa santé. On pourrait classer lieu de mémoire gay bien des endroits de Paris, on se rendrait compte qu'ils ont été des endroits utiles à la France ; utiles au monde. C'est à eux-mêmes que les autres font du mal en se privant de nous. « Saloperie de cheveux soyeux ! », dit la petite femme bossue ; et elle se les coupe.

Tous les héros qu'ils nous ont volés ! Le président Lincoln, par exemple, dont ils cachent qu'il a au moins eu cinq histoires d'amour avec des hommes. Pire qu'une usurpation, cela revient à dire : « Vous n'êtes pas capables de supériorité, c'était fortuit, un hasard, une aberration, on le reprend, la légitimité, c'est nous. » Ou encore, pour le courage physique, Ernest Psichari, le petit-fils d'Ernest Renan, tué au front le 22 août 1914. De ce socialiste dreyfusard il y a eu tentative de sanctification catholique par des rugissants de l'arrière qui ont bien caché Samar, Djibril et les petits employés du Crédit lyonnais avec qui il couchait. C'est une injure à l'intégrité sensible d'un homme que de dissimuler ses amours.

Tout est fait pour que cette minorité reste méprisable, en ne lui permettant au mieux, comme représentants visibles, que des artistes et des frivoles. « Vous êtes risibles et anodins. »

Le soldat inconnu, c'est un gay. Personne ne pense jamais au double courage qu'il a fallu aux militaires gay de tous les temps, d'abord pour se battre, ensuite pour assister aux tournées des vedettes chantant des couplets réconfortants sur la p'tite femme qu'ils retrouveraient bientôt au pays. Et après tout ils étaient peut-être leur meilleur public, s'identifiant secrètement aux chagrins de Judy Garland ou d'Oum Kalsoum (d'ailleurs lesbienne). Et ils repartaient à l'assaut, avec leurs rêves interdits.

Que notre seule représentation symbolique ait été pendant des siècles celle d'un martyr percé de flèches était *aussi* une forme d'humour. Les gays étaient des mouches. Ils naissaient, volaient, mouraient et étaient oubliés. La mémoire que les autres perpétuaient, par leur descendance, leur famille, eux n'en laissaient aucune. Ça n'était pas triste si on pense à l'accablement réitéré des générations. Tous ces clans couvant leur petite légende pour écraser les autres, tribus, familles, mafias, ne sont souvent que des sauvageries organisées. D'autres faisaient ou ne faisaient pas, et s'en allaient. C'était triste si l'on pense au renoncement qu'il y a dans l'élégance de ne pas insister. Se disaient Armand, Anne et Aaron, de dos regardant la poste, dans un unisson de comédie musicale, de final d'opéra, de farandole.

tu entreras dans la farandole finale

Après le mariage d'Armand et d'Aaron, dans la même mairie du IVe devant laquelle ils s'étaient dit on s'épouse quelques semaines auparavant, les applaudissements de la salle furent pour eux, mais aussi pour les invités. Ah comme c'était bon. Six mois d'injures, de calomnies, de bêtise, et ils avaient perdu ! Ils avaient continué à manifester alors que la loi avait été votée, on eût dit la course d'un poulet égorgé. Nous étions contents pour Armand et Aaron, nous étions contents pour nous-mêmes. La musique avait éclaté dans la salle bondée d'amis, il y en avait assis sur les banquettes, debout au fond et sur les côtés, elle résonna sur la place par les fenêtres qu'on avait ouvertes sur une instruction malicieuse du maire. Il se tenait de face, avec sa fine barbe sculptée, et Armand et Aaron qu'on n'avait jusque-là vus que de dos (le grand Armand en costume gris, le moins grand Aaron en costume bleu marine) se tournèrent vers nous, et ce fut la lumière. Un bonheur jaillissait d'eux qui nous éclairait, nous avions l'impression de rayonner à notre tour, bravo ! bravo ! Ils s'embrassèrent et se serrèrent, se serrèrent, se serrèrent dans les bras l'un de l'autre. Nous descendîmes le grand escalier, ils arrivèrent après nous sur la place, bravo ! bravo ! bravo ! Aaron, qui s'était penché pour ramasser quelque chose, reparut comme un acteur applaudi, fit une petite révérence pleine de grâce à ces gens et leur dit : « Mes amis, je vous remercie. » Un invité demanda au joueur d'orgue de Barbarie installé à un coin de la place si la musique ne le gênait pas. « Du tout, dit-il. La routine n'est pas mon fort. » Se saluaient, s'embrassaient, se parlaient doucement, des amis et des gens ne se connaissant pas mais devenus amis pour cet instant au moins, par communauté d'affection envers les mariés. « C'est la seule bonne chose qu'on puisse dire en faveur de cette bouffonnerie sociale qu'est le mariage », dit un trentenaire à sa fiancée plus jeune qui rêvait de cérémonie. Elle répondit : « La seule bonne chose à dire peut-être, mais une grande chose à faire. » Son compagnon agita un index : « Tu ne m'auras pas ! » Tartiflette, petite, grosses lunettes, fumant des cigarettes et pas des fausses, souffla la fumée en évitant un grand jeune garçon en forme de tulipe qui la regardait avec admiration. Elle lui expliqua qu'elle était contente d'être revenue de vacances pour ne rien faire : « À Paris, on n'a pas le temps de travailler onze heures par jour. » Personne n'avait jamais exactement compris son métier, donner des conseils de style à de grandes marques était le plus précis qu'on avait pu obtenir. « Quel est ce couple hétéro qui se dispute à propos de mariage ? », osa demander le garçon qui resserrait sa veste de velours cintrée sur sa poitrine comme pour la faire disparaître. Tartiflette répondit que c'était un avocat et sa compagne, de vieux amis d'Armand. « Salut, Yolande ! », lui dit l'avocat de loin. Dans une robe d'un vert « dessous de feuille d'olivier » qui laissait apparents ses beaux genoux, Anne rajusta un grand chapeau beige « ciel du Kenya » dont les bords se rabattaient sur ses joues. « Über chic », dit un grand homme austère en costume croisé prince-de-Galles avec une cravate à pois bouffant. Anne tenait le bras du peintre en bâtiment qu'elle avait repris dans sa vie. Des ricaneurs avaient ricané. D'un appartement à l'autre ils s'étaient téléphoné, malheureux et ne le sachant pas. L'entreprise de décoration d'Anne avait reçu la commande d'une femme très influente, on commençait à beaucoup parler d'elle. « Elle a une apparence et une élocution floues, mais en décoration elle met au point très vite, disait Armand en se penchant sur l'invitée qui se tenait à son côté. Sa grande idée, c'est le jaune. Elle trouve que le jaunissement est une des malédictions du monde. Les papiers peints jaunissent, les couleurs des tableaux jaunissent, les dents jaunissent. Elle a décidé de bannir le jaune de tous ses projets. Comme on étonne plus en niant qu'en construisant, la directrice de la rédaction d'un magazine de mode a passé commande d'un reportage "À bas le jaune" dont elle sera l'héroïne. » Se rendant compte qu'Armand, là-bas, parlait d'elle, Anne lui fit un sourire puis, se retournant vers son interlocuteur, reprit sa phrase. L'échec du projet des assiettes à motifs d'yeux fleuris avait été utile. « Si ça avait réussi, je serais marchande de vaisselle... », expliqua-t-elle à ce porteur d'une chemise orange, qui n'était autre que l'homme aux vêtements bruyants, elle avait couru le retrouver dans la rue quand elle l'avait aperçu de son ancien bureau, mais oui, c'était lui, un amant de classe de terminale, très amusant s'il avait mauvais goût. « Pourquoi les gays tiennent-ils à avoir une institution aussi chiante que le mariage ? », demanda-t-il. Elle répondit : « Parce que c'est chiant ?... » et se retourna vers son beau peintre. Il boudait. Bah, il avait des biceps qui durcissaient si docilement sous les doigts ! Ginevra stagnait en taxi dans la rue de Rivoli encombrée ; attirée par la musique flottant sur la place, elle paya sa course et suivit la chanson. Au bord de la foule, elle observa ces gens heureux avec un plaisir qui la consolait de son chagrin. « Qu'en aurait pensé Pierre ? » On lui effleura l'épaule : son amie italienne, elle était donc du mariage ! Passa entre elles, sans trop s'excuser, la petite vendeuse du BHV qui serrait les dents. Elle était folle de satisfaction. « La castagne a toujours de bons résultats », dit-elle à l'homme austère qui avait parlé de chic. Il leva un œil de chameau. C'était pour camoufler le vif intérêt qu'il venait d'avoir pour le Maghrébin aux yeux de velours noir qui se promenait parmi les invités en semblant ne connaître personne. Tarek ! Quel joli prénom, lui dit-il, et chauffeur de taxi, vous devez en voir, des gens variés, vous êtes côté Aaron ou côté Armand ?... Tarek dit euh, Tarek dit enfin, Tarek dit bon, Tarek s'éloigna. Un minuscule chat noir venait de l'effleurer avant de reprendre sa marche, apparemment très fier du petit trou du cul crotté qu'il signalait à l'univers par le point d'exclamation de sa queue. Il croisa Ferdinand qui venait de descendre du 69. Bus très commode pour aller dans le Marais ; de l'arrêt d'avant la rue Fabert à celui de la rue François Miron il n'avait pas mis vingt minutes. Bien des regards se tournèrent vers cet admirable garçon à nez et chevelure de lionceau à qui son jean slim allait si bien. « Oh le beau cul ! », dit une voix d'homme. « Chhh ! », fit un autre, et aussitôt : « C'est vrai qu'il a un jean intéressant. — Ce n'est pas un jean, c'est une provocation. — Et le petit blouson en faux daim, si c'est pas mignon, on voit le gentil bourgeois qui veut bien faire. — Pas sexy du tout. — C'est fini, les garçons ? », demanda un troisième qui les avait rejoints et qui, apercevant Ferdinand, fit semblant de consulter son téléphone pour prendre une photo. « Montre ? Montre ? » Ferdinand ayant constaté qu'il y avait mariage se dit : « Je ne me marierai jamais ! Puisque Jules veut épouser cette pouffiasse !... » À son balcon des Invalides, trente-cinq minutes auparavant, il songeait, le menton dans la joue. Ses longs cheveux bouffant en chou sur ses tempes n'avaient pas plu aux militaires qui passaient en bas. « Pédé ! », avait crié l'un d'eux. Riant, Ferdinand leur avait montré son cul. (Huées, et pire.) Il avait décidé de fuir son arrondissement pour toujours. Dès qu'il aurait un métier, il vivrait ailleurs dans Paris.

Il continuerait à se peler tel un serpent (comme avait dit Jules) et à se débarrasser de ce qu'il gardait de genre VIIe. Queen et Tais-toi entra dans son champ de vision puis dans sa conscience : « Une drag queen ! Un mariage fanfare ! » Vêtue en on ne savait quelle diva glamour (il y avait des paris), longue robe jaune à plis obliques se croisant sur le nombril puis enveloppant les hanches, elle tendait son long cou en avant pour effleurer de sa joue la joue d'Armand, qui sourit et lui dit : « Mon Gustave ! » Eu égard à la circonstance, Queen et Tais-toi pardonna cette brèche dans le protocole et lui fit un clin d'œil. « Elizabeth Taylor dans *Cléopâtre* ! », s'exclama un connaisseur. La mère d'Aaron, arrivée la veille du Canada, embrassait son fils de tous ses yeux. « Je me demande pourquoi tant de dames juives adorent se teindre les cheveux en rouge », lui dit Aaron en lui caressant la joue. « Hommage aux betteraves de Pologne, sans doute », répondit-elle. Ferdinand regarda avec passion les mariés, les uns, les autres, y aurait-il des baisers ? Il ne vit bientôt plus rien, plus qu'une idée. Cette idée, c'était : je vais m'inscrire en droit comme Jules mais je ferai mieux que lui ; j'inventerai une spécialité. « Je créerai le droit de la fanfare ! », se dit-il en se disant qu'il se le disait comme le dirait un héros de roman XXIe siècle, qui n'aurait pas à conquérir Paris comme un du XIXe, ni le cabotinage comme un du XXe, mais la Justice. Il deviendrait le plus grand juriste de son temps. Ouvrant son minuscule carnet pour le noter, il y lut la dernière phrase de Pierre Hesse dont la mort le peinait tellement, la dernière phrase de son dernier livre, celle qui finissait *Tout en haut du toit* :

> Hélas, nos écrits demeurent, et toutes nos bêtises.

Rue de Rivoli, une voiture patientait dans l'encombrement, conduite par un très beau garçon accoudé à la portière qui regardait la place avec haine.

sexe

âges

amitié

amour

corps

beauté, laideur

surface

objets

héros

matériel, immatériel

rêver

formes

dénominations

liens naturels

nuisibles

une liste et deux tableaux

angoisses et tristesses

haïr

facilités

poison, contrepoison

rêves tyranniques autour des hommes

commandement de la vie

gaietés

commandements de la mort

Crédits des illustrations

Page 19 : Manifestations en Turquie. © Nazim Serhat Piral
Page 20 : « Un candidat populiste de gauche ». Collection particulière.
Page 25 : John Singer Sargent, *Le Dr Pozzi chez lui*. Armand Hammer Museum of Art, Los Angeles.
Page 25 : Diana Rigg. © PA Archive/Roger-Viollet.
Page 121 : James Dean. DR
Page 135 : Hanche. Collection particulière.
Page 154 : « Une candidate républicaine au Congrès ». Collection particulière.
Page 178 : « Les souliers ». Collection particulière.
Page 196 : « Des lits comme leurs perruques ». Collection particulière.
Page 413 : Vladimir Poutine. © EPA/Maxim Shipenkov.

Mise en pages PCA

Grasset s'engage pour l'environnement en réduisant l'empreinte carbone de ses livres. Celle de cet exemplaire est de :
1,320 kg éq. CO_2
Rendez-vous sur www.grasset-durable.fr

N° d'édition : 18940
Dépôt légal : août 2015
Imprimé en Italie